D1158268

# NÉGROLOGIE

DU MÊME AUTEUR

*La Guerre du cacao*, Calmann-Lévy, 1990 (avec Corinne Moutout et Jean-Louis Gombeaud).

*Ces messieurs Afrique I*, Calmann-Lévy, 1992 (avec Antoine Glaser).

*Somalie, la guerre perdue de l'humanitaire*, Calmann-Lévy, 1993.

*L'Afrique sans Africains*, Stock, 1994 (avec Antoine Glaser).

*La Diplomatie pyromane* (entretiens avec Ahmedou Ould Abdallah), Calmann-Lévy, 1996.

*Ces messieurs Afrique II*, Calmann-Lévy, 1997 (avec Antoine Glaser).

*Oufkir, un destin marocain*, Calmann-Lévy, 1999.

*Bokassa I$^{er}$, un empereur français*, Calmann-Lévy, 2000 (avec Géraldine Faes).

*Sur le fleuve Congo*, Actes Sud, 2003 (avec des photos de Patrick Robert).

STEPHEN SMITH

# NÉGROLOGIE

## Pourquoi l'Afrique meurt

CALMANN-LÉVY

29,95$
2004/05

ISBN 2-7021-3334-7

© *Calmann-Lévy*, 2003

*À mon frère et à notre sœur,*
*sans qui ce livre n'aurait pas vu le jour.*

*À Eugène, mon ami ivoirien.*

« La conscience est une plaie ouverte.
Seule la vérité peut la guérir. »

Osman Dan Fodio.


« N'ai-je donc pas sur cette terre autre chose à faire
qu'à venger les Noirs du XVIIIe siècle ? Il n'y pas
de mission nègre ; il n'y a pas de fardeau blanc. »

Frantz Fanon.

# AVANT-PROPOS

Ce livre s'adresse au grand public, que j'imagine aussi grand que le désarroi provoqué par l'actualité africaine. Il a été écrit avec la conviction qu'il faut cesser de travestir les réalités de l'Afrique en mêlant ce qui serait souhaitable à ce qui existe. Son point de départ tombe sous le sens pour qui n'a pas de parti pris, ni amour ou haine de l'Afrique ni honte de soi : *le présent n'a pas d'avenir sur le continent.* La liberté de ton est celle de l'urgence, sans mépris pour personne.

C'est seulement au cours de cette rédaction que j'ai découvert que le journalisme, même spécialisé, ne prépare guère à répondre aux questions essentielles. L'ouvrage puise donc à toutes les sources. Pour ne pas alourdir le texte de notes de bas de page, les références ont été rassemblées dans une bibliographie, à la fin du livre.

Mes remerciements vont à Sabine Cessou, qui m'a fourni des notes pour la rédaction du dernier chapitre, ainsi qu'à Roger Botte, André Faes, Roland Marchal, Jean-Philippe Rémy et Henri Rethoré pour leur relecture du manuscrit. Bien sûr, selon la formule consacrée, je suis seul responsable des faits rapportés et des jugements émis.

# INTRODUCTION

Pourquoi l'Afrique meurt...

C'est désormais la seule question qui reste, l'unique qui importe, vitale pour les Africains, fondamentale pour les autres, du moins ceux qui cherchent toujours à comprendre ce continent, « Ubuland » sans frontières, terre de massacres et de famines, mouroir de tous les espoirs. Plus de quarante ans après les indépendances, largement un siècle après la conquête coloniale qui coïncidait dans les faits avec la fin de la traite négrière, il n'y a plus d'excuses, plus de mythes étiologiques. Pourquoi l'Afrique meurt-elle ? En grande partie, parce qu'elle se suicide. C'est comme si, à bord d'une pirogue déjà prise dans la tourmente d'une mer démontée par la mondialisation, les passagers, au lieu de pagayer pour gagner une terre ferme, s'acharnaient à trouer la coque de leur frêle esquif. En 1997, le photographe et cinéaste Raymond Depardon, ami de longue date du continent, a intitulé un documentaire : *Afriques : comment ça va avec la douleur ?* Ça va mal, très mal. L'Afrique agonise, quoi qu'en disent, une fois l'an au creux de l'actualité, les optimistes forcenés des dossiers spéciaux sur « l'Afrique qui bouge ». Oui, heureusement, le cadavre bouge encore. Bien sûr, il y a des rescapés, des îlots de mieux-être dans un océan de malheur. Certes, à long terme, malgré les conflits « déstructurés », le sida et l'incurie de leurs pouvoirs, les Africains s'en sortiront. Seulement, comme le faisait remarquer John Keynes, économiste au grand cœur : à long terme, nous serons tous morts.

En dépit des circonstances atténuantes que l'on peut lui reconnaître, l'afro-optimisme est un crime contre l'information. On n'a ni le choix ni le droit. On ne peut pas, selon son bon vouloir, par sentimentalisme, ou sensationnalisme, « positiver » ou « noircir » les nouvelles du continent. Or, globalement, les nouvelles d'Afrique sont affligeantes. Aujourd'hui, le seul panafricanisme réellement existant, c'est celui de la douleur, des souffrances. Il recoupe, par la misère, « *l'Illusion identitaire* » (Jean-François Bayart)[1] qui consiste à parler de l'Afrique – de l'ensemble d'un continent marqué par une forte diversité – au singulier : ce « pays » auquel se réfèrent les vieux colons, sous-entendu : le pays des Noirs, qui sont tous pareils ; ou cette « mère Afrique » qu'adulent les chantres de la « négritude », racistes à l'envers qui ont intériorisé les préjugés dont ils font l'objet pour mieux les revendiquer. « L'idée d'une africanité qui ne serait pas nègre est tout simplement de l'ordre de l'impensable », affirme au sujet de ces derniers l'historien camerounais Achille Mbembé, dans un article intitulé : « À propos des écritures africaines de soi ». L'Afrique au singulier existerait seulement en tant qu'abstraction, à l'instar de l'Europe, si le continent au sud du Sahara ne s'était pas abîmé dans de multiples catastrophes, affligé de nombreux fléaux, victime de lui-même. C'est de cette Afrique « noire » qu'il sera question ici, du « ventre mou » situé entre l'Afrique du Nord et l'Afrique du Sud, qui représente seulement 24 % du produit intérieur brut (PIB) du continent ; de la région comprise entre le tropique du Cancer et celui du Capricorne, la seule au monde qui ait régressé depuis une génération, là où l'espérance de vie en bonne santé était, en 2002, de seulement trente-huit ans la moitié d'une vie occidentale.

Au journal télévisé, la gêne est palpable quand il est ques-

1. Pour ne pas alourdir le texte de notes de bas de page, les références ont été rassemblées dans une bibliographie, à la fin du livre.

tion de cette Afrique. Au-delà de la caméra, le regard de la speakerine ou du présentateur s'abîme dans la perplexité. Voici trois exemples : la crise en Côte d'Ivoire, la famine en Éthiopie, la guerre au Congo-Kinshasa. En Côte d'Ivoire, pays de cocagne du café et du cacao, un ancien Premier ministre, Alassane Ouattara, est empêché de se présenter aux élections, au motif de sa « nationalité douteuse ». L'affaire dégénère en querelle d'« ivoirité », et des immigrés du Sahel sont chassés des plantations dans le sud-ouest du pays. Il y a les premiers morts. Ensuite, le 24 décembre 1999, une mutinerie de solde s'achève en coup d'État, le premier depuis l'indépendance, suivi du « complot du cheval blanc » et du « complot de la Mercedes noire ». On se frotte les yeux. Dans la nuit du 19 septembre 2002, des combats à Abidjan font trois cents morts, le nord du pays se soulève. La Côte d'Ivoire sombre corps et âme dans la violence. Son président, Laurent Gbagbo, un socialiste « démocratiquement élu », est accusé de diriger des « escadrons de la mort » pour en finir avec l'ennemi intérieur, des insurgés qui, en fait, sont venus du Burkina Faso voisin... La France intervient pour stopper leur avancée. En guise de remerciements, son ministre des Affaires étrangères, Dominique de Villepin, est vilipendé comme « traître » et séquestré à la présidence ivoirienne par des « patriotes », partisans du président Gbagbo, dont l'épouse, Simone, critique violemment Paris chaque fois qu'elle est interviewée. Néanmoins, toutes les parties impliquées dans le conflit – gouvernement, rebelles et opposition – sont invitées à Marcoussis, dans la banlieue parisienne, où elles négocient un accord de paix. Quand celui-ci est entériné, le 25 janvier 2003, en présence du secrétaire général des Nations unies, tout ce qui est français à Abidjan – des expatriés au centre culturel, en passant par les lycées et l'ambassade – est attaqué, pillé ou brûlé. Cependant, les soldats français envoyés d'urgence ne se sont pas déployés à Abidjan, mais à 350 kilomètres au nord, pour y « surveiller » un cessez-le-feu que nul ne respecte. Pendant des mois, dans l'ouest ivoirien, d'obscurs mouvements rebelles et une armée qui n'a plus rien de

régulière massacrent la population, chacun ayant enrôlé des
« combattants » libériens pour lui prêter main forte. Et cela
jusqu'à ce que, munis d'un mandat pour l'imposition de la
paix, l'armée française et des soldats ouest-africains d'interposition interviennent pour « sécuriser » l'ouest. C'est là,
enfin, que l'on croit comprendre le film, l'enchaînement des
événements. Lorsque, le 25 mai 2003, ces troupes étrangères,
dites « forces impartiales », entrent dans Goulaleu, l'un des
villages martyrs qu'ils ont pour mission de secourir, une inscription badigeonnée sur un pan d'une maison calcinée les
prévient : « Il n'y a plus personne à tuer ici ! » C'est donc
ça, tout simplement : avec dix ans de décalage, le carnaval
sanglant du Liberia a gagné la Côte d'Ivoire, l'ancien havre
de paix du « vieux » Félix Houphouët-Boigny, l'ancienne
« vitrine » de la France dans la région, que l'on croyait parvenue sur la rive sûre du développement. Adieu, l'Afrique de
l'Ouest, saluons ceux qui mourront... « Jamais cela ne se pro-
duira dans une ancienne colonie de la France ! » avait-on dit
et répété à Paris, quand le Liberia, la Sierra Leone, la Somalie
et le Zaïre ont été emportés. Puis, l'été 1997, Brazzaville
brûle. Sous les obus – tirés par des Congolais ! – s'abattant
sur la capitale de l'ancienne Afrique équatoriale française
(AEF), l'armée française évacue ses ressortissants, et s'en va,
le cœur lourd. À Paris, les politiques de tous bords, en phase
avec l'opinion publique, se félicitent de la fin de « l'interventionnisme » et de cette « Françafrique », dont Brazzaville fut
un haut lieu de commémoration. Alors, à quand le Sénégal ?
Il suffit de fermer les yeux pour voir des jeunes, drogués au
désespoir, coutelas à la main et bandeau rouge au front, courir
sur la plage des Almadies, prêts à verser le sang. Ou, plutôt,
il suffira bientôt d'ouvrir les yeux...

Deuxième exemple : une bonne cause en Afrique. Le 2 juin
2003, alors que se tient un sommet des pays les plus industrialisés à Évian, Bob Geldof séjourne en Éthiopie. C'est la
première fois depuis vingt ans que le chanteur irlandais des
Boomtown Rats, célèbre pour avoir réuni autour de lui une
pléiade de stars du rock sous la bannière du Band Aid,

retourne dans le pays qu'il voulait sauver de la famine, en décembre 1984. « Il faut un plan Marshall », déclare-t-il par téléphone à *Libération*. « Sur le flanc sud de l'Europe, juste de l'autre côté de la Méditerranée, c'est tout un continent qui est à la dérive. Me voilà de retour au beau milieu d'un peuple qui vit un calvaire pire encore que celui des années quatre-vingt. Et l'Union européenne ne réagit pas, contrairement aux États-Unis. L'aide alimentaire promise par l'UE pour endiguer la famine qui s'annonce n'est pas arrivée. Cette semaine, j'ai vu trop de bébés en train de mourir, soit de malnutrition, soit du sida. Je ne veux plus voir cela. » L'histoire bégaie. Vingt ans après s'être indigné du sort des enfants mourant de faim – sans avoir fait le rapprochement avec le déplacement forcé des populations que le pouvoir éthiopien de l'époque avait mis en œuvre, et qui fut à l'origine de l'expulsion de Médecins sans frontières (MSF), seuls à protester –, Sir Bob, entre-temps anobli, lance de nouveau l'assaut médiatique contre une famine qu'il croit biblique. « Il a trouvé des mots très forts pour parler de la souffrance qu'il a vue, mais des mots qui disaient finalement sa propre souffrance, décrivaient ses sentiments à lui, soulignant au passage sa grandeur d'âme et ne donnaient qu'un aperçu extraordinairement déformé de ce qui se passait réellement », se souvient Rony Brauman, l'ancien président de MSF. « Tandis que l'on célébrait cette émouvante *success story* de la charité internationale en mondiovision, devant deux milliards de téléspectateurs, les déportations battaient leur plein. » Deux décennies plus tard, Bob Geldof, en tournée de promotion pour l'Unicef, le Fonds d'aide pour les enfants des Nations unies, ne dit pas mot de la guerre, aussi meurtrière que dispendieuse, que l'Éthiopie et l'Érythrée se sont livrée, de 1998 à 2000, pour quelques arpents de caillasse sur leur frontière. Il ne dit rien non plus de la dictature à Addis-Abeba, de la « rente humanitaire » que le régime cherche à engranger d'année en année. Bien sûr, Bob Geldof ne vient pas souvent et, après tout, il est chanteur. Mais alors, pourquoi bat-il le tambour caritatif pour l'Unicef ou pour l'association DATA – *Debt, Aids, Trade in*

*Africa* – qu'il a créée avec le chanteur de U2, Bono, qui veut
« transformer en argent la passion pour l'Afrique de Jacques
Chirac » ? En Érythrée, de l'autre côté de la frontière disputée
par les deux États va-nu-pieds de la Corne de l'Afrique, un
journaliste du *New York Times* se borne, lui, à faire son
métier. À la veille du sommet du G8 à Évian, qui doit décider
d'un « nouveau partenariat pour le développement de l'Afrique », Nicholas D. Kristof publie, le 28 mai 2002, un article
intitulé « Une fenêtre sur l'holocauste africain ». Il y rappelle
que, au milieu des années quatre-vingt-dix, Asmara passait
pour être l'une des capitales de la « renaissance » du continent. Comme d'autres chefs rebelles devenus chefs de l'État,
Issayas Afeworki était alors considéré comme l'un des hommes forts d'une « autre Afrique », à mille lieues de celle des
« dinosaures » au pouvoir, tels que le Togolais Gnassingbè
Eyadema, le Gabonais Omar Bongo ou le Kenyan Daniel arap
Moi. Hillary Clinton était même venue en Érythrée tâter le
pouls d'une « Afrique prête à prendre son destin en main ».
Sept ans plus tard, au pied du monument de la « guerre de
libération » à Asmara, une paire de sandales géantes sur un
socle en granit, le journaliste américain dénonce ce qu'il
découvre · une « minable dictature criminelle » qui « affame
son peuple », dont près d'un tiers est menacé de périr d'ina-
nition.

Troisième exemple : un pays africain en guerre. Au Congo-
Kinshasa, le « front » est partout et nulle part. Le 8 mai 2003,
un Iliouchine-76 affrété par l'armée congolaise pour transporter du matériel militaire de Kinshasa à Lubumbashi, le chef-
lieu de la province du Shaba-Katanga, décolle à 19 h 30,
bien après la tombée de la nuit. Pendant plus d'une heure, les
mécaniciens au sol se sont affairés autour de la porte ventrale
de l'avion, jusqu'à ce que l'équipage ukrainien perde
patience, tout comme d'ailleurs les nombreux passagers –
plus de deux cents. Certains d'entre eux, dans un pays-continent grand comme l'Europe de l'Ouest mais dépourvu d'un
réseau routier praticable, campaient à l'aéroport depuis plusieurs jours, en attendant un départ. Alors, à Dieu va, l'avion

décolle ! Il n'a pas encore atteint son altitude de croisière quand, précédée d'un sifflement strident, une sourde déflagration retentit ; déstabilisé, l'Iliouchine bascule d'un côté, puis de l'autre, manquant de partir en vrille. L'appel d'air créé par le trou béant à l'arrière aspire les passagers, pour la plupart des civils, des « clandestins » qui ont payé leur place aux militaires. Ils sont littéralement arrachés de leur siège, projetés comme des poupées de paille dans le ciel noir qui les engloutit en un instant. Combien sont-ils ? Quand le pilote, ayant réussi à remettre l'appareil d'aplomb, retourne se poser à Kinshasa, nul ne saurait le dire. Personne ne les a comptés à l'embarquement, personne n'est en mesure de calculer leur nombre rétrospectivement, *post mortem*, car le « tarif » perçu variait selon la tête du client. « Que sommes-nous devenus ? » fulmine de sa chaire, le dimanche 16 mai, l'archevêque de Kinshasa, le cardinal Etsou, président de la conférence épiscopale du Congo. « Que n'aurions-nous pas dit si cet avion avait été atteint par des tirs ennemis ? Là, aucun ennemi ne nous a frappés. C'est nous-mêmes, par notre complaisance, par notre cupidité, par notre insouciance, par notre irresponsabilité, oui, c'est nous-mêmes qui nous sommes érigés en ennemis de nous-mêmes. » Après cette autocritique, le prélat instruit le procès, par contumace, de ceux dont « les actes méchants posés délibérément » ont fait le malheur du Congo depuis cinq ans, à commencer par les présidents rwandais et ougandais, Paul Kagame et Yoweri Museveni. Par leur « exploitation perverse des conflits ethniques et des rancœurs anciennes, ils perpétuent les affrontements entre armées étrangères en terre congolaise ». Ils convoiteraient les fabuleuses richesses de leur grand voisin. « S'il s'agit des terres à conquérir, s'insurge Mgr Etsou, elle est révolue, l'époque de l'extermination des indigènes pour s'approprier leurs terres ! » Vœu pieux, mais c'est une erreur : pour quelques tonnes d'or, de cassitérite et de coltan, le minerai qui connaît depuis la fin des années quatre-vingt-dix un boom extraordinaire – jusqu'à sept cents dollars le kilo – parce qu'il entre dans les alliages utilisés dans les microprocesseurs et téléphones portables, l'est du Congo a été transformé en cimetière à ciel ouvert. Trois rapports successifs d'un groupe d'experts des Nations unies ont documenté ce « hold-up du siècle », du *revolving fund* de dix millions de dollars que le Rwanda a mis en place grâce aux recettes tirées de l'exportation des matières premières congolaises, jusqu'à la filière remontant au général Salim Saleh, le demi-frère cadet du président Museveni. Ni ce dernier, naguère flatté comme le « Bismarck des Grands Lacs », ni son ex-allié et nouveau rival, le général-président Kagame, n'ont eu à répondre de leurs actes devant la communauté internationale. Au contraire, celle-ci subventionne leur régime d'une généreuse aide au développement. L'Ouganda, allié régional des États-Unis, passait longtemps pour le « meilleur élève » du Fonds monétaire international (FMI) et de la Banque mondiale. Quant au Rwanda, le monde rachète sa non-assistance aux Tutsi minoritaires victimes d'un génocide en 1994 qui a fait plus d'un demi-million de morts. « Plus jamais ça », s'était-on juré, de nouveau, au siège des Nations unies et dans les capitales occidentales. États pillards, les voisins du Congo – outre le Rwanda et l'Ouganda, il y a aussi le Zimbabwe, la Namibie et l'Angola – ont donc pu dépecer impunément leur terre à butins. Depuis août 1998, selon l'*International Rescue Committee*, une ONG américaine, la guerre, les épidémies et la faim qui ont dévasté l'ex-Zaïre auraient coûté la vie à 3,3 millions de Congolais. S'ajoutant – autre grossière estimation – à 50 000 morts dans l'Ituri, la province contiguë du Rwanda et de l'Ouganda, la tuerie de plus de 400 civils à Bunia, en mai 2003, a provoqué l'intervention d'une force internationale, sous commandement français. Pendant trois mois, cette *task force* devait pacifier le chef-lieu de l'Ituri, au cœur d'une région vallonnée où s'étendent des plantations de bananes, de café et de thé, des champs d'avocats et de papayes. Ce paradis terrestre abrite bien d'autres Bunia dont les noms ne figureront sans doute jamais sur une carte d'état-major occidental : par exemple Drodro, Nyakunde ou Blukwa. Ces localités ont en commun d'être des lieux de massacre où ont

été passés au fil de la machette, en un seul jour, respectivement plus de 300, 500 et 900 civils, des hommes, des femmes
et des enfants. Méprisés depuis toujours, suspectés de servir
aux groupes armés rivaux de « pisteurs » dans la forêt équatoriale, les Pygmées sont particulièrement persécutés, victimes
d'actes d'anthropophagie. « Le cannibalisme a servi de
moyen prémédité pour faire la guerre », conclut en août 2003
un rapport d'enquête des Nations unies, sur la base d'un
demi-millier de témoignages recueillis dans la région. « La
consommation du cœur et du foie des Pygmées, qui confére-
rait aux auteurs de tels actes la faculté des victimes de chasser
et de survivre dans la jungle, peut être considérée comme
du fétichisme pur. En revanche, l'obligation faite à certaines
familles de manger des parties du corps de leurs parents tués
doit être considérée comme faisant partie d'une stratégie de
torture psychologique »...

En Afrique, comme partout ailleurs, l'humanité souffrante
est faite d'une somme de drames individuels. Mais ces nou-
velles-là, celles du « temps du malheur » (Achille Mbembé)
au jour le jour, ne parviennent que rarement à l'extérieur.
Comme l'histoire de Pierre Owono Mvondo, un Camerounais
âgé aujourd'hui de cinquante-huit ans, condamné en 1969 à
trois ans de réclusion pour faux et usage de faux. Il commence alors à purger sa peine à la prison de Sangmélima, à
180 kilomètres au sud de Yaoundé, la capitale, où il est trans-
féré en 1971. Au moment prévu de sa libération, l'année sui-
vante, il apprend qu'il a été derechef condamné à dix ans de
prison supplémentaires, sans avoir revu un tribunal ni même
un juge d'instruction. « Oublié » par l'appareil judiciaire,
ignoré par l'administration pénitentiaire malgré ses protesta-
tions, l'ancien graveur, surnommé « Leppé », ne sortira de sa
cellule qu'après trente-trois ans d'emprisonnement. Il aura
fallu que l'archevêque de Yaoundé, Mgr André Wouking,
visite la prison centrale de Kongengui, et soit ému aux larmes
par le récit de Pierre Owono Mvondo, fervent chrétien, accroché à sa foi comme un naufragé à sa bouée. Enfin libéré,
sans indemnisation ni excuses, « Leppé » se sent à Yaoundé

« comme quelqu'un qu'on a jeté en plein Paris, une ville où il n'a jamais mis les pieds ». Son plus grand désir : « trouver du travail et une femme parce que, pendant trente-trois ans, je n'ai pas vu la nudité d'un corps de femme ».

Sur un continent où la pitié est souvent un luxe inaborda-ble, voilà un *happy end*. En revanche, un haut fonctionnaire du Nigeria, dont la presse locale n'a pas même jugé néces-saire de rapporter le nom, a connu une fin moins heureuse. Porte-parole adjoint du ministère de l'Information d'Edo, l'un des trente-six États de la fédération nigériane, il a été impayé pendant deux ans. Après avoir vainement réclamé ses arriérés de traitement, il s'est rendu à Abuja, la capitale fédérale, pour y faire valoir ses droits. Nul ne voulant s'occuper de son cas, il s'est installé au ministère de l'Information où il vivait de la charité des passants. Son *sit-in* de protestation a duré neuf mois. Puis, le lundi 19 mai 2003, les fonctionnaires du minis-tère qui reprenaient leur travail après le week-end l'ont trouvé mort dans leur bureau. « Il était malade », a expliqué l'un d'eux, se souvenant aussi que son collègue de province, mué en meuble humain, avait demandé l'équivalent de 13 euros pour se faire soigner. Une vie en Afrique, ça vaut combien ?

Dans son édition du 9 mai 2003, l'hebdomadaire catholi-que *Pèlerin Magazine* a publié un sondage, « L'Afrique vue par les Français », réalisé en collaboration avec Radio France internationale (RFI). De l'enquête de la Sofres auprès d'un échantillon national représentatif de la population française âgée de plus de dix-huit ans, il ressort une image négative. Les adjectifs couramment associés à l'Afrique sont : « pau-vre » (76 %), « instable » (52 %), « corrompue » (39 %) et « violente » (32 %). Parmi les priorités pour le continent, l'éducation et la formation (63 %), puis une « réelle politique de lutte contre le sida » (50 %) figurent loin devant l'option « favoriser les régimes démocratiques » (34 %). Visiblement désabusés, les Français n'en sont pas moins prêts, pour 25 % d'entre eux (36 % parmi les catholiques pratiquants), à « don-ner du temps dans des associations » au profit de l'Afrique, ou à « parrainer un ou plusieurs enfants africains » (19 %), même s'ils sont seulement 15 % à vouloir encore « donner de l'argent » et 29 % à carrément baisser les bras, estimant qu'il n'y a « rien » à faire. Comme « principaux atouts » du continent, les personnes interrogées citent « ses matières premières » (42 %), « la jeunesse de sa population » (41 %) et « son potentiel touristique » (31 %). Quoi de plus banal ? C'est le bon sens qui s'exprime. Or, en présentant le sondage, *Pèlerin Magazine* reproche aux Français d'ignorer « l'autre Afrique, celle des exclus de l'économie mondiale et de la société planétaire, [qui] est en effet bien vivante, sinon bien portante », affirmant péremptoirement : « Envers et contre tout, l'Afrique est le continent de la vie et de l'espoir. » Pour sa part, rendant compte – sous le titre : « Afro-pessimisme hexagonal » – de cette enquête d'opinion, *Jeune Afrique* estime que « le scepticisme des Français quant à la possibilité de voir émerger "une nouvelle élite intellectuelle et économique" (12 %) démontre une méconnaissance de la réalité africaine contemporaine ».

Ce n'est pas le point de vue qui sera développé dans ce livre. Pour le dire brutalement : depuis l'indépendance, l'Afrique travaille à sa recolonisation. Du moins, si c'était le but, elle ne s'y prendrait pas autrement. Seulement, même en cela, le continent échoue. Plus personne n'est preneur.

Il ne s'agit pas de polémiquer ni d'accabler l'Afrique qui n'en a vraiment pas besoin. En revanche, il est temps de mettre fin à une double hypocrisie : celle des Occidentaux qui, par culpabilité historique ou veule désintérêt, ne disent pas la vérité aux Africains qu'ils savent pourtant condamnés, à moins qu'ils ne cessent leur œuvre collective d'autodestruction ; celle des Africains, bien conscients de leurs limites, mais qui, juchés sur leur « dignité d'homme noir » et, en cela, aussi racistes que l'ont été certains colons, rejettent toute critique radicale pour ne pas perdre la pension alimentaire qu'ils tirent de la coulpe de l'Occident. Peut-être, dans le passé, le pharisaïsme des uns et des autres ne tuait-il personne. Mais, aujourd'hui, il est mortel. Le « temps du malheur » dont parle Achille Mbembé, l'un des rares intellectuels du continent à appeler le désastre par son nom, est « un temps au cours duquel le pouvoir et l'existence se conçoivent et s'exercent dans la texture de l'animalité ». Nous y sommes : des Africains se massacrent en masse, voire – qu'on nous pardonne ! – se « bouffent » entre eux. Les 3,3 millions de morts au Congo-Kinshasa viennent après quelque 800 000 suppliciés à la machette, lors du génocide au Rwanda en 1994 ; après 200 000 Hutu qui ont trouvé la mort, entre octobre 1996 et mai 1997, dans la jungle de l'ex-Zaïre ; après 300 000 victimes d'un « génocide rampant » au Burundi depuis 1993 ; après 300 000 victimes de la faim et des violences en Somalie, pays sans État depuis 1991 ; et à la suite d'autant de morts, au moins, durant une décennie de saturnales au Liberia, de même qu'en Sierra Leone... Cette comptabilité mortuaire, sur les seules dix dernières années, est loin d'être exhaustive. Combien de morts au Soudan, où la – seconde – guerre civile dure depuis plus de vingt ans ? Combien en Angola qui, jusqu'à la mort de Jonas Savimbi en février 2002, n'a pratiquement pas connu la paix depuis son indépendance en 1975 ? Combien de victimes en Casamance, au Congo-Brazzaville, où des centaines de milliers de personnes apeurées ont vécu de longs mois dans la forêt en se nourrissant de racines et de baies sauvages ? Et combien de tués, depuis septembre 2002, en Côte d'Ivoire ? Au regard de ce bilan, qui est aussi un réquisitoire contre l'inaltérable bonne conscience occidentale (« ni ingérence ni indifférence »), peut-on continuer de (se) mentir ? A-t-on le droit de s'interroger sur « les capacités institutionnelles de l'État postcolonial », alors qu'il n'y a guère un aéroport en Afrique qui soit convenablement administré, plus de services postaux qui fonctionnent, que la distribution d'eau et d'électricité a dû être confiée, presque partout, à des groupes étrangers, toujours les mêmes, ces nouvelles « compagnies concessionnaires » ? Enfin, sur un continent qui n'a inventé ni la roue ni la charrue, qui ignorait la traction animale et tarde toujours à pratiquer la culture irriguée, même dans les bassins fluviaux, les coopérants doivent-ils se mordre les lèvres quand, en discutant avec leurs « homologues » africains, ils ont eu le malheur d'évoquer le « retard » de l'Afrique ? À l'inverse, là où le téléphone marche seulement par miracle ou au prix d'une communication satellitaire, est-il sensé de penser que « l'Internet permettra à l'Afrique de faire l'économie d'une étape et de passer tout de suite à l'ère postindustrielle, l'âge global » ?

Poser ces questions, c'est y répondre. Mais comment se fait-il, alors que la « faillite » de l'État africain n'est pas reconnue, que le passage aux « grands ensembles régionaux » sur le continent – à l'exemple de l'Union européenne – passe pour une actualité sérieuse, promue à grand renfort de crédits par les bailleurs de fonds ? Comment se fait-il que la souveraineté des pays africains, que le colonel Kadhafi et les deux Chine rivales (Pékin et Taïwan) achètent – tout comme la France ou le Japon – pour faire le plein des voix dans les instances internationales, est maniée comme une hostie, dans la crainte permanente du sacrilège ? On en décèle la raison en lisant, sous la plume de l'une des meilleures historiennes françaises du continent, la réfutation de « l'afro-pessimisme ». Début 2002, dans la revue *Le Débat*, Catherine Coquery-Vidrovitch écrit : « Le mot, issu de l'entourage de l'ex-président des États-Unis Carter et de sa Fondation, a été lancé par le *New York Herald*. [...] Cette orchestration est intervenue au moment de la chute du mur de Berlin, fin 1989-début 1990. Ce n'était pas un hasard. La fin des séquelles de la guerre froide rendait inutile la position jusqu'alors stratégique du continent africain dans le conflit Est-Ouest. Les médias ont donc expliqué que l'Afrique non seulement était tombée au plus bas ; mais surtout qu'elle ne pourrait pas ou plus s'en remettre, qu'on assistait à l'agonie d'un continent en quelque sorte prêt à être rayé de la carte géopolitique internationale. » Plus loin, l'historienne conclut : « L'afro-pessimisme à l'européenne, c'est d'abord une idéologie qui relève d'une volonté politique explicite ou, au mieux, inconsciente (chez les intellectuels de gauche), celle de garder l'Afrique en dépendance, ou du moins de continuer à la considérer comme inférieure. »

Que l'Afrique soit « tombée au plus bas » ne mérite pas un mot d'explication, pourvu que l'on garde la foi qu'elle se relèvera un jour, digne et fière... Le déni des réalités, au profit d'une posture morale au politique, explique un demi-siècle de cécité à l'égard de l'Afrique, tous ces non-dits qui piègent l'échange – sursaturé en mélanine – entre Noirs et Blancs. Si, dans les chapitres ci-après, nous n'avons aucunement l'intention de faire l'éloge de l'afro-pessimisme, nous nous autoriserons une totale liberté de ton pour rapporter des faits « négatifs » et pour les ouvrir au débat. Le but n'est pas de provoquer, mais de poser les problèmes de l'Afrique « en termes déchromatisés et contradictoires ». Cette revendication, formulée par Axelle Kabou, figurait dans l'un des trois livres qui, chacun à sa manière, ont – littéralement – affranchi les relations entre l'Afrique et l'extérieur, en particulier la France. Ils ont aussi marqué les grandes étapes de l'insertion géopolitique du continent qui, de la décolonisation à l'après-11 septembre en passant par la chute du mur de Berlin, conditionne largement le destin africain. C'est dans cette double filiation – la franchise et le souci de la place de l'Afrique dans le monde – que s'inscrit cet ouvrage. Son ambition est de profiter d'une fenêtre d'opportunité qui se referme à présent : l'abandon de l'Afrique, après la fin de la guerre froide, a mis à nu les réalités du continent de moindre importance stratégique ; la nouvelle matrice géopolitique qui se met en place, l'ordre (anti-)terroriste de la guerre entre « civilisation » et « barbarie », va les masquer de nouveau. Après la surdétermination des réalités africaines par le combat entre le « monde libre » et le « bloc communiste », une nouvelle couche géopolitique va les recouvrir une fois de plus. Raison supplémentaire de les cerner dans le clair-obscur du crépuscule : c'est à la chute du jour que la chouette de Minerve prend son envol.

Le premier livre-jalon, un monument, est celui de René Dumont, *L'Afrique noire est mal partie*. Paru en 1962, maintes fois réédité mais aujourd'hui introuvable en librairie, l'ouvrage a également connu une large diffusion dans le monde anglophone. En Tanzanie, du temps du président Julius Nyerere, *False Start in Africa* était une lecture obligatoire pour les ministres, un livre étudié à l'école. Au lendemain des indépendances, il fallut du courage à l'auteur (« Aussi ma plume tremble-t-elle en commençant ce livre, comme elle ne l'a fait pour aucun autre ») pour parler de l'alcoolisme des Africains, de leur ignorance et de leur faible productivité, des nouvelles bureaucraties parasites, de la classe dirigeante incapable et, déjà, corrompue. Malgré toutes les précautions de langage pour ne pas apporter de l'eau au moulin des « colonialistes dépités » (« On vous l'avait bien dit, ils n'étaient pas prêts »), René Dumont a tenu bon. « Les hommes seuls sont responsables du retard économique du continent noir », écrivit l'agronome. « Mais lesquels, parmi ceux-ci, sont les plus coupables : les Blancs ou les Noirs ? Trop d'Européens ont tendance à rendre l'homme noir, vite baptisé par eux de "primitif" (sinon paresseux, voleur, menteur...), entièrement responsable de son retard, de tous ses maux. » Ces phrases n'ont pas pris une ride. Mais elles ont été maquillées, pendant la guerre froide, par la pulvérulente complaisance de l'Occident à l'égard de l'Afrique et, en particulier, par la connivence mutuellement profitable entre les ex-métropoles et leurs anciennes possessions. Enlevons le fard : les Africains ne sont pas « entièrement » responsables...

En 1991, deux ans après la chute du mur de Berlin, Axelle Kabou a publié un libelle de divorce, à la fois personnel et en phase avec la nouvelle donne. Dans son livre *Et si l'Afrique refusait le développement ?*, cette Camerounaise élevée en France taille en pièces la « conscience noire », l'intériorisation du racisme érigé en vertu africaine. Identifiant les « mentalités africaines » comme principal frein au développement, elle ne l'envoie pas dire à ses « frères » et « sœurs » du continent (« les seuls au monde à croire que leur développement peut être pris en charge par d'autres qu'eux-mêmes »), ni aux pouvoirs africains (« plus attachés à réclamer des droits élémentaires à l'Occident qu'à les accorder à leurs propres citoyens »). Les belles âmes ne sont pas davantage épargnées : « Peut-on vraiment parler du sous-développement sans le mettre en rapport avec les cultures africaines ? » Sanctuaire du rousseauisme local, le village est analysé comme « un lieu conflictuel : celui où la tradition a failli face à l'envahisseur européen, et continue de perdre son lustre par une dépendance accrue à l'égard de l'argent. Là est l'essence de l'aliénation culturelle. Le reste est littérature ». La jeune femme payera cher son audace, fustigée comme une « trahison » par les gardiens du « génie » africain du « graal noir ». Ne publiant plus rien, soucieuse d'anonymat au point que son éditeur, L'Harmattan, a perdu sa trace, Axelle Kabou a eu raison trop tôt en portant la plume dans la plaie de l'Afrique. « Seule émerge de cette inertie organisée une ambition crépusculaire : celle de rester soi à n'importe quel prix », relevait-elle. « L'africanisation reste encore largement une entreprise cathartique de décolonisation à la manque, consistant à planter le drapeau de l'ancêtre vaincu là où flottait celui de l'homme blanc. Ce retour à soi, qui aurait pu être une aventure exaltante, libératrice d'énergies créatrices, est en train de tuer l'Africain à petit feu, pour n'être qu'une opération de lavage de cerveau. » Depuis, le brasier a été allumé, l'Afrique se fait sauter la cervelle.

« Crevons donc, si tel est notre choix, mais ne nous en prenons qu'à nous-mêmes. » En 2002, le langage de vérité de Jean-Paul Ngoupandé ratifie seulement le sort, déjà scellé, de L'Afrique sans la France. Sous ce titre, l'ancien Premier ministre centrafricain pourfend « la vacuité du discours de la victimisation qui, loin d'attirer quelque pitié que ce soit, nous infantilise et nous discrédite davantage ». Il parle au nom de l'Afrique francophone que Paris, dernière métropole néocoloniale, a enfin « abandonnée » à une souveraineté dépassant l'indépendance du timbre et du drapeau. Toutefois, au moment où paraît le livre, la France se réengage sur le continent, y compris militairement, en Côte d'Ivoire, en Centrafrique, et dans l'est de la République démocratique du Congo. Les attentats du 11 septembre 2001 justifient un nouvel ordre international, unipolaire vu de Washington, multipolaire vu de Paris. Les États-Unis, à la tête de « coalitions volontaires », interviennent en Afghanistan et en Irak ; la France est présente en Afrique, comme « nation cadre » d'interventions internationales mandatées par l'ONU. Par-delà les divergences et, sans en sous-estimer l'importance, le souci commun est le combat contre le désordre propice au terrorisme, au fanatisme religieux. Dans un second livre publié en 2003, *L'Afrique face à l'islam. Les enjeux africains de la lutte contre le terrorisme*, Jean-Paul Ngoupandé flaire l'air du temps qui change : l'Afrique, le continent de l'entropie, du chaos, est sur le point de redevenir un enjeu.

Pourquoi, dès lors, ce livre-ci, et pourquoi son titre morbide ? Pour deux raisons qui sont liées : d'abord, pour tirer les leçons du « temps du malheur » qu'aura été pour l'Afrique des gens ordinaires l'entracte entre deux ordres mondiaux, celui de la guerre froide puis celui de la nouvelle matrice qui se fige sous nos yeux ; ensuite, pour exorciser – chez les Blancs comme chez les Noirs – l'essentialisme pigmentaire qui fait que les habitants d'un continent sont pris et, pis encore, se prennent eux-mêmes pour des « nègres ». Car, si les uns comme les autres s'enferrent dans cette « négrologie », la (sur-)puissance géopolitique de la lutte antiterroriste engagée à l'échelle mondiale exacerbera les tribales poursuites et les guerres religieuses de l'Afrique, et mènera le continent droit dans la tombe, une vaste nécropole de charniers. Des problèmes, à l'évidence, l'Afrique en a déjà beaucoup et ne les résoudra pas de sitôt, quoi qu'elle fasse. Mais ses habitants en meurent dans des proportions aussi effroyables parce que, aux handicaps historiques du continent, aux fléaux naturels et aux injustices de l'ordre mondial, s'ajoutent un supplément d'autodamnation, une « âme noire » prétendument irréductible à l'universel, aux autres humains. « La négraille est l'ensemble de la série noire », raillait en 1969, désespéré, Yambo Ouologuem, un jeune Malien de vingt-neuf ans. Dans un livre pamphlétaire d'une décapante actualité, *Lettre à la France nègre*, il ferraillait avec la « négrophilie philistine », cette « gentillesse » assassine de tous les « amis de l'Afrique » qui professent « aimer » le continent, quoi qu'il y arrive, qui exaltent sa « vitalité » au moment même où ses habitants meurent en masse – aussi de la connivence avec le mal que les « gentils » Blancs ne nomment jamais. Cependant, plus encore, Yambo Ouologuem exhortait à « penser les vrais problèmes, des problèmes humains que l'homme noir, par la dérision de sa condition, colorie ». Il avait peu d'espoir d'être entendu, sachant que « pour ne pas être cambriolé dans [leurs] préjugés », ses contemporains les avaient ensevelis « au plus profond de [leur] bonne conscience ». D'ailleurs, depuis, Yambo Ouologuem, lui aussi, s'est tu. Peut-être l'envie de s'exprimer lui reviendra-t-elle, si le « casse », auquel il nous a malicieusement conviés, réussit.

# 1

## L'APOLOGUE DU BANQUET

Pendant des siècles, le Sahara, les alizés et la malaria ont isolé l'Afrique tropicale. La barre incandescente des ergs et hamadas sahéliens – près d'un tiers de la masse continentale africaine – n'était franchie que par des initiés du désert, les chameliers et leurs caravanes. Sur les côtes, des vents entraînant inexorablement vers le sud auguraient de voyages sans retour. Enfin, le paludisme était, selon l'un des premiers témoins, Ibn Battuta, « le plus dangereux des gardiens des secrets de l'Afrique ». Il a fallu attendre que la quinine écrête la fièvre hectique et, surtout, que le « continent mystérieux » soit exploré. Les Portugais se sont distingués dans l'exploration de l'Afrique, une entreprise initiée, dès le début de décembre 1488, par leur roi Henri dit le Navigateur. En portugais, le verbe *explorar* signifie à la fois « explorer », « exploiter » et « faire commerce de ». Dans cette ambiguïté, l'exploration a pris de l'ampleur avec l'emploi d'un navire de petit gabarit, facile à diriger au gouvernail, et associant la voile triangulaire en usage sur la Méditerranée à la voile aurique utilisée sur la mer du Nord. « La victoire des caravelles sur les caravanes », exaltée par l'historien portugais Magalhès Goudinho, a marqué le triomphe, contre les alizés, de la circumnavigation du continent par rapport au commerce transsaharien. Les conséquences de cette révolution se font encore sentir aujourd'hui. Jusqu'à l'arrivée de l'homme blanc, le littoral atlantique avait été marginal par rapport aux grands empires sahéliens. En perdant leur hégémonie, les États nés sur le « rivage » – *sahil* en arabe – du désert ont dépéri dans l'intérieur aride du continent, cependant que le pourtour océanique a fleuri grâce au commerce avec les Européens. Celui-ci était d'abord souvent « muet » : les marins déposaient sur les plages leurs barriques d'eau-forte, leurs cotonnades et verroteries, avant de se retirer en allumant des feux pour signaler leur « offre » aux indigènes ; ceux-ci, les biens européens enlevés, déposaient à leur tour, en échange, l'or et l'ivoire tant convoités par les étrangers. Après l'installation de comptoirs, les Européens débarquaient à leur gré tandis que des Africains étaient embarqués de force : quelque 13 millions d'esclaves, le « bois d'ébène » du commerce triangulaire entre l'Europe, l'Afrique et l'Amérique.

Coïncidant avec le bouleversement des rapports de forces politiques et la « tectonique ethnique » entre le littoral et l'intérieur, la traite esclavagiste fut une première catastrophe démographique. Une deuxième, bien plus importante, allait accompagner la pénétration coloniale. Entre 1880 et 1920, l'Afrique a perdu entre un tiers et la moitié de sa population, les pertes les plus élevées étant enregistrées en Afrique centrale et orientale. La cruauté de la soumission et, surtout, du régime des « compagnies concessionnaires » qui commercialisaient l'hévéa sauvage des forêts équatoriales y eut sa part, cependant difficile à évaluer. Dans son livre publié en 1998, *Les Fantômes du roi Léopold, un holocauste oublié*, Adam Hochschild estime que, pendant les quarante premières années de la colonisation, le Congo belge a perdu « au moins la moitié » de sa population, soit environ 10 millions de personnes. Mais dans l'Oubangui-Chari et au Congo-Brazzaville voisins, où l'extorsion du caoutchouc naturel par tous les moyens – dont l'amputation des mains, si le résultat de la collecte était jugé insuffisant – se heurtait à la sous-capitalisation des compagnies privées et à un minimum de scrupules de l'administration française, le bilan ne fut pas moins dévastateur : le « clash de civilisations », celle des Africains étant d'un niveau matériel très inférieur, y provoqua des pertes du même ordre de grandeur, notamment du fait des maladies importées contre lesquelles les indigènes étaient sans résistance ou, autre cas de figure, de la fulgurante expansion de la maladie du sommeil due aux infrastructures décloisonnant des univers auparavant fermés. Encore longtemps après ce « choc », la démographie de l'Afrique colonisée est restée hésitante. Ainsi la population du Congo belge, estimée à 10 millions d'habitants en 1925, était-elle seulement de 11,5 millions en 1950, un quart de siècle plus tard. À cette époque, en moyenne sur tout le continent, entre 30 et 40 % des enfants mouraient avant d'atteindre l'âge de 5 ans.

Se produit alors l'essor démographique le plus fulgurant que le monde ait jamais connu. Entre 1950 et 1990, l'Afrique subsaharienne triple sa masse humaine, passant de 200 à 600 millions d'habitants ; l'espérance de vie augmente de 39 à 52 ans. En l'espace de ces quatre décennies, la population du Congo-Kinshasa, par exemple, explose, atteignant 30 millions d'habitants, avec un taux d'accroissement de plus de 3 % à partir de 1960. C'est le résultat conjugué de la persistance des habitudes d'un continent historiquement sous-peuplé et des progrès de la médecine moderne, notamment des premières campagnes de vaccination. Les femmes africaines continuent à avoir en moyenne huit enfants, alors que les grands fléaux que furent le paludisme, la maladie du sommeil, la variole, la tuberculose, la syphilis et la lèpre sont contenus, tout comme les maladies infantiles auparavant endémiques telles que la pneumonie, la rougeole, la poliomyélite et les diarrhées, sans parler de la malnutrition. « Ce sont mes champs », disent les Kenyanes, championnes des grossesses rapprochées, en parlant de leurs enfants à naître. L'essor est tel que l'historien britannique John Iliffe n'hésite pas à écrire, rétrospectivement : « L'Afrique a survécu à sa croissance démographique maximale. »

De fait, il s'agissait d'un défi propre à réveiller des angoisses « malthusiennes » : la peur de manquer alors qu'il y a tant de bouches à nourrir, tant de jeunes à éduquer puis à employer. C'est une bombe démographique à retardement que le colonialisme, après les indépendances, a léguée aux pouvoirs africains, censés former les trois quarts de leur population, âgés de moins de trente ans, et leur trouver du travail. Au milieu des années soixante, la première poussée scolaire met sous forte tension les systèmes d'enseignement africains ; au début des années soixante-dix, la première génération sauvée des maladies endémiques arrive sur le marché du travail. Dans ce contexte, il faut se souvenir que, en 1960, il n'existait au sud du Sahara – l'Afrique du Sud exceptée – que dix universités. On ne comptait alors que 7 000 étudiants africains en France. Cas extrême, l'ex-Congo belge ne disposait, au moment de son indépendance, en 1960, que de 17 diplômés de l'université. Or, entre 1960 et 1985, le nombre d'enfants scolarisés dans les écoles primaires d'Afrique noire est multiplié par quatre, par six pour les écoles secondaires et par vingt pour les étudiants à l'université. Grâce à cet effort, les trois quarts des enfants fréquentent, au moins, l'école primaire. « La meilleure pilule, c'est le développement », s'écrie le président algérien Houari Boumediene en 1974, à Bucarest, à la tribune de la première Conférence mondiale sur la population. Mais dix ans plus tard, une bonne partie de l'Afrique est déjà « sous ajustement structurel », endettée et obligée de se conformer aux règles d'orthodoxie budgétaire que lui imposent, en échange de ses concours financiers, le FMI et la Banque mondiale. L'éducation nationale et la santé publique subissent des coupes claires dans une Afrique qui n'a plus rien en commun avec le continent qu'avaient administré les puissances coloniales. Au début du XXᵉ siècle, l'Afrique occidentale française (AOF) et l'Afrique équatoriale française (AEF) cumulées ne comptaient guère plus de 15 millions d'habitants – contre 140 millions dans les mêmes territoires en 1990. Entre-temps, la pyramide des âges, sur un continent où le « principe de séniorité » et le respect dû à l'âge sont des traditions profondément ancrées, s'est élargie à la base de façon périlleuse : dans l'Afrique subsaharienne, 45 % de la population a moins de 15 ans (à titre de comparaison, en France, 60 % de la population a entre 20 et 64 ans). Le désespoir d'une jeune génération, qui se sait de « trop » par rapport aux débouchés du marché du travail, nourrit tous les extrémismes. En Côte d'Ivoire, longtemps parmi les États exemplaires ayant consacré un tiers de leur budget aux dépenses d'éducation, « mieux vaut une année blanche qu'une vie blanche » est, à la fin du xxᵉ siècle, le slogan le plus populaire dans les écoles et facultés, avec « cabri mort n'a pas peur du couteau ». Le résultat : leurs études avortées, tous les leaders successifs de la Fédération estudiantine et scolaire de Côte d'Ivoire (Fesci) jouent, en 2003, des rôles de premier plan sur la scène politique, soit comme chefs de milices « patriotiques » au service du régime de Laurent Gbagbo (Charles Blé Goudé, Eugène Djué, Jean-Yves Dibopieu), soit du côté des rebelles (Guillaume Soro) ou encore dans l'opposition (Martial Ahipaud, Blé Guirao)...

Cette « jeune Afrique » ne vit plus dans des cases en paille. En 1920, le taux d'urbanisation était seulement de 2,5 % dans l'Afrique subsaharienne, qui comptait alors à peine 2 millions de citadins. Cependant, entre 1950 et 2000, la croissance urbaine a été de 4,4 % – un record mondial, l'Amérique latine ne suivant qu'avec 3,5 % et l'Asie avec 3,4 % – aboutissant à multiplier par six le nombre des habitants des villes. Ceux-ci, en 2003, sont devenus majoritaires avec 55 % de la population, un tournant que la planète dans son ensemble ne devrait prendre qu'à la fin de la première décennie du xxiᵉ siècle. Venant à l'appui de l'image traditionnelle d'une Afrique rurale, le fait que seulement cinq villes du continent – dont Lagos et Kinshasa au sud du Sahara – figurent parmi les cent plus grandes métropoles du monde amène à négliger cette forte urbanisation. Or, si quelques pays africains, notamment le Nigeria, comptent plusieurs villes de plus d'un million d'habitants, la majorité des États moins peuplés du continent souffrent de « macrocéphalie » : 81 % des urbains guinéens résident à Conakry, 67 % des citadins congolais à Brazzaville, 61 % des urbains angolais à Luanda... Entre 1950 et 1970, l'exode rural a été la principale source de croissance urbaine au point que, dans les années soixante, les deux tiers de l'accroissement étaient dus à cette migration, parfaitement rationnelle puisque, contrairement aux idées reçues, la proportion de la population « au-dessous de la ligne de pauvreté » est, en moyenne, trois fois plus élevée à la campagne qu'en ville (sauf au Nigeria). Peu ou prou, ce même coefficient s'applique aussi, en faveur des citadins, en ce qui concerne les chances d'accès aux principaux services publics (eau, électricité, soins de santé). Cela témoigne du travail d'aménagement herculéen requis, par exemple, dans une ville comme Abidjan : ne comptant que 125 000 habitants en 1955, la mégapole lagunaire de la Côte d'Ivoire abrite, un demi-siècle plus tard, 3,5 millions de citadins, des nationaux déracinés dont certains rêvent de poursuivre l'exode en Occident ainsi qu'un grand nombre d'étrangers, venus de toute l'Afrique de l'Ouest et, en particulier, des pays sahéliens.

Depuis les années quatre-vingt, les habitants des villes africaines payent le prix fort de cette pression migratoire. Leurs revenus, auparavant bien supérieurs à ceux des ruraux, ont été laminés. En 1988, en Tanzanie, le salaire minimum réel était égal à celui que l'administration coloniale britannique avait fixé pour les travailleurs non qualifiés en... 1939. À cette paupérisation s'ajoute une dégradation certaine de l'environnement des citadins : de plus en plus, ils vivent dans des taudis, dans l'insalubrité. Le sol, l'air et l'eau sont pollués. Dans les toutes prochaines années, une majorité des pays africains seront confrontés à des besoins en eau qu'ils ne pourront plus satisfaire. Or, les crimes contre l'écologie qui ont été commis – en Côte d'Ivoire, entre 1958 et 1980, deux tiers des 12 millions d'hectares de forêt primaire ont été défrichés – rendent précaire la reconstitution des ressources naturelles. Certes, l'iniquité globale est indiscutable dans un monde où un sixième de la population bénéficie de 78 % des revenus planétaires et provoque 80 % de la pollution. Mais la culpabilité des uns ne rachète pas les abus des autres : huit Africains sur dix cuisinant au feu de bois ou au charbon de bois, 85 % du bois coupé en Afrique est destiné à la cuisson des aliments. L'un dans l'autre, le spectre d'une « dictature écologique mondiale » se dessine. Comment, dans les prochaines décennies, les 3 milliards d'habitants supplémentaires des pays pauvres pourront-ils être pris en charge, par rapport aux droits fonciers et à la régulation de l'accès aux ressources vitales, sinon par une gestion « durable » – et autoritaire – des espaces et des hommes ? En Afrique, la multiplication des conflits liés à la terre arable, à l'eau, à la vaine pâture des nomades et, plus généralement, à « l'autochtonie » révèle une pression montante.

Désormais, l'Afrique, un immense paquebot démographique, même les moteurs de sa croissance coupés, glissera encore longtemps dans la même direction. Au point culminant de sa fécondité, au milieu des années quatre-vingt-dix, le continent faisait quasiment jeu égal avec l'Europe : 719 millions d'habitants au sud de la Méditerranée, 728 millions sur le Vieux Continent. Mais en 2050, selon les projections des Nations unies, évidemment tributaires des incertitudes statistiques sur le continent, l'Afrique comptera 1,8 milliard d'habitants, soit un cinquième de la population mondiale, et l'Europe moins de 650 millions. En cette première moitié du XXIe siècle, le nombre des Africains doublera donc, bien que le taux de croissance du continent baisse depuis le milieu des années quatre-vingt-dix, que la contraception, alors seulement pratiquée par 10 % des femmes dans la plupart des pays subsahariens, devienne moins exceptionnelle et que les villes africaines ne croissent plus que pour un tiers de leur expansion du fait de l'exode rural. Bref, avant le tournant du millénaire, le continent le moins développé a amorcé sa « transition démographique », rejoignant ainsi un schéma universel de développement. Attachée à ses traditions, l'Afrique a-t-elle davantage tardé à changer que d'autres parties du tiers-monde ? Controversée, la question se plaide dans les deux sens : eu égard au retard du continent noir, on peut estimer rapide sa conversion à la modernité ; saisi par le statisme des comportements, et de ses conséquences dramatiques, par exemple pour ce qui est des mutilations

sexuelles des femmes (plus de 90 % des Maliennes, Soma-
liennes, Éthiopiennes et Soudanaises sont excisées, la moitié
des Béninoises et des Togolaises), le coût humain d'une
« africanité » infrangible peut paraître exorbitant.

Palais des Congrès, à Paris, le 21 février 2003 : comme il
l'avait déjà fait à l'ouverture du 22ᵉ sommet France-Afrique,
devant cinquante-deux délégations africaines dont quarante-
cinq représentées au niveau de leur chef d'exécutif, le secrétaire général des Nations unies parle exclusivement du sida.
Sur fond de crise irakienne qui se noue en guerre américaine
pour « remodeler » le Proche-Orient, au mépris de la légitimité de l'ONU, l'insistance mono-obsessionnelle de Kofi
Annan frappe et surprend. La veille, le Ghanéen avait déjà
exhorté les présidents africains à agir. « Mes frères, malgré
tout ce que vous avez déjà fait, vous devez, chacun d'entre
vous, faire plus encore », leur avait-il dit. Venu clôturer leurs
assises, au côté de Jacques Chirac et du chef de l'État sud-
africain, Thabo Mbeki, Kofi Annan revient sur l'épidémie
qu'il identifie comme « la principale cause sous-jacente des
crises alimentaires ». Rappelant que, sur un total de 40 millions de personnes affectées du virus de l'immunodéficience
humaine (VIH) dans le monde, 29 millions sont des Africains, il prédit que le sida va « déclencher une crise de gouvernance » sur le continent noir, dont « les membres les plus
productifs, et les mieux formés, sont décimés : les enseignants, les médecins, les ingénieurs... ». D'une voix chargée
d'émotion, prenant son auditoire à témoin, il ajoute : « Je
vous conjure de porter une attention plus soutenue à l'extraordinaire multiplication des orphelins du sida, 11 millions d'enfants abandonnés à eux-mêmes – ils seront 20 millions en
2010 – et confrontés au plus sombre des avenirs. » Sommant
les responsables africains de placer les femmes – 58 % des
personnes infectées sur le continent – « au centre de ce combat vital », Kofi Annan conclut en réclamant « des mesures
véritablement révolutionnaires pour sensibiliser les populations et pour lutter contre les préjugés ». C'est seulement en
prononçant ce dernier mot qu'il se tourne vers son voisin de

gauche. Mais Thabo Mbeki regarde droit devant lui, fixant le fond de la salle. Le malaise est palpable. Ceux qui savent ont compris.

Élu en juin 1999 président de l'Afrique du Sud, successeur de Nelson Mandela, Thabo Mbeki est un homme cosmopolite, peut-être le meilleur représentant de la « nouvelle génération » des dirigeants africains. Ayant fui l'ancien pays de l'apartheid à l'âge de trente-deux ans, après un bref séjour en prison, il a fait de brillantes études universitaires en Angleterre, avant de devenir *le* diplomate de l'ANC en exil. Vice-président de l'Afrique du Sud à partir de 1994, après l'abolition de l'ordre ségrégationniste, il a consolidé le « partenariat stratégique » avec les États-Unis, très apprécié par son *alter ego* américain, Al Gore. Depuis le sommet des pays les plus industrialisés au Japon, en 2000, Thabo Mbeki a été invité à toutes les réunions du G8 pour parler au nom de l'Afrique, dont il était d'ailleurs le porte-parole officiel, en 2002-2003, au titre de président en exercice de l'Union africaine, en même temps qu'il présidait le Mouvement des non-alignés.

De la part d'un homme d'une telle stature internationale, il est d'autant plus étonnant qu'il s'entête, seul – ou presque – contre le reste du monde, à nier la responsabilité du VIH dans la transmission du sida. Pour Thabo Mbeki, il existe un doute sur l'origine virale de la pandémie qui, en Afrique, serait imputable à la pauvreté, au sous-développement et, en dernière instance, à l'injuste « ordre blanc », du colonialisme à l'impérialisme économique en passant par l'apartheid. Le 3 avril 2000, trois mois avant la 13ᵉ Conférence internationale sur le sida, la première à être accueillie par un pays du tiers-monde, précisément l'Afrique du Sud, Thabo Mbeki a écrit une lettre aux « grands de ce monde », envoyée à titre personnel et confidentiel au président américain Bill Clinton, au secrétaire général de l'ONU Kofi Annan et à plusieurs chefs d'État européens. Divulguée quelques semaines plus tard par le *Washington Post*, cette missive, illustration et défense de la « spécificité africaine » du sida, fit scandale. À la veille de la Conférence internationale prévue à Durban, au cœur du

Kwazulu-Natal, la province africaine la plus touchée avec une prévalence de près de 30 % parmi les adultes, Thabo Mbeki pouvait-il être l'hôte d'un rassemblement placé sous le mot d'ordre « Brisons le silence » ? Accusé de « révisionnisme médical », le président sud-africain a esquivé, donné des gages – mais jamais abjuré ses convictions. Certes, sous la pression publique, il a d'abord reconnu en 2001 que le virus VIH était l'une des causes du sida, parmi beaucoup d'autres (pauvreté, malnutrition, paludisme, hygiène...). Mais il a fallu un procès, gagné en avril 2002 par une ONG sud-africaine, *Treatment Action Campaign* (TAC), pour que le pouvoir judiciaire impose à l'exécutif la fourniture à toutes les femmes enceintes et séropositives de la nevirapine, un médicament qui réduit presque de moitié le risque de la transmission materno-infantile du sida, notamment au moment de l'accouchement (40 % des quelque soixante-dix mille cas annuels en Afrique du Sud). Depuis, du moins en théorie, ce médicament relativement bon marché est disponible dans tous les centres hospitaliers du pays, et non pas seulement dans deux hôpitaux de référence de chacune des neuf provinces sud-africaines, comme auparavant. Ensuite, en butte aux critiques de moins en moins voilées de Nelson Mandela et, surtout, au lendemain de la première conférence nationale sur le sida à Durban, où son refus des antirétroviraux avait été dénoncé comme un « crime contre l'humanité », le gouvernement sud-africain a promis, le 8 août 2003, l'élaboration, avant la fin septembre, d'un « plan d'urgence » de mise à disposition dans les hôpitaux publics de ces médicaments couramment utilisés dans le monde depuis une dizaine d'années. Sous la menace d'une campagne de désobéissance civile, à laquelle était prête à se joindre la Cosatu, la puissante confédération syndicale, le tabou semblait ainsi être levé sur des antirétroviraux en général et, en particulier, sur l'AZT dont Thabo Mbeki avait obstinément soutenu qu'il faisait « plus de mal que de bien », en raison de sa toxicité, et que son coût était trop élevé pour en garantir l'accès aux cinq millions de Sud-Africains contaminés.

Revenant sur la polémique au sujet de l'AZT, dans un article intitulé « Le sida comme cause politique », publié en août 2002 par la revue *Les Temps modernes*, Didier Fassin note « le recours quasi systématique par le gouvernement [sud-africain] à l'argument racial », l'opposition entre Noirs et Blancs. Il élargit ensuite son analyse à la notion clé de la pensée politique de Thabo Mbeki, la « Renaissance africaine ». En 1996, dans un discours fondateur prononcé devant l'Assemblée constitutionnelle au Cap, le futur chef de l'État, alors président de l'ANC, s'était écrié : « Je suis un Africain ! », reprenant à son compte l'idée d'une « renaissance » du continent, formulée par des intellectuels afro-américains dans les années vingt. L'historien sénégalais Cheikh Anta Diop avait relayé leur désir d'un réveil de « l'Afrique mère », après des siècles de réclusion obscurantiste et d'humiliation, en 1948, à l'occasion du centenaire de l'abolition de l'esclavage dans les colonies françaises, dans une contribution à la revue *Musée vivant*, sous le titre : « Quand pourra-t-on parler d'une renaissance africaine ? » Pour Thabo Mbeki, ce retour à soi du continent « d'un côté, assume la part tragique du passé du continent et de sa population, de l'autre, affirme une légitimité politique, souvent mêlée d'essentialisme identitaire, à définir son futur », relève Didier Fassin au sujet de « cette mission que s'autoattribue l'Afrique du Sud d'être le porte-parole des peuples africains, à la fois pour en dire l'histoire tragique et pour en annoncer la régénération attendue ». Il conclut que « le sida occupe une place centrale dans la construction du discours de la Renaissance africaine », parce que « le parallèle est régulièrement fait avec la Grande Peste de 1348 qui, explique-t-on, clôt dans une hécatombe sans précédent le Moyen Âge et rend possible la Renaissance européenne ». En d'autres termes : « maladie universelle de la modernité », le sida, fût-ce d'une façon dramatique et morbide, intègre l'Afrique dans le monde. En revanche, l'idée d'un « sida africain » descelle le continent le plus touché de son insertion mondiale et fait de l'épidémie, au-delà de son impact particulièrement fort entre Le Cap et Le Caire, « un

label identitaire majeur de l'Afrique » (Jean-Loup Amselle,
« L'Afrique, un parc à thèmes »).

Depuis qu'il est apparu en Afrique, dans les années quatre-
vingt (alors qu'il y existait, selon certains chercheurs, depuis
la fin des années cinquante), le virus du sida est un puissant
vecteur d'imaginaire. Pas seulement du côté des Africains,
puisque l'hypothèse occidentale de la transmission virale du
singe à l'homme noir charrie également – qu'elle soit vraie
ou fausse – un lourd bagage de représentations « signifiantes ». Tout comme l'idée africaine selon laquelle le sida serait
une maladie initialement contractée par les Blancs, s'adon-
nant à des pratiques zoophiles, qui l'auraient transmise, par
la suite, aux habitants du continent. Et l'on se souvient que,
au tout début de l'épidémie, quand le « SIDA » était encore
si nouveau qu'il s'écrivait en majuscule, de mauvais plaisan-
tins sur le continent, prompts à n'y voir qu'une conspiration
antinataliste de l'Occident, déchiffraient l'acronyme comme
« syndrome inventé pour décourager les Africains »... Bien
plus inquiétant, dans le débat interne à l'ANC – le parti de
Nelson Mandela et de Thabo Mbeki – la thèse d'une conjura-
tion des tenants de l'apartheid pour brider la vitalité génési-
que de la majorité noire en Afrique du Sud continue à avoir
la vie dure – même dix ans après la fin du « pouvoir blanc ».

Le postulat idéologique de « l'africanité » du sida est mortel. L'obsession identitaire se niche dans les recoins d'incompréhension des scientifiques pendant longtemps, par exemple,
au sujet du taux de transmission plus élevé de la maladie en
Afrique. Qui s'explique, non pas en raison de la « nature »
de l'homme noir ou de sa « condition » d'être historiquement
soumis, mais à cause du multipartenariat pratiqué par les
nombreux travailleurs migrants des mines, de la faible utilisa-
tion de préservatifs, du recours aux prostituées ou, vieux fantasme, à des jeunes vierges dont le sang est supposé « guérir
le mal ». C'est d'ailleurs en tenant compte de ces facteurs
qu'un pays comme l'Ouganda, en quinze ans de campagne
anti-sida très volontariste et de promotion ouverte de préservatifs, a pu ramener son taux de prévalence de 30 % à 6 %

(selon les statistiques nationales, jugées toutefois « exagéré-ment optimistes » par des organismes internationaux). Autre exemple de retard scientifique qui ouvre le champ à la mysti-fication : c'est seulement au tournant du millénaire que la recherche médicale a établi qu'une infection sexuellement transmissible de l'un des partenaires occasionnant des ulcères génitaux, notamment la syphilis ou l'herpès (très fréquents en Afrique), multiplie par dix à cent le taux de contamination. Jusqu'à cette découverte, encore ignorée par de nombreux Africains chrétiens, ces derniers voyaient facilement dans la rapide dissémination du sida sur leur continent la confirma-tion de la « malédiction biblique de Cham », le fils noir d'Abraham (un épisode qui, au demeurant, constitue un rajout apocryphe au texte original de l'Ancien Testament). Bien sûr, l'ignorance et l'incurie se mêlent à *« l'Illusion identitaire »* (Jean-François Bayart) d'un sida « africain ». À cet égard, il faut rappeler que la malaria, toujours la première cause de mortalité en Afrique, en emportant chaque jour 3 000 enfants de moins de 5 ans, n'est pas encore endiguée, parce que l'usage de moustiquaires imprégnées, qui réduisent d'au moins 60 % sa propagation et divisent par cinq la mortalité infantile due au paludisme, ne rentre pas dans les mœurs afri-caines. Commercialisées pour l'équivalent de 5 euros, soit un tiers des dépenses annuelles de santé par habitant en Afrique, ces moustiquaires, malgré une décision en ce sens, prise en avril 2000, ne sont toujours pas exonérées de droits et de taxes dans vingt-six – sur quarante-sept – pays subsahariens.

L'imprévoyance et la faillite de l'État expliquent la résur-gence de fléaux ataviques. Hormis la malaria (90 % des per-sonnes impaludées vivent en Afrique), la tuberculose, la lèpre, la variole (« éradiquée » en 1977) et la trypanosomiase font partie des maladies dites « sans marché » ou « orpheli-nes ». Sur les 1 393 médicaments nouvellement commerciali-sés entre 1975 et 1999, seuls 13 – à peine 1 % – concernaient le traitement d'une maladie tropicale, alors que 17 millions de personnes – la population entière des Pays-Bas, mais insol-vable... – en meurent chaque année. « Les médicaments sont au Nord, les malades au Sud », ce truisme ne vaut pas seulement pour le sida. Il décline une trivialité : il vaut mieux être fortuné et bien portant que malade et indigent... Face à la mort massive que symbolise spectaculairement le sida, l'inégalité entre les riches et les pauvres de la planète est insoutenable. Mais la solidarité du monde, encore et toujours hésitante eu égard à l'ampleur du problème, sera d'autant plus insuffisante que des « suicides » s'ajoutent à l'hécatombe.

Pour l'Afrique, le sida est une troisième catastrophe démographique, après la traite esclavagiste et le « clash de civilisations » que fut la colonisation. En effet, pour sept pays d'Afrique australe, l'épidémie entraînera des conséquences comparables aux ravages de la peste bubonique dans l'Europe à la fin du Moyen Âge. Dans ces pays – outre l'Afrique du Sud, le Botswana, le Lesotho, le Swaziland, la Namibie, la Zambie, le Zimbabwe – où le taux de prévalence chez les adultes frôle ou dépasse 30 %, l'espérance de vie reculera en moyenne, d'ici à 2015, de 17 ans. Au lieu d'atteindre 64 ans, si le sida n'existait pas, elle sera de 47 ans. Selon une enquête américaine au Botswana, l'espérance de vie pourrait y descendre, en 2030, à... 27 ans. Une comparaison sous forme de cercles concentriques achève de convaincre de la gravité du désastre : selon les chiffres des Nations unies publiés en février 2003, les cinquante-trois pays les plus touchés au monde accuseront, du fait de la pandémie, un « déficit » de population qui sera de 129 millions d'habitants en 2015 et de 480 millions en 2050, soit respectivement 3 % et 8 % de leur population ; en Afrique, le nombre d'habitants des trente-huit pays les plus affectés accusera un « manque » de 91 millions en 2015 et de 320 millions en 2050, soit respectivement 7 % et 19 % de leur population ; enfin, les sept pays précités d'Afrique australe seront privés de 26 millions d'habitants en 2015 et de 77 millions en 2050, soit 19 % et 36 % de leur population. Au regard de ces projections, nul ne disconviendra que l'Afrique australe est au cœur du problème. Mais il ne viendrait à l'esprit de personne de prétendre qu'il y a un sida « mondial », un sida « africain » et un sida « afro-austral »..

En 1798, un pasteur anglican de trente-deux ans, écrivit ces lignes dont il faut soupeser chaque mot : « Un homme qui est né dans un monde déjà occupé, s'il ne lui est pas possible d'obtenir de ses parents les subsistances qu'il peut justement leur demander, et si la société n'a nul besoin de son travail, n'a aucun droit de réclamer la moindre part de nourriture et, en réalité, il est de trop. Au grand banquet de la nature, il n'y a point de couvert disponible pour lui ; elle lui ordonne de s'en aller, et elle ne tardera pas elle-même à mettre son ordre à exécution, s'il ne peut recourir à la compassion de quelques convives du banquet. Si ceux-ci se serrent pour lui faire face, d'autres intrus se présentent aussitôt, réclamant les mêmes faveurs. La nouvelle qu'il y a des aliments pour tous ceux qui arrivent remplit la salle de nombreux postulants. L'ordre et l'harmonie du festin sont troublés, l'abondance qui régnait précédemment se change en disette, et la joie des convives est anéantie par le spectacle de la misère et de la pénurie qui sévissent dans toutes les parties de la salle, et par les clameurs importunées de ceux qui sont, à juste titre, furieux de ne pas trouver les aliments qu'on leur avait fait espérer. » Ce célèbre passage, « L'apologue du banquet », figure dans l'*Essai sur le principe de population* de Thomas Robert Malthus. Il traduit moins l'opposition à une forte croissance démographique que la crainte de la pauvreté que celle-ci risque d'entraîner. Pour les Africains, héritiers de rien et producteurs de peu du point de vue des riches déjà attablés, leur place au banquet n'est pas évidente. Trois fois décimés, ils sont toujours trop nombreux, parce que seulement candidats à la charité. Telle est la dure loi de l'économie, qui divise la richesse des nations par le nombre de leurs habitants. En Afrique, ce calcul dément les espoirs d'une génération : le PIB moyen par tête d'habitant y a perdu près du quart de sa valeur – en dollars constants – durant les deux dernières décennies du XXe siècle.

# 2

# DE LA PAUVRETÉ GLOBALE

Pauvre Afrique ! La compassion qu'elle suscite la prive d'amitié lucide. « L'Afrique est pauvre, le Japon est riche. » Des phrases de ce type, qui passent pour de simples énoncés d'évidence, font partie du discours rodé sur le continent, fournissent la petite monnaie au bilan de ses problèmes. Elles servent aussi, sur le plan intellectuel, à arrondir des fins de mois difficiles. Car, en fait, de quoi le Japon est-il riche ? Et en quoi l'Afrique est-elle pauvre ? Les mêmes qui dénoncent le « pillage » colonial, néocolonial ou impérialiste des « richesses » de l'Afrique s'apitoient sur la « pauvreté » du continent – celle-ci étant prétendument le résultat de celui-là. Or, il faudrait savoir : ou bien l'Afrique est pauvre, et l'on ne s'explique alors pas la « convoitise » des grandes puissances à son égard ; ou elle est riche, et l'on ne comprend pas pourquoi les Africains ne jouent pas sur les rivalités entre les grandes et moins grandes puissances du monde pour au moins sortir de leur indigence matérielle ; ou bien, troisième hypothèse, la déprédation de l'Afrique serait à présent achevée, le continent n'étant plus qu'une terre stérile, sassée et ressassée ; mais alors, d'où viennent le cuivre, le fer, le cobalt, le zinc, la bauxite, le platine, le manganèse, le chrome, l'aluminium, l'étain, l'uranium, le nickel et le mercure, sans parler des minéraux rares tels que l'or, le germanium, l'iridium, le palladium ou le colombo tantalite, depuis peu plus connu sous son appellation tronquée de « coltan » ? D'où viennent le café, le cacao, les bananes, l'ananas, l'hévéa et le coton ? D'où vient le pétrole ?

Esprit original, l'économiste Jean-Louis Gombeaud aime à poser cette question : « Et si la France avait colonisé le Japon plutôt que l'Afrique ? » De quoi mettre mal à l'aise une tablée de belles âmes. Car, à défaut d'avoir été colonisé, le Japon a été forcé à l'ouverture – « violé », pourrait-on dire – par la marine de guerre américaine en 1886. De vieille culture, dépourvu de richesses naturelles mais doté d'une population déjà largement alphabétisée, l'archipel, alors bloqué dans son essor, s'est mis à assimiler ce qui fondait la supériorité de ses « envahisseurs ». On connaît la suite. Aujourd'hui, le Japon est riche ou, comme on devrait plutôt dire : les Japonais sont riches, la terre qu'ils habitent étant toujours aussi ingrate. De la même façon, mais à l'opposé, les Africains sont pauvres sur un continent globalement mieux loti par la nature. Ils vivent dans la misère, même dans un pays comme le Congo-Kinshasa, « scandale géologique » regorgeant de richesses du sous-sol. Dans d'autres États bénis des dieux, par exemple, les importants producteurs de pétrole que sont le Nigeria, l'Angola, le Gabon ou le Congo-Brazzaville, le brut n'a que souillé l'environnement, servi de carburant à des guerres civiles, et enrichi une infime minorité au détriment du plus grand nombre. Au nom de ceux-ci, et par un souci élémentaire de vérité, force est de constater que, si l'Afrique n'est pas pauvre, les Africains sont de pauvres gens (au sens non péjoratif qui amène le PNUD, le Programme des Nations unies pour le développement, à inclure dans sa définition de la pauvreté, au-delà de la pénurie matérielle, « la pauvreté de potentialités et de *capacités* »). L'échec collectif des Africains est en effet indéniable : depuis une génération, l'Afrique au sud du Sahara est la seule partie du monde qui ait reculé dans sa marche vers le mieux-être, quelle qu'en soit la définition. Sur le plan économique, les quarante-huit pays situés entre le Sahara et le fleuve Limpopo, qui marque la frontière septentrionale de l'Afrique du Sud, comptent à peine pour 1 % du commerce mondial. Au moment de son indépendance, l'Afrique (incluant l'Afrique du Nord mais sans l'Afrique du Sud) représentait 9 % du commerce international, soit à peu près son poids démographique d'alors. Aujourd'hui, cette part – « vraisemblablement à son point le plus bas depuis un millénaire », selon l'historien britannique John Iliffe – est de 1,6 % (alors que l'Afrique constitue 13,5 % de la population planétaire). Le continent africain, de nouveau à l'exception de l'Afrique du Sud, a produit en 2002 autant de richesses que l'Espagne, avec 800 millions d'habitants d'un côté, et 40 millions de l'autre. Le produit national brut (PNB) de la France, avec à peine 60 millions d'habitants, est trois fois supérieur à celui de l'Afrique tout entière...

Le corollaire du raisonnement sur un continent qui n'est que « potentiellement riche » (sous-entendu, l'hypocrisie en moins : qui le serait, s'il n'était pas peuplé d'Africains) est politiquement incorrect. Si l'on « remplaçait » la population – à peu près équivalente – du Nigeria pétrolier par celle du Japon pauvre, ou celle de la République démocratique du Congo par celle de la France, il n'y aurait plus guère de souci à se faire pour l'avenir ni du « géant de l'Afrique noire » ni de l'ex-Zaïre. De même, si 6 millions d'Israéliens pouvaient, par un échange standard démographique, prendre la place des Tchadiens à peine plus nombreux, le Tibesti fleurirait et une Mésopotamie africaine naîtrait sur les terres fertiles entre le Logone et le Chari. Qu'est-ce à dire ? Que « les » Africains sont des incapables pauvres d'esprit, des êtres inférieurs ? Sûrement pas. Seulement, leur civilisation matérielle, leur organisation sociale et leur culture politique constituent des freins au développement, au sens littéral de ce terme dérivé du verbe latin *volvere* pour désigner des pays qui « tournent ». L'Afrique ne tourne pas parce qu'elle reste « bloquée » par des obstacles socioculturels qu'elle sacralise comme ses gris-gris identitaires. Le succès de ses émigrés en est la meilleure preuve *a contrario* : ceux qui parviennent à s'échapper de l'Afrique réussissent en règle générale fort bien, et d'autant mieux qu'ils s'arrachent à la sociabilité africaine (un terme sur lequel il faudra revenir). L'Africain qui perce est – *horresco referens* – un « nègre blanc ». Qu'on se rassure. En devenant productif, en s'abîmant dans la froide mécanique du progrès qui a fait le succès de l'Occident, il ne perd pas son âme. Pas plus que le Japonais, son *alter ego* asiatique.

Précisément parce que l'échec économique du continent noir n'est pas inexorable, qu'il n'est pas le résultat d'une faille ontologique de « l'Africain », il doit être analysé à travers le temps – ce qui le relativise ou l'exacerbe. Au regard de ce qui allait suivre, l'Afrique n'était pas si mal partie au lendemain des indépendances. Entre 1965 et 1980, le PIB par tête d'habitant dans l'Afrique au sud du Sahara croissait en moyenne de 1,5 % par an contre, par exemple, 1,3 % pour l'Inde. Cette tendance s'est seulement inversée dans les années quatre-vingt, notamment par répercussion de la multiplication par six du prix du pétrole qui, en moins de dix ans, a obligé un pays comme la Tanzanie à consacrer 60 % de ses recettes d'exportation à l'achat de carburants. Toutefois, la dégringolade n'est pas monocausale. La chute des prix de la plupart des matières premières, aussi bien agricoles que minières, a amplifié la croissance négative et, par voie de conséquence, l'endettement, facilité par la grande disponibilité de pétrodollars. En 1991, la dette de l'Afrique a dépassé le PNB annuel du continent, devenant ainsi un fardeau deux fois plus lourd qu'ailleurs dans le monde sous-développé. Dès lors, et bien qu'elle honorât à peine la moitié de ses échéances de remboursement, l'Afrique s'est muée en exportatrice nette de capitaux, ses sorties de fonds dépassant les entrées d'aide et d'investissements étrangers. À l'arrivée, huilée d'une multitude d'erreurs politiques, la mécanique du malheur a broyé des pays entiers : ainsi, le Ghana, dont le revenu par tête d'habitant était, en 1960, comparable à celui de la Corée du Sud et trois fois supérieur à celui de l'Inde, a-t-il été en 2003 pratiquement rattrapé par l'Inde et, avec une richesse *per capita* cinq fois supérieure à la sienne, déclassé par la Corée du Sud, parvenue dans l'antichambre des pays industrialisés.

En fait, le Ghana avait tellement régressé que, nonobstant son redressement entre 1985 et 1995, il tarde toujours à recouvrer le niveau de développement qui fut le sien à son indépendance en 1957 ! Les raisons en sont nombreuses : le mépris du paysannat par l'élite citadine au pouvoir, qui a laminé le prix d'achat garanti aux planteurs de cacao, ce qui a fait passer la récolte des fèves de 572 000 tonnes en 1965 à 153 000 tonnes vingt ans plus tard ; le recours simultané à la planche à billets, qui a centuplé la masse monétaire au cours de la même période ; le triplement des effectifs de la fonction publique entre 1957 et 1979 ; une corruption effrénée dans un pays de plus en plus paupérisé, où, à titre d'exemple, les dépenses de santé, par tête d'habitant et en dollars constants, ont baissé de près de 60 % entre 1974 et 1984... La litanie serait longue.

À l'échelle du continent, les deux piliers de l'économie africaine – l'agriculture et l'extraction minière – se sont effondrés, cependant que le troisième – l'industrialisation – ne s'est guère construit. Cet échec était cependant moins prévisible qu'on ne pourrait le penser rétrospectivement. Qui se souvient, en effet, du formidable essor qu'a connu, par exemple, l'agriculture kenyane quand la levée des interdictions coloniales a permis à une masse de petits propriétaires de cultiver du thé sur des terres dont la superficie est passée, entre 1960 et 1980, de 1 000 à 50 000 hectares ? Qui se remémore que, entre 1965 et 1980, le taux de croissance du secteur manufacturier dans l'Afrique subsaharienne était de 7,2 % par an, voire de 14,6 % au Nigeria ? Aussi, pour comprendre le subséquent cataclysme quasi général, il faut examiner chaque secteur – agricole, minier, industriel – pour se rendre compte que le fil conducteur commun de la débâcle est le repli sur une économie de rente, l'exploitation de pactoles naturels, sans souci de la valeur ajoutée par l'homme. De là à conclure que « les » Africains restent enfermés dans une mentalité propre à l'économie de chasse et de cueillette, il n'y a qu'un pas, excessivement « culturaliste », que l'on devrait se garder de franchir. Car, à y regarder de plus près, l'économie africaine, d'un poids si insignifiant qu'elle a été abandonnée sur le bas-côté des flux internationaux de plus en plus intenses, est en fait plus mondialisée que l'économie de n'importe quel autre continent, Amérique du Nord et Europe occidentale incluses. Ce paradoxe n'est pas le moindre facteur explicatif pour la rage autodestructrice de l'Afrique, « suicidaire » parce qu'elle dépend, pour presque tout, du reste du monde.

Sur le plan agricole, l'Afrique – « habit d'Arlequin fort irrégulier », disait de ses terres René Dumont – est partie avec de sérieux handicaps : n'ayant inventé ni la roue, ni la poulie, ni la charrue, n'ayant connu ni des réserves fourragères ni la traction animale (et, donc, pas la charrette pour transporter le fumier, l'engrais le moins cher et le plus disponible, d'où la nécessité de longues jachères pour ses sols), l'Afrique reste à ce jour très en retard – de deux millénaires par rapport à la Chine – dans la maîtrise de l'eau et, donc, des cultures irriguées, l'aménagement hydraulique de ses bassins fluviaux étant toujours l'exception plutôt que la règle. « N'est-il pas curieux que ces constatations élémentaires ne trouvent guère de place dans les débats sur les difficultés présentes de l'Afrique noire ? » s'interroge, avec une candeur feinte, Gilbert Étienne dans un ouvrage vivifiant, publié en 2003, *Le Développement à contre-courant*. À son accession à l'indépendance, l'Afrique était autosuffisante sur le plan alimentaire, et même exportatrice de produits agricoles. En 1980, elle en importait 11 millions de tonnes et, en 1995, 45 millions de tonnes. En 2002, trente-huit pays africains connaissaient, à des degrés divers, une crise alimentaire qualifiée de « permanente ». En ce début du XXI<sup>e</sup> siècle, plusieurs millions d'Africains survivent seulement grâce à l'aide alimentaire – quand ils survivent. Sur quarante-huit pays au sud du Sahara, quatre seulement sont considérés comme autosuffisants. Au cours des vingt dernières années, alors que la ration calorique moyenne dans les pays en développement a augmenté de 18 %, elle a baissé de 5 % en Afrique. Certes, entre 1960 et 2000, la production agricole y a progressé de 45 % (grâce à l'extension des terres mises en culture, beaucoup moins par l'amélioration des techniques d'exploitation), mais, durant la même période, la population a triplé. La pénurie a été décuplée par l'instabilité politique, des conflits armés ou, plus banalement, des politiques désastreuses telles que la « villagisation » coercitive en Tanzanie, au nom de l'idéal *ujamaa* – communautaire – de l'ex-président Julius Nyerere, à la fin des années soixante. Depuis février 2000, au Zimbabwe, le président Robert Mugabe affame la moitié de son peuple – 5,5 des 11,3 millions d'habitants – en s'obstinant à imposer une réforme agraire « accélérée » consistant à confisquer le quart des terres, près de 15 millions d'hectares, exploité par des fermiers blancs. « À la suite de cette réforme, le secteur commercial à grande échelle ne produit qu'environ un dixième de ce qu'il produisait dans les années quatre-vingt-dix », relèvent, dans un rapport d'enquête conjoint publié en juin 2003, l'Organisation des Nations unies pour l'alimentation et l'agriculture (FAO) et le Programme alimentaire mondial (PAM), ajoutant : « La situation de plus de quatre cent mille anciens ouvriers de ces fermes, et de leurs familles, est désespérée car ils ont, dans bien des cas, été chassés de leurs foyers et peu de possibilités de trouver un emploi. » En effet, 80 % de la population dite active est au chômage, alors que, par suite de récoltes perturbées, le principal aliment de base, le maïs, dont le prix est pourtant contrôlé par le gouvernement, coûte quatre fois plus cher qu'au début de la réforme agraire.

La Côte d'Ivoire illustre, *a contrario*, les répercussions politiques que peut provoquer une crise agricole, en l'occurrence l'essoufflement du modèle agro-exportateur. Entre 1950 et 1990, la mise en exploitation effrénée de terres vierges, grâce à une abondante main-d'œuvre sahélienne, y a fait exploser les récoltes du café et du cacao qui sont passées, respectivement, de 55 000 à 250 000 tonnes et de 62 000 à 815 000 tonnes. Deux tiers des 12 millions d'hectares de la forêt primaire ivoirienne ont été défrichés. Or, l'effondrement des prix que la surabondance de l'offre a provoqué sur le marché mondial a remis en question non seulement le « mira-

cle » ivoirien, mais aussi la présence de nombreux étrangers
– officiellement en 1998, 26 % des habitants – dans un pays
dont la moitié méridionale, au sol fertile, prêtait dès lors une
oreille attentive aux sirènes de « l'ivoirité » et, plus généralement, à la thématique de « l'autochtonie ». Au point de faire
des Ivoiriens du nord, confondus avec les parents pauvres
venus des États voisins sahéliens, des « allogènes » dans leur
propre pays.

L'Afrique du XXᵉ siècle, surtout durant la guerre froide, fut
le continent des minerais « stratégiques », notamment pour
les industries d'armement occidentales. Réduite à une carte
géologique, avec un sanctuaire inexpugnable à sa pointe
méridionale, le pays de l'apartheid qu'était alors l'Afrique du
Sud, et des bastions, notamment pour l'uranium, que consti-
tuaient l'ex-Zaïre et le Niger, mais aussi le Gabon pour le
manganèse ou la Guinée pour la bauxite, l'Afrique fut en ce
temps une réserve bien gardée pour un petit tiers des richesses
mondiales du sous-sol. De cette époque subsiste l'idée du
« pillage » de l'Afrique, qui escamote le fait que les plus
grands exportateurs de minerais sont des pays développés
(Canada, États-Unis, Australie, Russie, Ukraine, etc.), et
empêche de comprendre le désintérêt géopolitique qui a
frappé, par exemple, l'ex-Zaïre dès la chute du mur de Berlin.
Si l'accès aux entrailles africaines était demeuré d'un fort
intérêt mercantile, la longue agonie du régime du maréchal-
président Mobutu, puis le dépeçage par ses voisins de l'ancien Congo belge, au sous-sol plus riche que celui de tout
autre pays, eussent-ils été imaginables sans intervention de
l'Occident ? Tout aussi cyniquement, la fin de l'apartheid
serait-elle advenue si rapidement si l'URSS ne s'était pas
effondrée ? En réalité, la décote géopolitique liée à la fin de
la guerre froide a sonné le glas d'une « prime de réserve »
auparavant accordée aux minerais africains. Dès la fin des
années soixante-dix, les cours des principaux minerais – cuivre, zinc, cobalt... – avaient du reste dramatiquement chuté,
en raison de leur disponibilité ailleurs, en quantités suffisan-

tes et dans des conditions d'exploitation souvent plus rentables.

La situation a évolué inversement en ce qui concerne le pétrole africain. Pendant la guerre froide, pour faire pièce à la mainmise des Américains sur les champs du Moyen-Orient, des pays européens – la France et la Grande-Bretagne, mais aussi les Pays-Bas et l'Italie – ont prospecté dans leurs anciennes colonies, et notamment dans les deltas des grands fleuves africains. Royal Dutch Shell a ainsi découvert, dès 1958, des gisements au Nigeria ; puis la compagnie française Elf Aquitaine – vite surnommée « Elf Africaine » – a trouvé du brut au Gabon, au Congo et au Cameroun. À partir de 1975, après la tardive décolonisation des possessions portugaises, l'Angola est devenu un producteur majeur pour les compagnies étrangères, y compris américaines. Les techniques de recherches et d'extraction évoluant, des gisements en eaux de plus en plus profondes ont été découverts et exploités. Aujourd'hui, de la Côte d'Ivoire à l'Angola, en passant par le Nigeria – le premier producteur au sud du Sahara – ainsi que la Guinée équatoriale et l'archipel sao-toméen, les pays du golfe de Guinée – « l'autre golfe pétrolier » – sont les riverains d'une vaste baie d'or noir. Au cours de la dernière décennie du XX$^e$ siècle, la production africaine a augmenté de 40 %, le double de la moyenne mondiale. Ce brut est d'autant plus intéressant qu'il est « léger » en soufre et donc facile à raffiner, mais aussi parce qu'il se trouve *off shore*, loin des troubles intérieurs du continent. Que les États propriétaires de ce pétrole ne soient pas, pour certains d'entre eux, membres du cartel de l'Opep ni tous séides de la cause arabe ou musulmane constitue un atout supplémentaire de taille, aux yeux de l'Occident, dans le monde de l'après-11 septembre 2001. Aussi, engagés dans un périlleux « remodelage » du Proche-Orient, les États-Unis, qui importent 56 % du pétrole qu'ils consomment, dont 13 % depuis l'Afrique (autant que depuis l'Arabie saoudite, mais nettement moins que les 30 % en provenance de l'ensemble de la péninsule arabe), considèrent-ils dorénavant le golfe de Guinée comme une zone d'intérêt vital. « Le pétrole africain présente pour nous un intérêt stratégique national », a déclaré, en janvier 2002, Walter Kansteiner, le secrétaire d'État adjoint chargé des Affaires africaines. Après une longue éclipse, l'adjectif « stratégique » est donc de retour, au moins pour *une* richesse du sous-sol africain, qui recèlerait 80 milliards de barils de brut, soit autant que l'ex-URSS, et sans doute bien plus.

Vecteur d'importance géopolitique, le pétrole africain est-il également un facteur de développement ? Non, hélas, bien au contraire. Alors que le pétrole représente 46 % du PIB du Nigeria, 60 % de celui de l'Angola et 70 % des PIB respectifs du Congo et du Gabon, bien qu'il compte dans tous ces pays pour plus de 90 % des recettes d'exportation, l'or noir semble être une malédiction pour l'Afrique. Nulle part, les populations n'ont bénéficié de la manne. Au Gabon, hormis le front de mer sur lequel s'égrènent l'aéroport avec sa base militaire française mitoyenne, le palais présidentiel, les ambassades et les sièges des compagnies pétrolières, rien – ou presque – n'a été développé à l'intérieur du pays ; au Congo-Brazzaville, quand on ne s'y fait pas la guerre pour le contrôle du pactole, les pétrodollars sont détournés par les *happy few* au pouvoir, l'ex-nouveau général-président Denis Sassou Nguesso et son entourage étant des bénéficiaires récidivistes ; au Nigeria, devenu, avec une production de 2 millions de barils par jour, le sixième exportateur du monde, 60 millions de dollars de rente pétrolière par jour – plus de 300 milliards de dollars (!) pendant le dernier quart du xxᵉ siècle – restent sans retombées autres qu'une effroyable pollution dans le delta du Niger et des traces dans des comptes plus *off shore* encore que les plates-formes en haute mer : le « géant de l'Afrique noire » accuse des indices de pauvreté supérieurs de 30 % à ceux de 1980, selon le classement 2003 du PNUD pour le développement humain. Quant à l'Angola, eldorado dès 2005, quand y seront extraits 1,6 milliard de barils par jour, si le régime en place a financé avec des pétrodollars une longue et meurtrière guerre civile, rien n'incite à penser qu'il saurait bâtir la paix avec des royalties dont la gestion reste l'apanage de la présidence ; enfin, dernier venu au club, le Tchad, où l'extraction a débuté en juillet 2003 à Doba, dans le sud, son brut, acheminé par oléoduc jusqu'à la côte camerounaise, près de Kribi, est censé couler pour le bonheur de l'actuelle génération et des suivantes ; mais, si tel est le vœu de la Banque mondiale, qui s'est « investie » dans ce projet énergétique – le plus important du continent – bien au-delà de son apport (12,5 %) au coût total (3,7 milliards de dollars) en cautionnant le bon usage de l'argent du pétrole, le doute est permis. Effectivement, là où la Banque mondiale invoque pudiquement la « faible capacité institutionnelle » du Tchad, le rapport sur la compétitivité en Afrique, publié en juin 2003 par le Forum économique mondial réuni à Durban en Afrique du Sud, relègue le pays au dernier rang de son classement en fonction de trois critères : le degré de corruption, la fiabilité des institutions publiques et le crédit accordé au système légal...

Lorsque, au milieu des années soixante-dix, la Banque mondiale a déclaré que la décennie allait être celle de l'industrialisation de l'Afrique, les taux de croissance mirifiques des lendemains de l'indépendance – 15 % par an pour la production industrielle en Côte d'Ivoire, entre 1960 et 1975 – étaient dans tous les esprits. Mais les quelques groupes privés qui devaient jouer leur avenir sur la poursuite de cette expansion l'ont payé cher. Ainsi, dans l'agro-industrie, la française SCOA (Société de commerce de l'Afrique de l'Ouest) a monté des usines de transformation de plusieurs produits tropicaux, notamment de l'hévéa. Deux décennies plus tard, tout son volet industriel a périclité, tandis que sa partie de pur commerce, en particulier la vente de médicaments, a été reprise par sa concurrente, la CFAO, autre ancien comptoir français qui, lui, est prudemment resté un grand « bazar », de la casserole à l'automobile. Le racket fiscal et le népotisme des élites africaines, qui ont toujours un « parent » à placer, ont scellé la victoire du négoce sur la production. D'autant que, si beaucoup d'Africains triment dans des conditions très pénibles, l'*homo economicus* moyen sur le continent ne risque pas de s'aliéner dans un productivisme à l'occidentale.

« La dactylo du gouvernement de Dakar tape une moyenne de 6 à 7 pages (double interligne) par jour : le petit quart de ce que fait en moyenne une dactylo française, pour un salaire au moins égal », notait dès 1962 René Dumont, dans un passage qui respire l'exaspération. Quarante ans plus tard, rien n'a changé (sauf que la dactylo, désormais pourvue d'un ordinateur, n'a plus le front coloré du ruban encreur, à force de faire la sieste sur sa machine à écrire) : selon une étude du ministère de l'Économie et des Finances à Dakar, citée le 18 février 2003 par le quotidien gouvernemental *Le Soleil*, la productivité statistique du Sénégalais est revenue au niveau où elle se situait en 1960, l'année de l'indépendance. « La productivité du travail a connu une tendance descendante jusqu'en 1994 », précise l'étude, avec des taux de croissance négatifs de − 0,4 % de 1961 à 1979 et de − 0,6 % de 1980 à 1993, suivis d'une remontée au niveau antérieur. « Noyau industriel de l'Afrique francophone à l'époque coloniale, le Sénégal n'a pas su conserver ses atouts », y lit-on en guise de commentaire sur la baisse de productivité, de 3,2 % entre 1974 et 1999 dans le secteur manufacturier. Si le Sénégal continue de « traîner dangereusement les pieds », conclut l'étude, « il lui faudrait 471 ans pour avoir le niveau de productivité [actuel] des États-Unis ». Avec une croissance annuelle de 10 %, qui semble aujourd'hui hors de portée du Sénégal, « ce délai se réduirait à 102 ans ». Ce qui laisserait un bon siècle aux Sénégalais pour méditer sur la bonté du reste de l'humanité dont l'aide compense − récompense ? − le manque d'ardeur au travail. « Avant de revêtir le bleu de chauffe, nous mettrons notre âme en lieu sûr », avait prévenu, dès 1961, Cheik Hamidou Kane dans *L'Aventure ambiguë*...

L'exploitation de « l'Afrique solidaire » par « l'Occident cupide » est une caricature, même si l'abus de confiance existe et que l'inégalité des rapports de forces place le continent noir en position de faiblesse préjudiciable. En revanche, l'exploitation d'Africains par d'autres Africains est une réalité, frappée de tabou. Avant leur faillite, qui a dénoncé le scandale de tant d'offices pour la commercialisation des produits agricoles, véritables parasites du paysannat africain ? Du temps de sa gloire, au début des années quatre-vingt, l'Office des produits agricoles du Mali vendait à peine un tiers de la production de riz et moins de 10 % du mil, l'aliment de base traditionnel du Sahel, tout en engrangeant la quasi-totalité des crédits agricoles de la Banque de développement du Mali et des bailleurs de fonds étrangers. Partout en Afrique, de l'Office national de coopération (ONCAD) au Sénégal à la *National Milling Company* en Tanzanie, en passant par divers « boards » en Afrique australe, une pléthore de bureaucrates vivait – très bien – sur le dos des producteurs les plus démunis de la terre. En Côte d'Ivoire, la Caisse de stabilisation des prix des produits agricoles, la « Caistab », a rançonné les ruraux au profit des « quotataires » – les bénéficiaires de ses quotas d'exportation – dont la liste recoupait la vraie hiérarchie de l'État. Or, quand les cours ont chuté, dans les années quatre-vingt, des belles années d'envolées des prix n'est resté qu'un souvenir, aussi amer que le cacao, les profits ayant été « privatisés » – détournés – bien avant que la Banque mondiale n'impose la privatisation de l'institution (qui, au demeurant, est redevenue la « caisse noire » du nouveau régime). Quant aux usines et puits d'extraction de l'Afrique, qui aurait osé se livrer au pillage – allant jusqu'à déterrer les câbles en cuivre, à démonter la robinetterie ou à brader la « mitraille » du cobalt à des filières de vente interlopes – auquel ont procédé les cadres et ouvriers, pourtant si privilégiés par rapport à leurs compatriotes, de ces rares unités de production ? Par charité, on n'évoquera pas ici le sort des personnels de maison, qui n'ont pas la chance – ambiguë – de se faire « exploiter » par des étrangers. Ils apprennent chaque jour à leurs dépens la différence entre un emploi, fût-il ingrat, et l'esclavage domestique.

Si le « communautarisme » africain existait, en dehors des discours de circonstance, le commerce intra-africain ne plafonnerait pas, depuis vingt ans, à moins de 10 % des échanges du continent. Et le premier grand projet d'intégration panafricaine, la compagnie Air Afrique, créée en 1961 comme transporteur commun par onze États nouvellement indépendants, n'eût pas été « cannibalisé » au point de devoir déposer son bilan en 2002, sans trouver de repreneur. D'abord, s'estimant insuffisamment représentés au sein de la direction, le Cameroun puis le Gabon se sont retirés de la flotte à l'emblème de l'antilope-cheval, lui faisant concurrence avec des compagnies nationales. Ensuite, cédant au chantage des autres États actionnaires, mauvais payeurs mais usagers empressés, tous les abus ont été permis aux nomenklaturas des neuf pays restants, abonnées à la première classe, en famille et aux frais de l'unité de l'Afrique en marche... Les tentatives de sauvetage de la France, puis de la Banque mondiale, sont venues trop tard. Les « Blancs » envoyés en mission impossible – Yves Rolland Billecart, ancien patron de la Caisse centrale de coopération économique (CCCE), et l'Américain Jeffrey Erickson – ont seulement servi de boucs émissaires. Or, si les chefs d'État africains s'étaient entendus sur un minimum, Air Afrique, jouissant d'un monopole de fait sur les vols internationaux, en pool avec Air France, n'aurait jamais dû sombrer. Pour preuve, malgré la crise mondiale persistante du transport aérien, la compagnie française est devenue, en 2003, devant British Airways et la Lufthansa, la première compagnie européenne, grâce notamment à ses vols très rentables sur l'Afrique.

Sur le continent noir, la « solidarité » est surtout un produit d'importation. Voici les chiffres, extraits du rapport 2003 du PNUD, de la part du revenu national revenant aux 10 % les plus pauvres et aux 10 % les plus riches de la population dans un échantillon de pays africains : Sénégal (2,6 % pour les plus pauvres, 48,2 % pour les plus riches), Burkina Faso (1,8 % contre 60,7 %, pour les 10 % les plus riches, en cette terre d'élection des ONG), Nigeria (1,6 % contre 55,7 %), Cameroun (1,8 % contre 53 %), Kenya (2,3 % contre 51,2 %), Éthiopie (0,7 % contre 60,8 %, dans un pays abonné à la famine), Zimbabwe (1,8 % contre 55,7 %). À titre de comparaison, les chiffres correspondants dans les pays développés sont, au paradis du « développement humain » qu'est la Norvège (4,1 % contre 21,8 %), pour les États-Unis ultralibéraux (1,8 % contre 30,5 %) et pour la France (2,8 % contre 25,1 %). Conclusion : sans doute, les États nantis ne sont-ils pas aussi prompts au partage avec l'Afrique qu'ils devraient l'être ; mais, au moins, contrairement aux pays africains, font-ils chez eux la part beaucoup moins belle aux riches, et un peu moins congrue aux pauvres.

L'injustice sociale en Afrique, de même que la gabegie et les erreurs de gestion, creuse le « fossé Nord-Sud ». Contrairement à d'autres régions du monde en développement, qui se sont rapprochées du niveau de vie occidental, la dérive des continents s'est accentuée par rapport à l'Afrique : si, en 1820, le revenu par habitant en Europe de l'Ouest était 2,9 fois supérieur à celui de l'Afrique, ce rapport était de 13,2 en 1992 ; en sens inverse, il y a trente ans, le revenu moyen africain représentait 14 % du revenu *per capita* des pays industrialisés, contre 7 % en 2002. Qui faut-il en blâmer, les Occidentaux « égoïstes » ou les Africains « incapables » ? Les deux causes se plaident et, d'ailleurs, se conjuguent. En ce qui concerne l'égoïsme des riches, un bon exemple du *« free trade »* [libre échange] qui n'est pas un *« fair trade »* [commerce équitable] est fourni par le coton. Ce produit, vital pour quelque 10 à 12 millions de paysans (et leurs familles) dans la bande sahélo-soudanaise, du Mali au Tchad, contribue à hauteur de 5 à 10 % au PIB des pays producteurs africains qui en assurent 16 % des exportations, loin derrière les États-Unis, avec 38 % de l'offre numéro 1 mondial. Or, pour des raisons de clientélisme électoral, l'administration Bush a fortement relevé les subventions versées aux quelque 25 000 producteurs de coton du Texas et de l'Alabama, « des champions dans la récolte des subsides d'État », selon l'ONG britannique OXFAM. En 2001-2002, les planteurs américains ont bénéficié de 3,9 milliards de dollars, le double du montant d'aide qu'ils avaient perçu dix ans auparavant. Avec 230 dollars par acre de terre à coton, Washington irrigue une culture de rente qui, autrement, ne serait pas compétitive avec « l'or blanc » africain. Car le coût de revient d'un kilo de coton aux

États-Unis est trois fois supérieur au coût de production au Mali. Mais en raison des distorsions du marché, ce pays parmi les plus pauvres de la planète a enregistré, en 2002, des moins-perçus correspondant à 8 % de ses recettes d'exportations, soit 1,7 % de son PNB. Ainsi, le Mali a-t-il reçu 37 millions de dollars d'aide, en même temps qu'il a été privé de 43 millions de dollars de revenus qui lui revenaient de droit. Une nouvelle flagellation du « roi coton » qui, cruelle ironie de l'histoire, fit déjà le malheur des esclaves africains dans les plantations du « *deep south* » américain...

À la mi-juin 2003, au nom de son pays, mais aussi du Mali, du Bénin et du Tchad, le président burkinabé Blaise Compaoré s'est rendu au siège de l'Organisation mondiale du commerce (OMC), à Genève, pour y présenter une « protestation » – à défaut d'une plainte en bonne et due forme, abandonnée sous la pression américaine – contre les subventions du coton, pas seulement américaines d'ailleurs, puisque s'élevant au total à 4,9 milliards de dollars (soit 73 % de la valeur de la production cotonnière !). Ce recours africain était exemplaire, non seulement parce que, au total pour les pays les plus développés, membres de l'OCDE, les mesures protectionnistes se chiffrent à 350 milliards de dollars, soit sept fois l'aide publique au développement (APD) octroyée annuellement au tiers-monde (onze fois l'APD versée à l'Afrique). Avant la réforme de sa politique agricole commune en juin 2003, l'Union européenne accordait plus de subsides par tête de vache laitière que d'aide par habitant en Afrique subsaharienne (8 euros)... Mais la démarche africaine auprès de l'OMC avait aussi valeur d'exemple parce qu'elle était *sans précédent*. C'est là l'autre versant du problème : le tardif engagement des pays africains – à l'exception de l'Afrique du Sud – au sein de l'OMC, où le continent dispose pourtant du plus important contingent de voix, traduit la préférence des décideurs du continent à négocier un surplus d'aide plutôt que de peser sur l'environnement économique et commercial. Roger Blein, qui a dressé ce constat dans une contribution à la revue *Politique africaine* consacrée au « nouvel ordre des plus forts » au sein du commerce international, va plus loin. Selon lui, « la dégradation des positions africaines dans les échanges internationaux s'est opérée indépendamment des conditions d'accès aux marchés extérieurs ». L'exemple cité à l'appui : malgré les préférences commerciales offertes par l'Union européenne aux pays d'Afrique, des Caraïbes et du Pacifique (ACP), ces derniers ont vu leur part du marché européen diminuer, entre 1976 et 1994, de 6,7 % à 2,8 %. Est-ce à dire que, si les exportations africaines sur le marché mondial ont été divisées par trois entre 1950 et 2000, ce demi-siècle de déconfiture économique est principalement dû à l'impéritie du continent dont le pouvoir d'achat, exprimé en monnaie constante, a diminué d'un tiers pendant la même période ? Il faudrait bien d'autres études et analyses pour trancher une question aussi lourde d'implications. Cependant, en attendant, il serait également imprudent d'imputer à la seule iniquité du « système international » la marginalisation de l'Afrique. D'autant que d'autres régions du monde, au départ dans les mêmes conditions, ont réussi à franchir les obstacles dressés sur le chemin de leur émancipation économique.

Quelle que soit la manière dont on l'exprime, la très faible insertion du continent africain dans l'économie internationale est une évidence. Indice particulièrement réaliste, le niveau des investissements étrangers en Afrique reflète la situation d'un continent abandonné au bord du monde : en 2002, sur 534 milliards de capitaux privés, 349 ont été investis dans les pays les plus développés, 90 en Asie, 62 en Amérique latine, 27 en Europe de l'Est et 6 en Afrique. Dans le grand Mono-poly universel, où se troquent des ressources offertes par la nature contre des ressources créées par l'homme, l'Afrique s'est piégée dans le mauvais camp : ses matières premières valent de moins en moins, puisque ce sont les forts en matière grise qui raflent la mise. « Je pense que nous pouvons difficilement prendre une place dans la mondialisation, parce que nous avons été déstructurés et que nous ne comptons plus en tant qu'êtres collectifs », se désole l'un des grands historiens

du continent, et opposant impénitent dans son pays, le Burkina Faso, Joseph Ki-Zerbo. « Si vous comparez le rôle de
l'Afrique à celui des États-Unis, vous verrez les deux pôles
de la situation dans la mondialisation : entre les mondialisateurs que sont les États-Unis et les mondialisés que sont les
Africains. » Voilà une distinction qui aide à en finir avec
l'aporie courante d'une Afrique à la fois en marge et victime
de la mondialisation. Comment, en effet, peut-on imputer le
« drame » du continent à la « mondialisation libérale », tout
en reprochant à cette dernière d'exclure l'Afrique du champ
de son application ? La réponse de Joseph Ki-Zerbo : le continent noir, à défaut de participer à la mondialisation, est victime des « mondialisateurs ».

Mais, qu'est-ce donc que la mondialisation, qu'on la
subisse ou qu'on la mette en œuvre ? Certainement pas la
simple intensification des échanges internationaux, parce que,
sinon, elle remonterait au moins à la Renaissance, aux premières traites tirées dans les villes hanséatiques sur la mer du
Nord et encaissées dans des banques florentines ; à la naissance de l'imprimerie, l'invention révolutionnaire de Guten-
berg qui a démocratisé la lecture en sortant les livres des
archives d'État et monastères ; ou à la découverte de l'Amérique et à l'exploration de bien d'autres parties du monde dont,
pour finir, l'Afrique. Par ailleurs, si la mondialisation se résumait à la densification des flux de capitaux et d'informations,
la planète aurait fait du surplace pendant plus de huit décennies. Car c'est seulement en 1995 que la part du commerce
extérieur et celle des investissements privés étrangers dans le
PIB mondial ont retrouvé le niveau qu'elles avaient déjà
atteint à la veille de la Première Guerre mondiale, en 1913.
La seule différence, à laquelle ne manqueront pas d'être sensibles les Africains : les empires coloniaux ont cédé, depuis,
leur place aux multinationales, qui comptent aujourd'hui pour
un tiers du commerce international, un dixième du PIB mondial. Cependant, au début comme à la fin du XXe siècle, la
part du commerce africain vers d'autres régions du monde
par rapport à son PIB était de 45 %, alors qu'elle n'était – en

1990 – que de 12,8 % pour l'Europe, de 13,2 % pour l'Amérique du Nord, de 23,7 % pour l'Amérique latine et de 15,2 % pour l'Asie. Pour les continents autres que l'Afrique, les pourcentages n'ont d'ailleurs pas non plus varié de façon significative. Selon l'OMC, la moyenne mondiale était en 1928 de 14,9 %, et en 1990 de 16,1 %. Autrement dit, l'extraversion économique n'est ni nouvelle ni galopante. Elle englobe seulement, depuis la dernière décennie du xxe siècle, une partie invisible à croissance rapide, des trafics illégaux de toutes sortes (drogues, prostituées, argent « sale », déchets industriels...), des connexions aux réseaux maffieux du monde.

De la colonisation à ce jour, et sans doute pour un certain temps encore, l'Afrique a été et demeure le continent le plus mondialisé. Parce que la mondialisation – ou « globalisation » – est avant tout un processus d'intégration politique, « l'émergence d'une structure globale d'autorité », comme le souligne Martin Shaw, professeur à l'université de Sussex et, en 2000, auteur d'un livre intitulé *Theory of the Global State*. Pour lui, la mondialisation, un terme devenu courant après la chute du mur de Berlin, « c'est l'incorporation, plus ou moins, du monde entier en un système unique de relations d'autorité centré sur un ensemble unique d'institutions, un assemblage fort imparfaitement intégré d'institutions étatiques occidentales et onusiennes [qui] domine plus ou moins la société mondiale tout entière ». Or, l'Afrique est familière du dispositif mondial qui s'occupait déjà des fonctions de régulation supranationale durant la guerre froide, à savoir l'ONU et ses institutions spécialisées, les Clubs de Paris et de Londres, la Banque mondiale, le FMI, les conférences *ad hoc* de bailleurs de fonds... Sur le continent de l'extrême dépendance, on avait coutume de scruter la volonté de « l'Occident », bien avant la fin de l'Union soviétique. Depuis 1989, « l'État occidental », dont parle Martin Shaw pour désigner le régent mondial, veille seul sur « l'application universelle de la loi », désormais sans contrepoids communiste mais non sans dissensions internes. Les États-Unis finiront-ils par exercer sans partage la gouvernance de la planète ou, comme le réclame en particulier la France, un système multilatéral et multipolaire étendra-t-il sa toile autour du globe, avec les Nations unies comme instance d'appel ? Si l'on connaît les termes du débat, après l'intervention américaine en Irak et au moment où la justice internationale en constitue un nouvel enjeu de taille, l'issue de la querelle est incertaine. Quelle qu'elle soit, les Africains « mondialisés », avant même la lettre, évolueront en terrain connu, sans vrais choix, les yeux rivés sur les véritables décideurs, les « mondialisateurs » à l'extérieur. Empaquetée dans la bannière étoilée, avec ou sans ruban onusien, la globalisation pourra seulement enfoncer des portes ouvertes sur un continent où, d'ores et déjà, tous les produits un tant soit peu sophistiqués sont des vecteurs d'aliénation culturelle, où la masse de la population – ceux qui n'ont pas réussi à s'enfuir pour opposer leur mobilité à celle, en sens contraire, des biens et des capitaux – suit à longueur de journée les programmes des radios et des télévisions étrangères, où le téléphone satellite marche contrairement aux communications locales, où les planteurs en brousse suivent d'une attention hypnotique l'évolution des cotations de leurs produits dans des métropoles étrangères inaccessibles faute de visa, où le FMI a pu imposer un quart de siècle d'austérité comme « programme d'ajustement structurel » et la Banque mondiale une vague de privatisation qui, par la cession de quelque 2 700 entreprises nationales ou services publics dans cinquante-trois pays, a rapporté en quinze ans 6 milliards de dollars, soit pas même un cinquième de l'aide publique annuelle consentie à l'Afrique... En un mot, et sans démêler la responsabilité des Africains et de leurs « gouverneurs » successifs dans l'échec économique du continent, l'avenir ressemblera au présent désespérant. Et comment ne pas redouter ce futur, sur un continent où la globalisation fait de plus en plus peur et pousse l'Afrique à réinventer « sa » différence, à s'enfermer toujours plus dans la « négrologie » ?

# 3

## L'ÉTAT PHÉNIX

Dans le calendrier commémoratif international, déjà très fourni en victimes de l'oubli quotidien (les réfugiés, les lépreux, l'environnement), ce n'est pas vraiment un temps fort. Il est même assez probable qu'une grande partie de la planète ignore que le 16 juin a été proclamé « Journée de l'enfant africain ». La date a pourtant été choisie en relation avec un événement qui commotionna le monde : le soulèvement de la jeunesse de Soweto, l'immense *township* noir au sud-ouest de Johannesburg. Le 16 juin 1976, des milliers d'écoliers, vêtus de leur uniforme réglementaire, y protestèrent contre l'apartheid et, surtout, contre l'afrikaans, « la langue de l'oppresseur » et celle d'un enseignement honni dont ils ne voulaient plus. La police sud-africaine ouvrit le feu sur les manifestants, et un garçon de douze ans – Hector Petersen – fut la première victime de leurs balles. Débuta alors le boycottage de l'école, l'une des formes de lutte pour la libération de la majorité noire de l'Afrique du Sud. Un quart de siècle après cet épisode tragique, le slogan « une année blanche plutôt qu'une vie blanche » résonne dans toute l'Afrique subsaharienne. Désertant des écoles qui ne nourrissent plus le rêve d'un avenir meilleur, la jeunesse descend dans la rue, quand elle ne prend pas les armes. Elle proteste, ou se bat, contre des classes surchargées, souvent une centaine d'élèves, voire des cours de nuit « par rotation » ; contre le manque ou la

mauvaise qualité des enseignants ; contre l'absence de
moyens – au Gabon, pourtant riche « émirat pétrolier » d'à
peine plus de un million d'habitants, les élèves doivent four-
nir, en début d'année scolaire, outre des cahiers et des
crayons, du papier toilette... À Conakry, la capitale guinéenne
privée d'électricité dans la plupart de ses quartiers, les écoliers révisent leurs cours dans des stations-service, éclairées
par des groupes électrogènes, ou à l'aéroport international, où
les lumières ne se sont pas encore éteintes. Dans nombre
d'États, les enseignants accusent des mois, parfois des
années, d'arriérés de salaire. Quand ils ne sont pas en grève,
ils exercent parallèlement un autre métier pour gagner leur
vie. Dans des pays en guerre, les écoles sont fermées ou servent d'abri aux nombreux déplacés, chassés de leur foyer. En
Centrafrique, entre 1989 et 2003, cinq années scolaires ont
été invalidées en raison des mutineries et rébellions en cas-
cade, mais aussi, parce que l'État, ici comme ailleurs, n'arrive
plus à faire face à ses obligations. Selon les statistiques du
PNUD pour 2002, dans l'ensemble de l'Afrique subsaharienne, le taux de scolarisation dans le primaire n'était que
de 57 %, et seulement un enfant sur trois y terminait ce cycle
élémentaire d'études.

L'État commence avec l'état civil. Pour rappeler cette évidence, la Journée de l'enfant africain a été placée, en 2003,
sous le thème de « l'enregistrement des naissances ». Le
16 juin à Thiès, au Sénégal, quelque quatre mille enfants ont
ainsi reçu leur acte de naissance au cours d'une cérémonie
organisée par une ONG américaine. L'événement méritait
d'être fêté : au Sénégal, « sur dix enfants âgés de moins de
cinq ans, quatre ne sont pas enregistrés à l'état civil », selon
l'Unicef. En Éthiopie, un pays qui chiffre à la tonne près ses
pénuries alimentaires récurrentes, 95 % des naissances ne
sont pas enregistrées par l'État. Dans toute l'Afrique au sud
du Sahara, toujours d'après l'Unicef, le taux des nouveau-nés
ignorés par l'état civil oscille autour de 70 %, entre les deux
tiers et les trois quarts de la population...

Pour la défaillance de l'État africain à prendre en charge

ses citoyens, tout est à l'avenant. Certes, l'Afrique précoloniale, à l'exception de quelques cachots dans les forts côtiers défendant les comptoirs de la traite, ne connaissait pas l'enfermement pénal, les premières prisons ayant seulement été construites en 1867 à Saint-Louis, au Sénégal, puis, en 1916 à Freetown, en Sierra Leone. De là à ce que l'État postcolonial, plus de quarante ans après les indépendances, laisse s'évader un tiers de ses détenus... Dans un ouvrage instructif, *Enfermement, prison et châtiments en Afrique, du XIXᵉ siècle à nos jours*, publié en 1999 sous la direction de Florence Bernault, on apprend que le personnel pénitencier considère les prisonniers comme des « volontaires, puisque ne demeurent sous les verrous que ceux qui le veulent bien ». L'exagération recèle un fond de vérité : faute de budget, les maisons d'arrêt africaines sont souvent en si mauvais état qu'il est aisé de s'en échapper. Là où il n'y a pas bris de cellule ni autre violence constituant l'infraction, l'évasion n'est d'ailleurs pas un délit pouvant être sanctionné. D'autant que, en l'absence de crédits de fonctionnement, il n'y a pas non plus de nourriture pour les prisonniers, du moins pas en quantité suffisante. Pour ceux d'entre eux n'ayant pas de parents pour leur apporter des vivres, les prisons deviennent des mouroirs. Dans ces circonstances, qui se plaindrait de la disparition de tels lieux de détention, comme ce fut le cas, extrême il est vrai, pendant six ans à Bangui ? Entre 1996 et 2002, la capitale centrafricaine ne disposait plus de maison d'arrêt, l'unique existante ayant été vidée et endommagée lors de la première mutinerie militaire. Restaurée en octobre 2002, elle n'a pas survécu à la « libération » du 15 mars 2003, l'entrée victorieuse dans la capitale des rebelles du général François Bozizé. Après le changement de régime, en quête de fonds pour réhabiliter à nouveau la prison, le colonel Mathieu Befio faisait la visite guidée de Ngaragba, le nom – malfamé depuis le règne de Bokassa Iᵉʳ – de ce lieu de détention : de la « Maison blanche », réservée aux condamnés pour atteinte à la sécurité de l'État ; du bloc pour les prisonniers de droit commun (une centaine sur le demi-millier de détenus prévus), les coupables de « détournements de deniers publics » étant abrités dans un bâtiment à part, moins spartiate ; de la « réserve présidentielle », destinée aux auteurs de délits d'opinion ; de la « Porte rouge », l'entrée en enfer d'où, du temps de l'ex-empereur, nul n'était censé revenir vivant... Nommé régisseur de la prison en 2002, le colonel Befio n'est pas un nostalgique de ces temps-là. Ayant été lui-même pendant trois ans prisonnier politique à Ngaragba, il a appris dans sa chair que, en Afrique, la faiblesse de l'État est la face cachée des « régimes forts », l'euphémisme désignant les dictatures tropicales. S'il cherche l'équivalent de 30 000 euros pour pouvoir rouvrir la maison d'arrêt de Bangui, et un budget annuel de 120 000 euros pour la faire fonctionner, alimentation comprise, c'est qu'il sait que, sans prison, l'État punit plus cruellement encore : pour endiguer les vols à main armée alors que la privation de liberté ne servait plus de moyen de dissuasion, le commissaire Louis Mazangué, à la tête de l'Office centrafricain pour la répression du banditisme (OCRB), abattait à vue les récidivistes pris en flagrant délit, une quarantaine de personnes par an.

L'État africain ne veille même plus au bien-être de ses serviteurs. Nombreux à avoir été embauchés durant les deux décennies consécutives aux indépendances, les fonctionnaires et agents d'entreprises publiques avaient pourtant été choyés, tant qu'il restait des surplus à distribuer. Menant « une vie de platine », comme on disait du temps euphorique à Abidjan, ils bénéficiaient d'avantages sociaux inconnus dans les pays industrialisés. L'emploi et un salaire conséquent, garantis à tous les bacheliers, passaient alors pour un droit de l'homme dont même les opposants pourfendant le régime en place à longueur de journée estimaient devoir bénéficier. Ils admettaient plus facilement des séjours en prison que la radiation de la fonction publique, au demeurant exceptionnelle. Il faut se souvenir de ces réalités, si l'on veut comprendre pourquoi des agents d'État ont par la suite accepté avec indolence leur non-paiement, pour beaucoup d'entre eux guère plus arbitraire que leur rémunération sans contrepartie, ou presque. Ils avaient bien vécu de la vache à lait étatique, à présent la bête se vengeait, c'était son droit ! Sans revenir sur les faux fonctionnaires ou agents décédés que les États africains ont expurgés, sous la pression du FMI, par dizaines de milliers de leurs registres, on mesure l'ampleur du chaos comptable, du péculat et de la concussion, à la lecture de cette dépêche d'agence : en juin 2003, ayant contrôlé les justificatifs présentés pour des dépenses à hauteur de près de 10 millions d'euros, le gouvernement du Niger a découvert que près de 8 millions d'euros – 80 % ! – correspondaient à des fausses factures ou à des commandes fictives. « Nous avons déclenché une opération de vérification et cela a permis de déceler l'existence d'énormes irrégularités », a expliqué le ministre du Commerce et de la Promotion du secteur privé, Seyni Oumarou. « À partir de là, nous avons décidé que tout paiement interviendra après des contrôles rigoureux sur la sincérité et l'authenticité des dépenses. » Voilà une bonne résolution dans l'un des pays les plus pauvres de la terre qui connaît des difficultés chroniques de trésorerie depuis la fin des années quatre-vingt, en raison de la mévente de l'uranium, sa seule richesse.

Avant la « crise », rien n'avait été trop cher pour la nomenklatura, dont les membres étaient souvent passés de plain-pied de l'université à la tête d'un ministère ou d'une société d'État. Voiture et logement de fonction, personnel de maison en nombre, charges diverses et frais scolaires payés, soins médicaux dans les capitales occidentales, copieux *per diem* (défraiements forfaitaires journaliers) lors des « missions » à l'étranger qui, de ce fait, n'eurent de cesse de se multiplier et de se prolonger... Y compris dans les pays les plus démunis, s'approprier, en quittant une position dirigeante, le mobilier de bureau, le véhicule et le domicile de fonction, préserver à vie la gratuité de l'eau et de l'électricité, voire d'une ligne téléphonique « ouverte », tout cela passe encore aujourd'hui pour un « acquis » que des décennies d'austérité n'ont pas pu remettre en question. Le secteur formel de l'économie, constitué principalement de succursales de sociétés occidentales, a dû s'aligner, pour ses cadres, sur de telles rentes de situation, en lévitation totale par rapport au « pays réel ». Dans une Côte d'Ivoire déjà impécunieuse et lourdement endettée, juste avant la guerre civile de 2002-2003, le président Laurent Gbagbo a promis la couverture maladie universelle. Même si la rébellion n'avait pas déclenché les hostilités, l'État en aurait-il eu les moyens alors que ses hôpitaux, à court de budgets de fonctionnement, refusaient de porter secours aux accidentés, sauf « paiement anticipé » ? Le fait est qu'on continue à y facturer la prise de température...

« Toute politique qui s'intitule glorieusement "sociale", dans les pays en retard, sacrifie aux satisfactions immédiates les possibilités d'accroissement de la production : elle est donc en réalité antisociale à long terme. [...] Les investissements sociaux pourraient être financés par le travail non rémunéré des populations bénéficiaires. Le social devrait être le bénéfice même du développement, et garder de cette manière un caractère de récompense. » L'auteur de ce passage résolument hostile à l'État providence dans les pays sous-développés est René Dumont. Sur ce plan, comme sur d'autres, ses avertissements n'ont pas été pris en considération. Privilégiés au lendemain des indépendances, les fonctionnaires africains ont ensuite été brutalement paupérisés, de deux manières parfaitement équivalentes. Dans les pays anglophones, aux monnaies nationales instables, l'inflation a laminé leurs traitements de plus de 80 % depuis les années quatre-vingt ; en Afrique francophone, « handicapée » par la stabilité de la zone franc sous la tutelle du Trésor à Paris, les gouvernements se sont mis à ne plus verser qu'un salaire sur deux, sinon sur trois ou quatre... La dévaluation de 50 % du franc CFA, en janvier 1994, a amputé de moitié le pouvoir d'achat international qui restait aux fonctionnaires de quatorze pays de l'ex-Afrique française. Depuis, ces agents « conjoncturés » ont généralisé leur grève du zèle (« L'État fait semblant de nous payer et nous, nous faisons semblant de travailler »), s'ils ne rackettent pas leurs concitoyens en transformant leurs fonctions en pactoles, en « charges » au sens féodal. Sauf pour ses excès bureaucratiques, avec multiple « ampliation » et signature ministérielle pour la moindre décision, la culture administrative héritée de la colonisation s'est évanouie. À présent, tout se vend et tout s'achète, telles les indulgences avant la Réforme, l'Afrique étant devenue le royaume du faux pour les documents officiels, du permis de conduire au baccalauréat en passant par le carnet de vaccination ou la carte d'identité nationale. Dans ces conditions, peu d'États africains connaissent ne serait-ce que le nombre de leurs habitants, encore moins l'état sanitaire de leur population ou quelque chose ressemblant à un plan d'occupation des sols. Les seules données chiffrées à peu près fiables proviennent des organisations internationales, des organes de coopération ou des ONG qui, pour pallier les carences de l'État, ont mis en place une administration parallèle. Encore que ce maillage se soit considérablement relâché en Afrique francophone depuis que les coopérants envoyés par Paris ne sont plus au cœur de la machine : jusqu'en 1989, ils étaient 1 200 au Sénégal, alors que près de 50 000 expatriés français faisaient « tourner » la Côte d'Ivoire ; en 2003, 120 coopérants au Sénégal et à peine 15 000 Français en Côte d'Ivoire reflètent le déclin de la « présence française ». Doublée, la bureaucratie officielle doit néanmoins être entretenue, et scrupuleusement respectée dans sa dignité mandarinale, bien que cet adjectif convienne en fait assez peu en l'occurrence, la cooptation des fonctionnaires africains selon des critères de parenté ou d'allégeance ne tenant aucun compte de la qualification des candidats. Sur ce plan, le continent continue d'approfondir un bon millénaire de retard par rapport à la Chine qui, dès le VIIe siècle, a instauré le recrutement par concours des hauts fonctionnaires constituant l'armature de l'État, de la capitale jusque dans les provinces les plus reculées.

La faiblesse de sa tradition administrative, aggravée par l'absence d'écriture en dehors des villes du Sahel, de l'Éthiopie et de la côte orientale, de longue date au contact avec le monde arabe, pourrait bien être pour l'Afrique noire l'une de ces « prisons de la longue durée » dont parlait l'historien

Fernand Braudel, en ajoutant : « Personnellement, j'ai toujours été convaincu et effrayé du poids énorme des origines lointaines. Elles nous écrasent. » Est-ce alors pécher par excès culturaliste que de relever l'organisation du pouvoir en Afrique en cours concentriques autour du chef de l'État et « la politique du ventre » (Jean-François Bayart) que pratiquent les gouvernants africains ? Dans un article paru, en 2002, dans la revue *Afrique contemporaine*, Nicolas van de Walle s'est donné la peine d'analyser les « dépenses régaliennes » des États subsahariens. Il constate que la crise économique n'a guère d'incidence sur le train de vie du Léviathan étatique. Entre 1979 et 1996, dans quarante pays étudiés, l'effectif moyen des gouvernements nationaux est passé de 19,1 à 22,6 ministres. « Les parlements, autre foyer important de placement de l'élite politique, sont passés en moyenne, pour l'ensemble de l'Afrique subsaharienne, de 89,5 sièges au début des années soixante, juste après les indépendances, à 140 en 1989, puis 149 en 1997 », écrit-il, en citant par ailleurs la multiplication à l'instar du pain biblique des postes de conseillers présidentiels – l'ex-chef de l'État centrafricain Ange-Félix Patassé s'en offrait une cinquantaine, « spéciaux » ou ordinaires – et des commissions telles que la « commission présidentielle de la musique » d'un autre ancien chef de l'État, le Kenyan Daniel arap Moi. Du temps du « sage » Félix Houphouët-Boigny, la Côte d'Ivoire était championne dans la création d'emplois administratifs : son Assemblée nationale est passée de 70 membres à l'indépendance à 120 en 1970, puis 147 en 1980 et 175 en 1985 ; en même temps, son Conseil économique et social a crû de 25 à 120 membres, le nombre des communes étant porté simultanément de 34 à 196 (avec une extension programmée jusqu'à 365) et celui des départements de 4 à 49. En 1993, à la mort du « Vieux », grand bâtisseur sur sa « cassette » personnelle d'une basilique à Yamoussoukro, une réplique surélevée de Saint-Pierre de Rome qu'il offrit à son village natal, la Côte d'Ivoire était accablée d'une dette extérieure de 12 milliards de dollars et le revenu par tête de ses habitants avait chuté de 50 % depuis

1980. Pour caractériser autant d'incurie dispendieuse, les politologues qualifient l'État postcolonial de « (néo-)patrimonial », comme la propriété privée de ses hiérarques et, tout d'abord, du chef de l'État. L'Afrique noire, même si le contraste entre le pharaonisme des abus et la précarité des moyens y est particulièrement choquant, n'a pas le monopole de tels régimes. À bien des égards, par exemple, le pouvoir traditionnel marocain – le *makhzen*, appellation qui partage sa racine étymologique avec le mot français « magasin » – est également « patrimonial », autant par sa prodigalité insouciante aux dépens de la population que par la constitution d'une cour d'obligés autour du sultan. C'est sur un tel « État-magasin », perçu comme une caverne d'Ali Baba, que depuis 1980 les factions tchadiennes du nord semblent lancer leur razzia tour à tour, le temps pour chacune de se goberger puis, repue, de se faire déloger par une rivale plus affamée et guerrière...

À la fin du règne du maréchal-président Mobutu, à l'ambassade du Zaïre à Paris, le personnel diplomatique impayé faisait du feu dans certaines ailes de l'hôtel particulier sur le cours Albert-I[er] pour se chauffer en hiver. L'ultime radiateur servait à désengourdir les doigts du préposé à l'établissement des visas, la seule source de revenus de la représentation - et, donc, fort chers mais accordés avec générosité, même aux journalistes mal vus à Kinshasa. Pourquoi l'ex-Zaïre ne décidait-il pas de fermer son ambassade ? Hormis bien des raisons pratiques, dont le manque de fonds aussi pour rapatrier ses diplomates, le régime, quand bien même acculé à la banqueroute, estimait qu'il devait continuer à « faire État », au sens de l'expression allemande *Staat machen* qui, au figuré, veut dire « faire bonne impression, mener grand train », quitte à forcer sur les ressources. Pour les pays africains, cet exercice s'avère généralement lucratif sur la scène internationale. Ils sont soutenus par les bailleurs de fonds, voire entretenus par des pays riches et, notamment, l'ex-métropole coloniale. Cette aide n'est pas désintéressée. Du fait de sa « balkanisation », l'Afrique constitue un formidable réservoir de voix pour toutes les instances internationales où le vote du Togo, de la Gambie, du Sao-Tomé ou du royaume du Lesotho compte autant que celui de la Chine, de la Russie, des États-Unis ou du Brésil. Se souvenant de son premier discours devant l'Assemblée générale des Nations unies, où l'on se lève pour aller à la rencontre et féliciter l'orateur qui vient de parler, Dominique de Villepin, ministre français des Affaires étrangères, a raconté avec émotion qu'il s'était alors rendu compte que « la grande majorité de ceux qui venaient vers [lui] était noire ». Ce jour-là, l'Afrique a fortifié sa rente diplomatique auprès de la France chiraquienne... Le bloc de voix que représente le continent le plus pauvre n'a pas non plus échappé aux deux Chine, opposées par une âpre rivalité en Afrique, à coups de « crédits non remboursables », de construction d'hôpitaux et de stades de football. De son côté, premier bailleur du continent noir avant de connaître lui-même des problèmes budgétaires, mais toujours un partenaire de choix, le Japon irrigue la terre africaine, principalement pour préparer son entrée au conseil de sécurité de l'ONU. Quant au colonel Kadhafi, il n'est pas le dernier à avoir compris que l'Afrique est la dernière partie du monde où, avec quelques centaines de millions de (pétro-)dollars, on peut changer le cours de l'histoire. Le dirigeant libyen s'y est trouvé des alliés pour rompre l'isolement punitif qui lui était imposé par la communauté internationale, puis s'est payé une haie d'honneur pour la marche glorieuse vers son idéal pana-fricaniste, incarné dans la nouvelle Union africaine (UA). Il est vrai que, depuis, il s'est aussi offert, toujours grâce à ses pétrodollars, une impunité terroriste auprès de l'Occident, en indemnisant généreusement les victimes de ses attentats com-mandités. Enfin, le souci de la « captation » d'aides étran-gères explique aussi, par exemple, pourquoi la Zambie a dépensé, en 1993, plus d'argent pour son réseau diplomatique dans le monde que pour le fonctionnement – hors salaire des instituteurs – de ses écoles primaires. D'un point de vue « pa-trimonial », l'investissement n'était pas forcément mauvais : faible et désargenté dans ses frontières, l'État africain peut rapporter gros quand il se dépasse pour devenir un pavillon de complaisance de la sphère internationale, en quête d'affréteur.

*Summa moralia ?* En 1997, la Banque mondiale a publié un rapport – intitulé *L'État dans un monde en mutation* – qui reprenait à son compte ce qui, dans les études sur le sujet en Grande-Bretagne et aux États-Unis, était alors déjà un lieu commun, « l'effondrement de l'État » *(state collapse)* en Afrique et, dans une moindre mesure, ailleurs dans le tiers-monde, par exemple en Afghanistan. Après avoir longtemps pesé de tout son poids pour affaiblir l'État, par le « dégraisse-ment » de la fonction publique, des coupes claires dans les budgets sociaux et la privatisation des entreprises nationales, la Banque mondiale a constaté « une perte fondamentale de capacité institutionnelle ». Elle a identifié « trois pathologies qui se recoupent en partie » : la « perte de légitimité » aux yeux d'une population qui se demande à quoi sert l'État dès lors qu'il n'assure plus un minimum, tel que l'entretien des infrastructures, des services publics de base ou l'éducation nationale ; le pillage de l'État par ses « serviteurs », du haut en bas de la pyramide ; et la destruction du maillage adminis-tratif par des guerres civiles. Dans son document, la Banque mondiale ne s'est pas livrée à une autocritique de l'approche « antiétatiste » qu'elle avait poursuivie jusqu'à son mémora-ble tête-à-queue, en 1990, quand elle s'était rendu compte qu'un mauvais État valait toujours mieux que pas d'État du tout et que sa politique antérieure avait généralisé la pauvreté, contre laquelle elle promit alors de lutter... Rétrospective-ment, cette palinodie est facile à brocarder, d'autant que la part de l'État africain dans le PIB n'a jamais atteint 20 %, alors qu'elle dépasse 40 % dans les pays riches. Cependant, il faut porter au crédit de la Banque mondiale d'avoir remis en question ses certitudes. Ce n'est pas encore le cas en France, où l'effondrement de l'État africain n'est pas une idée recevable, contre toute évidence. Le consensus qui unit à ce sujet la droite et la gauche françaises fait naître le soupçon que la première refuse de dresser le bilan, désastreux il est vrai, de plusieurs décennies de coopération de substitution ;

cependant que la seconde, par solidarité avec une Afrique
« qui prend son destin en main », s'aveugle sur l'échec des
États décolonisés et, surtout, sur les raisons endogènes de ce
bilan calamiteux. Des chercheurs français, en particulier
Patrick Chabal et Jean-Pascal Daloz, dans un livre publié en
1999, *L'Afrique est partie ! Du désordre comme instrument
politique*, préfèrent interpréter le dysfonctionnement de l'État
africain, sinon sa criminalisation, comme une ruse de l'Histoire qui, comme le croyait Marx, « avance par le mauvais
bout », mais dans la bonne direction : en l'occurrence vers la
modernisation de l'Afrique. C'est aussi amphigourique que
le prétendu respect de la loi par le délinquant, qui confirme-
rait la norme en la transgressant.

Si l'échec de l'État postcolonial en Afrique est un fait,
encore faut-il l'expliquer. Les raisons les plus fréquemment
invoquées sont la « greffe » étatique, qui n'aurait pas réussi,
et les « frontières artificielles » des États africains, également
héritées de la colonisation. Les deux arguments ne résistent
cependant pas à l'examen. Pour ce qui est de la « greffe »,
autant postuler que les Africains ne sauraient conduire des
automobiles, elles aussi inventées et introduites par des étrangers. Autrement dit, puisque pour tout ce qui constitue le
monde moderne, l'Afrique a fait preuve d'une époustouflante
capacité à s'approprier des apports extérieurs et à les conformer à son usage, pourquoi supposer que l'État échapperait à
sa compétence assimilatrice ? Du reste, comment expliquer
que des Nigérians vibrent pour les *Flying Eagles*, leur équipe
nationale de football, que les Togolais à Paris ne voudraient
pas être confondus avec les Béninois, que le Congo, bien que
ruiné par le maréchal Mobutu puis dépecé par ses voisins,
persévère dans son être, grâce à l'esprit patriotique de ses
habitants ? « La grande leçon de l'histoire du Zaïre tient à la
persistance phénoménale de l'idée nationale », notait dès
1996 Jean-François Bayart, dont le propos n'a pas été
démenti depuis. L'État en Afrique non seulement existe, mais
semble promis à un bel avenir, à en juger par la fréquence
avec laquelle des régimes sont brûlés, alors que l'État renaît

toujours de leurs cendres. Même en Somalie, cette « nation sans État » depuis 1991, l'ancienne partie britannique du nord, le Somaliland, ne demande qu'à être reconnu internationalement pendant que les factions rivales à Mogadiscio sont prêtes, chacune, à « faire État », en excluant toutes les autres. Quant aux « frontières artificielles » en Afrique, ces traits tirés à la règle lors du partage colonial, où existerait-il, ailleurs dans le monde, des frontières « naturelles » ? Entre Saarbrücken et sa petite sœur française Forbach, le *continuum* humain est tout aussi réel qu'entre Lomé et Aflao, la ville frontalière ghanéenne accolée à la capitale togolaise. Et, si la durée confère à une délimitation étatique une seconde nature, plus acceptable que le partage entre citoyennetés différentes, il suffira à l'Afrique d'attendre en respectant « les frontières héritées de la colonisation ». C'est précisément ce que le continent fait, depuis la mémorable décision des pères fondateurs de l'Organisation de l'unité africaine (OUA), en 1963 à Addis-Abeba, de ne pas remettre en question le découpage existant – certes arbitraire, mais pas plus que ne le serait n'importe quel autre découpage. Les ethnies de la côte ouest africaine (d'où à où ? de Dakar à Luanda ?) cohabiteraient-elles nécessairement mieux au sein d'un État que les ethnies mélangées dans les tranches de côtes avec leur arrière-pays issues de la colonisation ? Pour un peu, les tenants des frontières naturelles reprocheraient aux colonisateurs, ces « racistes » qu'ils pourfendent en d'autres circonstances, de ne pas avoir décolonisé l'Afrique comme un patchwork de « bantoustans »...

Un ancien coopérant en Afrique, Norbert Elias, enseignant au Ghana de Kwame Nkrumah pendant deux ans – de 1962 à 1964 –, est reconnu comme l'un des meilleurs théoriciens de la « sociogenèse de l'État ». Dans son livre phare, *Sur le processus de la civilisation*, paru en Allemagne en 1969 (et dont des parties ont été publiées en français, en 1977, sous le titre *La Dynamique de l'Occident*), il explique que l'État moderne s'est construit sur un double monopole constituant les deux faces d'une même médaille : le monopole militaire et le monopole fiscal. « La libre disposition des moyens militaires est retirée au particulier », écrit-il. L'État ayant par ailleurs l'exclusivité pour la levée de l'impôt, celui-ci cesse d'être un tribut dû à une domination pour devenir le bien commun des citoyens. Constatons l'évidence : au regard de cette définition, l'État moderne n'existe pas dans la plupart des pays de l'Afrique au sud du Sahara. Car la violence s'y est (re-)privatisée, des entrepreneurs politiques y entretiennent des milices ou factions armées, des « seigneurs de la guerre » se taillent des fiefs dans des territoires que l'État a cessé d'administrer. De même, la capacité extractive du pouvoir établi est à la fois dérisoire et effrayante, oscillant entre l'extorsion de fonds et le paradis fiscal. D'un côté, la mise en coupe réglée du secteur formel de l'économie par une imposition abusive et le prélèvement de droits douaniers exorbitants sur les échanges extérieurs s'assimile en effet au racket couramment pratiqué, aussi en dehors de la sphère étatique, qui est donc loin de jouir d'un monopole ; d'un autre côté, la pression fiscale est extraordinairement faible, de l'ordre de 10 % du PIB dans les pays subsahariens, soit entre un quart et la moitié des taux des pays développés (42 % pour la France, 21 % pour les États-Unis qui, en raison de la faiblesse de leurs services publics, se situent au niveau d'étiage au sein de l'OCDE).

L'Afrique vacille ainsi sur le seuil d'émergence de l'État moderne. Or, poursuit Norbert Elias, si les deux monopoles clés dépérissent, l'appareil administratif, plus seul à lever l'impôt et ne défendant pas l'exclusivité de la violence légitime, « se délabre ». Ce qui ne signifie pas seulement la déchéance d'une bureaucratie, parce que le développement d'une administration permanente et spécialisé a induit un « progrès dans la civilisation » : grâce à elle, les luttes sociales ne portent plus sur l'élimination des dominants, mais sur la maîtrise de l'appareil qui leur permet de monopoliser les pactoles. Nul ne contestera le progrès. D'autant que, à mesure que s'étend et se différencie la structure étatique, un cap est passé « à partir duquel les détenteurs du monopole se transforment en simples exécutants d'un appareil administratif aux fonctions multiples, exécuteurs peut-être plus puissants que d'autres, mais tout aussi dépendants et liés par toutes sortes de contingences ». Le chef de l'État, fût-il un Ronald Reagan ou un Silvio Berlusconi, est entravé dans ses foucades (contrairement aux Jean-Bedel Bokassa, Idi Amin Dada ou Macias Nguema – pour ne citer que des « ex » – dont le champ de l'arbitraire n'a pas été circonscrit par la permanence de l'État, l'inerte résistance d'une administration obéissant à ses règles). « L'interdépendance entre les hommes donne naissance à un ordre spécifique, ordre plus impérieux et plus contraignant que la volonté et la raison des individus qui y président », insiste Norbert Elias. « C'est l'ordre de cette interdépendance qui détermine la marche de l'évolution historique ; c'est lui aussi qui est à la base du processus de civilisation. » Voilà une bien mauvaise nouvelle pour l'Afrique, dont l'État n'est pas suffisamment « civilisé » pour imposer aux gouvernants la distinction entre leur « revenu privé » et la « recette publique » (que le président Houphouët-Boigny, recourant à un terme de la féodalité européenne, confondait dans sa « cassette », comme tant d'autres avant et après lui). Parce que, dans l'Afrique subsaharienne, la socialisation des monopoles d'État n'est pas achevée : tous y prennent encore facilement les armes cependant que la caisse commune revient à un seul, le président, qui en fait profiter sa famille, son parti, son clan ou sa tribu.

Des progrès sont possibles en Afrique, aussi sûrement que d'autres parties du monde ont connu des régressions plus ou moins importantes et durables. Norbert Elias, qui est décédé en 1990, a théorisé l'expérience occidentale, il n'a pas fléché un parcours à suivre. Mais on comprend bien que, si le but est de s'emparer de l'appareil de l'État afin de jouir des chances monopolisées pour la réalisation d'un projet politique, les leaders africains auront encore à se départir de leur tentation de conquérir le pouvoir pour – métaphoriquement parlant – jouer ensuite aux soldats et policiers, aux douaniers et inspecteurs des finances. À partir d'un certain seuil de complexité, de compétences spécialisées et, donc, d'interdépendance, nul ne peut plus prétendre *être* l'État – le péché mortel de nombre de dirigeants du continent, surtout quand ils se toquent d'incarner « l'authenticité » ou la « tradition » africaines. Or, la personnification de l'État que présume être le « chef africain », avatar du « roi nègre », devra s'effacer – pour citer, une dernière fois, Norbert Elias – au profit de « combats éliminatoires et pacifiques » – des élections – réglant l'accès à l'appareil étatique, parce que « c'est la naissance de ce que nous appelons un régime démocratique ». La démocratie a pour cadre l'État, sur le continent noir comme ailleurs. Les Africains semblent du reste en être conscients, puisqu'ils ne démordent pas de *l'idée* de l'État, alors que l'appareil administratif bat la breloque dans la plupart de leurs pays. C'est comme s'ils s'accrochaient à une « nation élective » (Ernest Renan) dans l'espoir de réconcilier en son sein leur hétérogénéité, source de conflits. L'État importé en Afrique y a été adopté comme patrimoine, comme « magasin » dans lequel chacun voudrait se servir, mais aussi, comme une communauté à laquelle on peut choisir d'appartenir. Il lui reste à prendre le pas à la fois sur les convoitises rivales et sur les fidélités identitaires ethniques, en les arbitrant. L'Afrique aurait alors inventé « l'État-nation ».

# 4

## LES PORTES DE L'OUBLI

L'histoire de l'Afrique, pour ce qui concerne les relations avec le monde extérieur, est une longue traumatologie : la traite esclavagiste, la colonisation, l'apartheid comme racisme enkysté dans le continent, la mondialisation comme nouvelle humiliation de l'homme noir... Idéalisant la période précoloniale, diabolisant tout ce qui lui est arrivé depuis sa conquête et son entrée forcée dans l'universel, l'Afrique, en y puisant l'espoir de sa « renaissance », vit « le passé comme un rêve de pureté, le passé comme une cause de douleur, le passé comme religion » (V. S. Naipaul). Elle fait penser à un tableau d'Edvard Munch, *Le Cri*, qui montre un visage défiguré d'effroi tentant de fuir, en reculant, l'horreur dont ses yeux ne parviennent pas à se détacher.

« Dans une large mesure, la traite est bel et bien cet événement sous le signe duquel l'Afrique naît à la modernité », estime Achille Mbembé dans son article intitulé : « À propos des écritures africaines de soi ». L'esclavagisme est aussi la première économie de rente reliant l'Afrique au reste du monde : la chasse et la cueillette du Noir, commercialisable comme « bois d'ébène ». Ce fut, sans conteste, un crime contre l'humanité, mais également une marque, toujours brûlante, sur la conscience africaine. Jeune homme en colère, Yambo Ouologuem l'a écrit sans détour dans sa *Lettre* pamphlétaire : « C'est du jour où le notable a vendu son

domestique noir aux négriers que l'homme noir est devenu
Nègre. » Il serait temps que l'Africain se réconcilie avec lui-
même et les autres, qui ne sont pas seulement « les Blancs ».

Il y eut quatre traites esclavagistes. La plus ancienne, rarement évoquée et qui connut pourtant un essor spectaculaire
au XIXᵉ siècle, est interne à l'Afrique, antérieure à l'arrivée
des Arabes et des Européens. Elle aurait concerné au moins
14 millions de personnes. Comme l'esclavage propre au continent, elle n'est pas un produit d'importation. Très ancienne
également est la traite transsaharienne, le commerce des captifs noirs en même temps que de l'ivoire, de l'or et du sel
gemme qui se pratiquait également dans la vallée du Nil, jusqu'à ce que le khédive Ismaël (1830-1895), pour prouver sa
bonne foi abolitionniste, nommât au Soudan des gouverneurs
européens, dont Mohamed Emin Pacha, de son vrai nom allemand Eduard Schnitzer. De l'autre côté du continent, la
« garde noire » du roi du Maroc porte encore témoignage de
la vente d'esclaves au Maghreb. Chaque année, le jour du
renouvellement de l'allégeance traditionnelle, la *beïa*, le souverain chérifien se couvre la main d'un lin blanc quand le
tour arrive à ses prétoriens noirs de la lui embrasser, sens
dessus dessous... C'est un rappel de la stigmatisation dont
firent l'objet les Noirs en terre d'islam, du moins tant qu'ils
n'étaient pas convertis à la foi d'Allah. Mais l'essentiel de la
traite arabe eut lieu sur la côte orientale de l'Afrique, entre
le IXᵉ et le XIXᵉ siècle. Zanzibar servit de poste avancé à ce
trafic d'humains. Entre 1830 et 1875, 743 000 Noirs y ont
été officiellement vendus, soit une moyenne de 16 500 par
an, selon les archives de l'île. Entre sa zone de capture et son
arrivée à Zanzibar, la valeur d'un esclave était multipliée par
cinq ou six, alors que, pour un vendu, quatre ou cinq péris-
saient en route. Spécialiste de l'histoire coloniale, Marc Ferro
estime que 4,1 millions de Subsahariens furent déportés « du
fait des Arabes » contre 13,2 millions « du fait des Européens ». Ces chiffres sont âprement contestés par d'autres
historiens, qui avancent des évaluations bien supérieures,
notamment pour les victimes de la traite arabe, selon eux

numériquement équivalente, voire supérieure, au trafic trans-atlantique (l'historien américain Ralph Austen, qui fait auto-rité dans le domaine, estime à 17 millions le nombre de ses victimes entre 650 et 1920 − ce qui en ferait le plus grand commerce négrier de tous les temps). Le fait est que la traite atlantique, également appelée « triangulaire », fut la mieux organisée, la plus intense aussi. Ayant débuté dans la seconde moitié du XVe siècle, elle s'amplifia fortement au milieu du XVIIe siècle et ne cessa réellement que vers 1870, bien après son abolition officielle. Partant d'Europe, les navires appor-taient des alcools forts, des cotonnades et des verroteries à l'Afrique ; là, des esclaves étaient entassés au fond des cales à destination des plantations de canne à sucre et de coton en Amérique, aux Antilles et dans le sud des États-Unis actuels, d'où les embarcations repartaient pour le Vieux Continent, de nouveau chargées de marchandises. Le 25 mars 1807, l'aboli-tion de cette traite triangulaire fut annoncée par l'*Anti-Slave Trade Act* en Grande-Bretagne, qui prit effet le 1er janvier 1808. À la même date entra en vigueur la loi d'abolition signée par Thomas Jefferson, le 2 mars 1807. Sur le continent européen, le Déclaration du Congrès de Vienne, le 8 février 1815, fut relayée lors des Cent-Jours : par opportunisme poli-tique, Napoléon interdit la traite, le 29 mars. Le 30 juillet de la même année, Louis XVIII confirme l'abolition. Mais celle-ci n'est pas respectée, le trafic d'esclaves clandestin reste très important. En fait, la traite n'est définitivement bannie que par la loi d'abolition du 4 mars 1831. C'est la date à retenir.

La ponction démographique que les traites négrières ont représentée pour l'Afrique est disputée, comme le sont les chiffres servant de bases de calcul, aux tenants d'une « sai-gnée irréparable » du continent d'un côté, et, de l'autre, leurs contradicteurs qui évaluent « sur la longue durée » à 2,5 % de la population africaine le nombre des déportés ou morts en chemin. Dans son ouvrage de référence *Les Africains. His-toire du continent*, John Iliffe, professeur à Cambridge, tran-che ainsi le débat : « Étant donné l'importance fondamentale du sous-peuplement dans l'histoire africaine, la traite fut un désastre démographique, mais pas une catastrophe : les Africains survécurent. » Certes, mais à quel prix, dont le moindre n'est pas le « syndrome de victimisation » que le trafic d'esclaves a laissé comme séquelle ! Depuis ce péché originel du monde extérieur, l'histoire du continent, pour nombre de ses habitants, n'aurait été qu'une succession de crimes commis à leur égard, un cycle spasmodique de souffrances, sans répit et... sans responsabilité de leur part. Cet enfermement dans la douleur dévalue l'Africain une seconde fois, comme objet inerte des cruels desseins d'autrui dont il serait à jamais condamné à rester le jouet. La réalité est pourtant autre : ce sont des Africains qui ont vendu d'autres Africains, leurs « frères ». Or, ce souvenir est non seulement oblitéré, mais, selon un procédé qui ne désarçonnerait pas les psychanalystes, travesti en fraternité à l'égard des Afro-Américains, ces « cousins » d'outre-Atlantique. Achille Mbembé, toujours dans le même article, relève « le refus des Africains de faire face à la part troublante du crime, celle qui engage directement leur responsabilité » et estime que « l'appel à la race comme base morale et politique de la solidarité relèvera toujours, quelque part, d'un mirage de la conscience tant que les Africains continentaux n'auront pas repensé la Traite et les autres figures de l'esclavage non seulement comme une catastrophe qui s'est abattue sur eux, mais également comme le produit d'une histoire qu'ils ont activement contribué à façonner ». Bien plus agressif, après avoir été de 1991 à 1994 correspondant du *Washington Post* basé à Nairobi, le journaliste afro-américain Keith Richburg, distingué de prestigieux prix pour sa couverture de la crise somalienne puis du génocide rwandais, a réglé ses comptes avec la « mère Afrique », « cette sorte de Walhalla noire », et avec un passé qui est aussi celui de ses aïeux. Dans son livre *Out of America. A Black Man Confronts Africa*, publié en 1996, il s'écrie : « Dieu merci, je suis américain ! », exprimant sa gratitude au « négrier qui a transporté mon ancêtre anonyme à travers l'océan, enchaîné et les pieds pris dans le fer, et à Dieu, qu'il ait survécu ». Il est peu dire que l'ouvrage fît scandale aux États-Unis, mais Keith Richburg, sorti des ghettos de Detroit et tout le contraire d'un provocateur, s'est expliqué avec passion : « Je suis fatigué de mentir », écrit-il dans l'introduction de son livre. « Je suis fatigué de toute cette ignorance et de cette hypocrisie et des deux poids deux mesures que j'entends et que je lis au sujet de l'Afrique, la plupart du temps de la part de personnes qui n'y ont jamais mis les pieds, encore moins passé trois ans à parcourir le continent au milieu de cadavres. Parlez-moi de l'Afrique et de mes racines noires et de mes liens familiaux avec mes frères africains, et je vous renvoie tout cela à la figure et vous plonge le nez dans les images de chair putréfiée. »

L'historiographie africaine dominante exonère le monde arabe de sa participation dans la déportation séculaire d'esclaves noirs, pour des raisons politiques opposées à celles visant à aggraver la culpabilité des « Blancs ». Ce silence devient falsification, au profit d'une rente de situation, quand il couvre des impostures telles que la « maison des esclaves » à Gorée, l'îlot au large de Dakar. Classé patrimoine de l'humanité par l'Unesco, soutenu financièrement – entre autres – par la fondation France Liberté de Danielle Mitterrand, ce haut lieu de mémoire a été visité par le pape Jean-Paul II et trois présidents américains, Jimmy Carter, Bill Clinton et, en juillet 2003, par George W. Bush. Tous s'y sont recueillis en contemplant, émus, les entrepôts de la maison d'où seraient partis, en passant par la « porte de l'oubli », quelque 180 000 esclaves entre 1711 et 1810. En vérité, si ces sous-sols voûtés abritèrent des captifs, ceux-ci firent uniquement partie de la domesticité d'une riche métisse, la *signare* – du portugais *senhora* – Anne Colas, propriétaire de cette demeure construite tardivement par des Français, entre 1783 et 1786, laquelle n'a jamais servi d'embarcadère à des milliers d'esclaves... Pour avoir énoncé cette vérité, le père Joseph Roger de Benoist a dû faire amende honorable lors d'un « séminaire » explicitement convoqué à Gorée à cet effet, les 7 et 8 avril 1997, sur le thème : « Gorée dans la traite atlantique : mythes et réalités ». Historien à l'université Cheikh Anta

Diop à Dakar, Djibril Samb, qui a édité les actes de ce « colloque », précise dans l'introduction de son ouvrage le but recherché : « Nous sommes donc réunis ici pour interroger l'Histoire, pour interroger le rôle de Gorée dans la traite atlantique, non à partir d'une position épistémologique privilégiée, non par pur amour de la Science ni de la Connaissance, mais à partir de notre présent, qui est aussi – et qui est essentiellement en l'espèce – la place de Gorée dans notre économie symbolique la plus profonde. » Les boursouflures de style en moins, on ne saurait être plus clair. Mais pourquoi, du pape Jean-Paul II à trois présidents américains, le reste du monde s'accommode-t-il d'un mensonge ? « Sur l'île de Gorée, l'émotion est la chose la mieux partagée », commente Catherine Clément, qui a consacré un livre – *Afrique esclave* – à Gorée. Imaginerait-on l'écrivain-philosophe, nullement dupe, aussi indulgente si elle avait découvert pareille supercherie sur un lieu de mémoire de la Shoa ?

Ce n'est pas le lieu, ici, de dresser un bilan de la colonisation, au demeurant aussi contrastée que les situations et les acteurs. Les avis à ce sujet sont notoirement très partagés. Nous avons déjà évoqué le lourd tribut en vies humaines – un tiers de la population africaine entre 1880 et 1920, bien plus que l'ensemble des traites pendant des siècles ! – que l'irruption de l'Occident a infligé au continent noir, en dehors de tout abus de domination, nombreux par ailleurs. Ce fut un viol, un rapport de forces, imposé au faible sans ménagement du moment où il ne s'y résignait pas. Mais ne doit-on pas également mentionner, comme le fit Anatole France dans un discours prononcé, le 30 janvier 1906, lors d'un meeting de protestation contre la France coloniale, « ceux des administrateurs coloniaux – et il y en a, et leur nombre est grand – qui, sous un climat perfide, se sont gardés de la mélancolie, de la fureur, des perversions mentales, des terreurs et des hallucinations homicides, et ont su demeurer justes et modérés » ? L'hommage a le mérite de mettre en relief la folie propre à un continent et une situation d'inégalité extrêmes... « Cette école coloniale ne valait-elle pas mille fois mieux que l'analphabétisme et l'ignorance dans lesquels nous étions plongés depuis des siècles dans certaines parties reculées du continent ? » s'interroge néanmoins l'ancien Premier ministre centrafricain, Jean-Paul Ngoupandé. Peut-être le bilan de Marc Ferro, éditeur du *Livre noir du colonialisme*, constitue-t-il une bonne synthèse, équitable et subtile : « S'il y avait un jour un procès en responsabilités, écrit-il, les Européens devraient figurer au banc des accusés à titre de complices, sous la double inculpation de viol de domicile avec effraction, à l'origine, et de non-assistance à personne en danger, au terme du processus. » Quoi qu'il en soit, Nicolas Bancel, Pascal Blanchard et Françoise Vergès ont raison de souligner, dans leur livre *La République coloniale*, que « l'héritage colonial ne peut servir d'explication totalisante à la corruption et l'injustice qui existent dans le monde décolonisé ».

L'ère coloniale n'est considérée, pour l'analyse de la « négrologie », qu'en tant que siège d'arguments qui, par la momification de l'Africain en victime à ranger au musée de l'histoire, justifie cette fuite en retraite identitaire : geste tragique, malheur cyclique auquel rien ne permet d'échapper, le passé africain devient fantomatique, dans le double sens du mot grec et latin – *phantasma* – qui renvoie à la fois aux fantasmes et aux fantômes. Dans ce contexte, il importe de dresser trois garde-fous. D'abord, contrairement à un lieu commun qui figurait, par exemple, dans le programme du Parti socialiste français (« Changer la vie ») d'avant 1981, la colonisation n'est pas « le seul caractère explicatif commun du sous-développement » pour avoir été « une mise en coupe réglée des ressources du tiers-monde ». Quand bien même la colonisation se résumerait à la déprédation des territoires conquis, elle n'en expliquerait pas pour autant le sous-développement. En fait, il s'agit d'une confusion entre cause et effet. La soumission de si vastes étendues outre-mer n'a été possible qu'en raison de l'important écart de civilisation entre colonisateur et colonisés. Ceux-ci ne sont donc pas en retard parce qu'ils sont passés sous le joug colonial – mais l'inverse : ils ont été conquis si aisément, parce qu'ils étaient sous-développés. Ce qui permet de faire ensuite un sort à une autre mystification, corollaire de la précédente : la richesse des métropoles coloniales serait due au pillage de leurs anciennes possessions. Si c'était vrai, le Portugal, qui n'a décolonisé l'Angola et le Mozambique qu'après la « révolution des œillets », en 1974, devrait rouler sur l'or tandis que l'Allemagne, ayant perdu sa « place au soleil » après la Première Guerre mondiale, aurait dû être déclassée non seulement par lui, mais aussi par la France et la Grande-Bretagne... Enfin, l'intérêt quasi exclusif porté aux méfaits intentionnels de la colonisation occulte la part d'héritage qui se prête moins à la moralisation, sans être moins importante. Ainsi, comme nous l'avons déjà vu, le renversement des rapports de domination entre la côte ouest africaine et l'intérieur du continent, en particulier au détriment des « proto-États » sahéliens le long du 16e parallèle, a bouleversé l'histoire africaine en mettant souvent le soumis à la place du maître. Cette révolution induite par l'arrivée des Européens sur les côtes, d'où ceux-ci lancèrent leur conquête de l'arrière-pays, parfois avec le concours des ethnies locales, continue de travailler en profondeur toute cette région, une zone de contact entre l'islam et des religions chrétiennes ou traditionnelles. Plus d'un siècle après la « pacification » coloniale de l'Afrique de l'Ouest, il s'agit là d'une clé de lecture essentielle de la crise ivoirienne en tant que revanche historique du nord musulman et des États voisins sahéliens sur le sud « animiste » et chrétien, les « commis de la colonisation » qui habitent les terres fertiles de la côte.

Dans les possessions françaises d'Afrique, le premier mouvement anticolonial après la résistance à leur soumission fut intellectuel et racial. Au cours des années trente, le concept de la « négritude » fut forgé par l'Antillais Aimé Césaire puis développé, en particulier, par Léopold Sédar Senghor, poète et futur président du Sénégal. D'autres étudiants à Paris, tels que Léon-Gontran Damas, firent partie du cénacle qui entendait affirmer « la personnalité collective négro-africaine », définie par des traits culturels (« L'émotion est nègre, comme

la raison hellène », comme l'écrivait Senghor). En 1948, dans
un texte – « L'Orphée noir » – Jean-Paul Sartre qualifia la
négritude de « racisme antiraciste », justifiable au « moment
de la séparation ou de la négativité ». L'année précédente,
dans le premier numéro de la revue *Présence africaine*, d'autres intellectuels français, dont André Gide, Georges Balandier, Paul Mercier, Michel Leiris, Marcel Griaule et Théodore
Monod, avaient apporté leur caution à un mouvement militant
pour la dignité de « l'homme noir », lequel se révoltait, non
pas contre le racisme qui le frappait, mais contre les préjugés
attachés à une race qu'il pensait valoriser en la revendiquant.

Jugée *a posteriori*, la négritude fut à l'émancipation de
l'Africain assujetti ce que le féminisme de salon est à l'égalité
des sexes : un détour emprunté. Il fallut que la révolte des
colonisés se politise par l'expérience de l'égalité devant
la mort et d'une certaine fraternité d'armes pendant la
Deuxième Guerre mondiale pour que l'Afrique française par-
ticipât, à des degrés divers selon les pays, à la poussée indé-
pendantiste dont le panafricanisme et le « consciencisme »,
portés haut par le Ghanéen Kwame Nkrumah, furent l'éten-
dard. L'unité africaine se réalisa alors sur une base raciale
ambiguë : « l'africanité », du moins dans sa version capable
de galvaniser des foules, postulait une communauté de culture
et de civilisation dont le signe de reconnaissance était la
même pigmentation de la peau. L'homme noir opprimé luttait
contre la suprématie écrasante du Blanc. Son combat fut gran-
dement facilité par la guerre contre l'Allemagne nazie. Dès
1942, dans la Charte de l'Atlantique, le droit de tous les peuples dominés de se donner librement le gouvernement de leur
choix fut solennellement affirmé. Lorsque Churchill en fit
remarquer à Franklin Roosevelt les implications pour l'Empire britannique, le président américain lui répliqua : « Wins-
ton, vous avez plusieurs siècles de colonialisme dans le sang.
Il faudra s'en débarrasser. »

On l'oublie souvent : avec la guerre froide est né le « sous-
développement ». Le terme apparaît pour la première fois,
comme adjectif, dans le discours sur l'état de la Nation que

le successeur de Franklin Roosevelt, Harry Truman, délivra
le 20 janvier 1949 devant le Congrès américain. Ses propos
généreux ont retrouvé, au lendemain du 11 septembre 2001,
toute leur actualité : « Il nous faut lancer un nouveau programme qui soit audacieux et qui mette les avantages de notre
avance scientifique et de notre progrès industriel au service
de l'amélioration et de la croissance des régions sous-déve-
loppées. Plus de la moitié des gens dans le monde vit dans
des conditions voisines de la misère. Ils n'ont pas assez à
manger. Ils sont victimes de maladies. Leur pauvreté constitue un handicap et une menace, tant pour eux que pour les
régions les plus prospères. » Avec sa part de rêve et de calcul,
le sous-développement prit ainsi le relais de la « mission civilisatrice » et de la « mise en valeur » de la colonisation.
Rétrospectivement, on discerne aisément que l'Occident a
voulu s'assurer, en échange d'une aide notamment pécu-
niaire, la fidélité d'États pauvres du tiers-monde. Si ces pays
se développaient grâce aux fonds consentis, tant mieux. Mais
l'exemple du Zaïre illustre que ce ne fut pas là l'objectif principal. Du début de la grande crise économique, en 1975, jusqu'à la chute de Mobutu en mai 1997, ce pays reçut 9,3 milliards de dollars d'assistance étrangère. Pourtant, envoyé par
le FMI à Kinshasa pour mettre fin aux pires excès de la
« kleptocratie » du maréchal-président, Erwin Blumenthal,
auparavant chef du département international de la Bundes-
bank, n'était resté qu'un an avant de démissionner de son
poste de chien de garde des finances publiques zaïroises.
Arrivé en 1978, proclamée « année de la moralité ascendan-
te » par Mobutu, il comprit vite l'inanité de sa mission. Bon
soldat, il se tut pendant trois ans sur les raisons de son échec,
jusqu'à ce qu'il fût consulté sur la probabilité du remboursement de la dette extérieure zaïroise, d'un montant de 5 milliards de dollars à l'époque. Il rédigea alors un rapport dévastateur, qui atterrit dans la presse américaine, en soulignant
que le montant de la dette zaïroise correspondait à la fortune
personnelle de Mobutu... C'était facile à comprendre, mais ce
ne fut – mal – compris qu'après la fin de Mobutu, quand ce

« coffre-fort coiffé d'une toque de léopard » (Bernard Kouch-
ner) était universellement accusé d'avoir détourné l'équivalent de la dette de son pays, entre-temps montée à 14 milliards de dollars. Dans l'empressement de donner le coup de
pied de l'âne au dictateur déchu, peu importait la mise au
jour fantaisiste de « l'équation de Blumenthal ». Et nul ne
songeait à s'interroger sur la persistance, voire l'accroissement de l'aide occidentale, après le passage éclairant à Kinshasa du banquier allemand : en moyenne de 331 millions de
dollars par an, entre 1975 et 1984, le « loyer » payé à Mobutu
est passé, entre 1985 et 1994, à 524 millions de dollars. Il y
eut, donc, prime au détournement...

Vue de l'Afrique, la guerre froide fut une chance pour la
« libération » du continent, mais tout en conditionnant celle-
ci au maintien des États décolonisés dans le giron occidental.
La Grande-Bretagne ouvrit la voie en accordant l'indépendance au Ghana et au Soudan, puis au Nigeria, au Kenya, à
la Tanzanie, et à la Rhodésie du Nord, l'actuelle Zambie.
Londres faillit cependant en Rhodésie du Sud, le Zimbabwe
d'aujourd'hui, où la minorité blanche prit, en 1965, unilatéra-
lement le pouvoir. Tout le cône austral, l'Afrique du Sud et
ses États voisins, qui servirent de glacis au pays de l'apartheid et devinrent la « ligne de front » pour la lutte armée
contre le régime de ségrégation raciale, demeuraient ainsi un
bastion, pro-occidental mais désavoué par le « monde libre »,
du bout des lèvres. Dans cette région, la rivalité avec l'URSS
n'eut cependant d'impact militaire qu'après la fin du règne
colonial portugais sur l'Angola et le Mozambique. Par l'inter-
médiaire de « *barbudos* » cubains d'un côté, et, de l'autre,
par « mouvements fantoches » interposés, des guerres de substitution y furent alors menées jusqu'à ce qu'en décembre 1988, onze mois avant la chute du mur de Berlin, un
accord quadripartite négocié à Brazzaville pavât la voie à
l'indépendance de la Namibie et, à terme, à l'accession au
pouvoir de la majorité noire en Afrique du Sud, en échange
du retrait d'Angola de 50 000 soldats cubains. L'Afrique australe sortait ainsi de la guerre froide, avant que celle-ci ne

prît fin, grâce au souci de l'Occident, et notamment des États-Unis par rapport à leur minorité noire, de ne plus pactiser avec le régime raciste sud-africain, tout en négociant les conditions pacifiques de sa relève.

En Afrique francophone, la décolonisation eut lieu dans des conditions singulières que « l'indépendance du drapeau » résume parfaitement. Défaite et occupée par les Allemands, mais néanmoins parmi les puissances victorieuses de la Deuxième Guerre mondiale, la France devait sa continuité d'État, puis sa propre « libération », à ses colonies d'Afrique. Dans ces conditions se forgea, à partir des réseaux gaullistes de la Résistance, un bloc historique qui n'allait aucunement être clivé par l'accession à la souveraineté, en 1960, de la plupart des colonies africaines de la France. Adepte de formules illusionnistes, Edgar Faure avait fourni le mot d'ordre – « partir pour mieux rester » – à cette décolonisation de pure forme. Ce qui était bon pour la France restait bon pour l'Afrique, l'heureuse coïncidence d'intérêts s'incarnant en la personne de Jacques Foccart, l'inamovible secrétaire général de l'Élysée chargé, à la fois, de l'Afrique, des services secrets et des questions électorales... Estafier du général de Gaulle, puis « M. Afrique » de Georges Pompidou et de Jacques Chirac jusqu'à sa mort en 1996, *L'Homme de l'ombre* – le titre d'une biographie non autorisée que lui consacra Pierre Péan – a nimbé d'un sulfureux halo de mystères et de « barbouzeries » les rapports néocoloniaux entre la France et son « pré carré » africain. Mais les turpitudes incestueuses de la « Françafrique » – le nom donné par Félix Houphouët-Boigny dans les années soixante-dix à ce continent fusionnel – furent alors tacitement admises par une opinion publique française qui les savait être le prix à payer pour que perdurât « la plus grande France ». Et c'était vrai : du temps de la guerre froide comme – pour anticiper sur ce point – depuis que la lutte antiterroriste recouvre la planète d'une nouvelle trame géopolitique, la France n'existe, face aux vrais grands, qu'en s'appuyant sur l'Afrique et le monde arabe. Chaque fois, la Grande-Bretagne fait le choix inverse en s'alignant sur les États-Unis pour assumer le rôle qu'Athènes, après le déclin de sa puissance, joua en inspirant Rome.

Preuve de la très forte insertion de l'Afrique dans l'ordre mondial, la chute du mur de Berlin changea totalement la donne. Sans méconnaître les mouvements sociaux qui, en raison de la mévente des matières premières et de la crise financière de l'État, envahirent les rues des capitales bien avant la fin de la guerre froide, et étendirent vite leurs revendications à la démocratisation des régimes en place, l'Afrique n'aurait pas connu les bouleversements des années quatre-vingt-dix si l'abrupt changement de la matrice géopolitique n'avait pas condamné et sa « rente » et sa prise en charge tutélaire – les deux faces d'une même dépendance extrême. Déjà affaibli par une « décennie perdue » pour le développement, agoni de dettes, le continent fut abandonné à son sort, peu enviable. Entre 1990 et 2000, l'aide publique au développement – le « loyer » versé pendant la guerre froide – chuta de 29 % en termes réels. En même temps, les complices de la veille se firent exigeants, partisans non seulement d'élections « libres et transparentes », mais aussi de l'État de droit et d'une « bonne gouvernance », l'euphémisme inventé par le FMI et la Banque mondiale pour notifier la fin de l'impunité comptable. L'atemporelle pauvreté – non pas « un produit de l'ordre social dominant mais l'équivalent d'une catastrophe imprévisible, quelque chose comme un désordre climatique », comme le fit remarquer Rony Brauman – prit la place du développement, passé par pertes et profits. Les coopérants furent rapatriés en nombre et, à leur place, l'ogre philanthropique, nourri par l'État, prit du poids : 50 milliards de dollars par an, autant que l'aide publique auparavant. Entre 1989 et 1999, une ONG telle qu'Action contre la faim (ACF) décupla presque son budget (334 millions de francs au lieu de 38 millions) en portant la part des fonds publics à 75 %. À partir de là, ni la « diplomatie d'ambulance » ni le « droit d'ingérence », voté à l'initiative de la France, le 14 décembre 1990, par l'Assemblée générale des Nations unies (« Le temps de la souveraineté absolue et excessive est révolu »,

déclara ce jour le secrétaire général de l'ONU, Boutros Boutros Ghali) n'étaient plus vraiment « non gouvernementaux ».
Ce fut l'âge d'or de l'humanitaire – l'adjectif inventé en 1839
par Alphonse de Lamartine, dont la « poésie de l'âme » se
voulait « expression d'un cœur qui se berce de son propre
sanglot ». Toute à son émotion et ballottée par l'urgence (« il
faut faire quelque chose »), l'opinion internationale applaudit
la loi du plus fort, devenue le droit d'assister le plus faible...
de son choix et, au besoin, malgré lui. Le 5 avril 1991, l'ONU
sanctuarisa une « zone de protection » pour les Kurdes dans
le nord de l'Irak, établie par l'opération américaine *Provide
Comfort*. Le 3 décembre 1992, le Conseil de sécurité autorisa
une intervention « militaro-humanitaire » en Somalie sous
l'égide des États-Unis qui, pour « Rendre l'espoir » à une
population affamée, se donnèrent pour consigne *« shoot to
feed »* [tire pour nourrir]...

L'opinion publique africaine, tout juste éclose du carcan
des régimes monolithiques, ne se trompa pas sur le double
fond du « nouvel ordre mondial ». Après l'avoir proclamé,
George Bush père s'assigna pour mission d'accomplir en
Somalie « l'œuvre de Dieu » *(God's own work)*. Cependant,
après la perte de dix-huit de ses soldats d'élite, l'armée américaine quitta la plage de Mogadiscio, sans esprit de retour.
Désormais gendarme du monde à contrecœur *(« reluctant
sheriff »)*, Washington non seulement refusa d'intervenir au
Rwanda quand, le 6 avril 1994, y débutèrent des massacres à
grande échelle, mais pressa l'ONU de retirer l'essentiel de
son contingent de casques bleus de Kigali. La France, pourtant la moins bien placée pour intervenir, compte tenu de ses
liens étroits avec le régime du président – hutu – Juvénal
Habyarimana, dont l'assassinat eut déclenché l'extermination
de la minorité tutsi (15 % de la population) par la majorité
hutu, monta néanmoins, en juin 1994, mandatée par l'ONU
et avec le concours de plusieurs contingents africains, l'Opération turquoise. Elle fut alors couverte d'opprobre, accusée
de complicité avec les tueurs « avant, pendant et après le
génocide ». L'anathème est de François-Xavier Verschave,

le secrétaire général d'une association, Survie, qu'il présente comme « une oasis d'indépendance et d'intégrité ». Tirant les conséquences de la « désinformation » dont il accuse les médias français (« les deux tiers de la presse écrite appartiennent à des marchands de canons, Dassault et Lagardère. Un certain nombre de journalistes sont tenus individuellement, par de vieux mécanismes de pression, les divers chantages et corruptions classiques par l'argent, le sexe, l'alcool, tous ces ressorts humains, trop humains »), il a rédigé deux ouvrages à succès – *La Françafrique. Le plus long scandale de la République*, en 1998, et, en 2000, *Noir silence. Qui arrêtera la Françafrique ?* – qui instruisent le procès de la... « Françafrique », le concept fétiche de l'auteur pour amalgamer les ignominies franco-africaines, réelles ou imaginaires. Heureusement, depuis, Jean-Pierre Dozon, directeur du Centre d'études africaines de l'École des hautes études en sciences sociales de Paris, a remis en perspective, dans son livre *Frères et sujets*, paru en 2003, « l'individualité historique » du lien ente la France et l'Afrique. Mêlant « besoin d'Afrique » et « désir de France », cette relation singulière ne se résume pas à l'histoire de « magouilles » dont François-Xavier Verschave a fait son fonds de commerce militant.

Quel est le lien entre l'apostolat démocratique occidental, la « politique de la pitié » humanitaire, l'intervention américaine en Somalie et les états d'âme rétrospectifs d'une partie de l'opinion publique française ? Ils s'inscrivent, pour le ratifier, dans le « paradigme de la victimisation » (Achille Mbembé) qui conçoit l'Africain comme un être invariablement passif, prostré sous la charge de l'histoire, théoriquement la sienne, mais qui l'écrase sans qu'il n'y prenne une part active. Hier, les « satrapes » au pouvoir sur le continent ayant été « adoubés » à Paris, Londres ou Washington, l'Occident doit aujourd'hui les « enlever », les « chasser » du pouvoir puisqu'ils ne conviennent plus à leurs populations, incapables de se révolter ; hier, les alliés de l'Occident ayant perçu une « rente » pour leur fidélité pendant la guerre froide, il faut leur verser, aujourd'hui, une « prime à la démocratie », d'ailleurs promise par François Mitterrand dans son discours au sommet franco-africain de La Baule, en juin 1990 ; hier, les famines du Sahel ou de la Corne de l'Afrique, les drames de l'ex-Congo belge ou du Biafra sécessionniste ayant suscité la compassion du monde, aujourd'hui la « descente aux enfers » du continent tout entier fonde un « devoir d'ingérence », l'interventionnisme « humanitaire » en treillis ; hier pure victime du « néocolonialisme français », l'Afrique francophone doit aujourd'hui être sauvée... d'elle-même. Par-delà ces figures, parfaitement figées, d'une rhétorique de l'apathie tropicale, de vieilles pratiques persistent, en s'adaptant, et de nouvelles déceptions corroborent des déconvenues du passé : le FMI et la Banque mondiale imposent « leurs » candidats comme Premiers ministres ou grands argentiers, mais ces « hommes neufs » du changement se révèlent des « politiciens rebaptisés », ainsi appelés sur le modèle des chrétiens convertis, hélas, ni à la démocratie ni à la vertu gestionnaire. D'où un sentiment d'impuissance toujours renouvelé chez nombre d'Africains, qui ne demandent qu'à croire à la conspiration permanente d'un Occident bien connu pour sa « duplicité », son « cynisme », ses « coups fourrés ». C'est là le vocabulaire, passablement paranoïaque, de toute une série noire d'ouvrages sur l'Afrique qui, avec au moins une décennie de retard, font leur fiel des « scandales » imputés à l'Occident, alors que celui-ci s'est retiré du continent sur la pointe des pieds, sans même payer son ticket de sortie pour les abus réellement commis, du temps de son hégémonie incontestée. Mais comme il s'agit seulement d'« accrocher » les pouvoirs occidentaux, le feu sacré de l'indignation ne brûle pas au sujet de la criminalisation de beaucoup d'États du continent, des trafics d'armes, de drogues ou d'êtres humains sans connexion blanche, de l'interventionnisme militaire des nouvelles puissances régionales telles que le Rwanda, l'Angola ou le Nigeria, des guerres hors conventions, des exactions commises à l'égard d'opposants, des massacres d'Africains par d'autres Africains. Déboussolée, à la recherche d'un fil conducteur de sa militance de longue date, jadis salutaire, la diaspora africaine, à Paris et ailleurs, défile en brandissant des slogans d'un autre temps, dont « l'Afrique aux Africains ». Sans se rendre compte que c'est là une autonégation tautologique, que les habitants du continent sont les acteurs de leur histoire, hélas aussi comme trafiquants, corrupteurs, faux prophètes, *warlords* ou autres fossoyeurs de l'Afrique. On pense au terrible mot du général de Gaulle : « Le jour arrivera où les peuples décolonisés ne se supporteront plus eux-mêmes. »

L'ère antiterroriste annoncée, la lutte titanesque entre l'ordre (américain) et le chaos propagé par des « États voyous » va-t-il de nouveau changer la donne en Afrique, et dans quel sens ? En procurant au continent un « effet d'aubaine » comparable au « loyer » de la guerre froide ? Ou en révoquant des libertés à peine (re-)conquises, au nom de nouvelles « priorités stratégiques » ? Si les attentats visant le *World Trade Center* marquent sûrement une césure capitale, les conséquences pour l'Afrique d'un combat planétaire contre le « désordre » sont néanmoins difficiles à prédire. La seule certitude : le continent de l'entropie, la tendance naturelle vers la dislocation de tout ordre structuré, ne restera pas à l'écart d'une géopolitique « pro-active ». Il a servi à la répétition générale des événements du 11 septembre 2001 qu'a été le double attentat en août 1998 contre les ambassades américaines à Nairobi et à Dar es-Salaam ; il est entré de plain-pied dans l'après-11 septembre, d'abord, près de Mombasa, le 28 novembre 2002, où des kamikazes ont lancé leur véhicule bourré d'explosifs sur un hôtel, tuant douze Kenyans et trois touristes israéliens, puis à Casablanca, le 16 mai 2003, quand cinq attentats suicides concomitants ont coûté la vie à quarante-cinq personnes ; il sera inévitablement – dans l'optique américaine – l'un des champs de bataille entre « le Bien et le Mal ».

Le réengagement de l'Occident en Afrique est déjà en cours. La reprise en main du continent, amorcée avec la multiplication des opérations de rétablissement de paix au Liberia, en Sierra Leone, au Burundi, en Côte d'Ivoire et au Congo-Kinshasa, passera par une seconde « pacification » de

l'Afrique. À un bon siècle d'intervalle de la conquête coloniale, le prétexte d'antan deviendra raison : il s'agit à nouveau de mettre fin à d'« effroyables tueries tribales ». Mais,
cette fois, la « mission civilisatrice » est assumée par la communauté internationale dans son ensemble. Sur le continent,
sa mise en œuvre militaire sera confiée, d'une part, à des
casques bleus originaires de pays du tiers-monde non africains (l'Inde, le Pakistan, etc.) et, d'autre part, à des puissances régionales telles que le Nigeria et l'Afrique du Sud, qui
rappelleront les « forces supplétives » de la colonisation. Ces
puissances africaines jouent, également en échange de dividendes géopolitiques, le rôle de « sous-traitance » qu'avait
tenu, pendant la guerre froide, la France, alors le « gendarme
de l'Afrique », avant d'en devenir l'un des gardiens de la
paix. À l'avenir, les troupes françaises s'engageront-elles
encore en première ligne ? Ou interviendront-elles de plus en
plus en appui aux forces africaines ? La seconde hypothèse
paraît bien plus probable, mais restera conditionnée par les
capacités africaines de maintien de la paix, jusqu'à présent
peu convaincantes. Lors de son sommet à Maputo, en juillet
2003, l'Union africaine a décidé la levée d'une armée panafricaine d'intervention, que l'Europe s'est déclarée prête à cofi-
nancer. Parallèlement, des voix se sont élevées pour réclamer
que la nouvelle curatelle s'inscrive dans la légalité internationale. Dans une tribune parue dans *Le Monde*, le 22 mai 2003,
l'ancien ministre français des Affaires étrangères, Hubert
Védrine, a ainsi estimé qu'il « faudrait actualiser, rendre légitimes les formes modernes de protection ou de tutelle sous
mandat du Conseil de sécurité réformé ». Ce serait là, en
effet, une précaution élémentaire contre la « négrologie ».
Car, quelle que soit la limitation de souveraineté qui sera
imposée aux « États ratés » *[failed states]* en Afrique, le risque est grand d'y réveiller les fantômes du passé, de réali-
menter les fantasmes phobiques d'une altérité conquérante
chez les habitants de « contrées sauvages » qui, précisément
pour ces motifs, sont restés des refuges en marge du monde.

# 5

## MAUDITS DONS DU CIEL

Le meilleur traité sur l'aide, également le plus concis et le plus pédagogique, est un roman d'Anatole France, *Monsieur Bergeret à Paris*. Son protagoniste, professeur à la Sorbonne, donne un jour l'aumône à Clopinel, un clochard, en présence de sa fille, Pauline, à laquelle il fait alors remarquer, parlant de « pitié barbare » au sujet de son don, que Clopinel n'a plus qu'une « moitié d'âme ». Pauline proteste, rappelle à son père la bienfaisance de son geste. M. Bergeret lui répond : « Tu ne sais pas tirer d'une action innocente en apparence les conséquences infinies qu'elle porte en elle. » Voilà, précisément, l'analyse qui reste à faire pour l'aide au développement.

On donne toujours des... clopinettes. Dans l'encyclopédie universelle des paradoxes, il faudrait marquer à l'entrée « aide » : « Plus vous en donnez, plus on vous en réclamera. » Le donateur doit constamment s'excuser de sa ladrerie, sans que nul ne songe jamais à évaluer ce que son « aumône » représente dans la sébile du clochard. Aussi, l'aide publique au développement est-elle, avant toute autre chose et en tout temps, insuffisante, sinon dérisoire. Elle l'est surtout depuis que les pays riches se sont engagés à verser un pourcentage précis de leur PNB aux États pauvres du tiers-monde. Le 24 octobre 1970, l'Assemblée générale des Nations unies vota l'alinéa 43 de la résolution 2626, stipulant dans le sabir bureaucratique qui fait le charme de l'ONU : « Vu l'importance du rôle que seule peut jouer l'aide officielle au développement, une portion majeure des ressources financières aux pays en voie de développement devrait s'effectuer sous forme de transferts de ressources publiques. Chaque pays économiquement avancé accroîtra progressivement son aide [...] et s'efforcera particulièrement d'atteindre, au milieu de la décennie au plus tard, un montant minimum en valeur nette de 0,7 % de son produit national brut. » Fermez le tiroir-caisse ! Ce devait être la voie royale du « rattrapage » : un peu d'« industrie industrialisante », un zeste d'agriculture vivrière, beaucoup d'assistance technique – la fameuse « formation des formateurs » – et, donc, cette part du pauvre de 0,7 %, voilà le cocktail magique pour sortir du sous-développement. L'impôt international ainsi instauré était destiné, en priorité, aux plus nécessiteux parmi les démunis, les « pays les moins avancés » (PMA), la catégorie censément résiduelle du scandale de la pauvreté dans le monde. Pour ceux qui ignoreraient la suite : les 0,7 % du PNB n'ont jamais été atteints, et il s'en faut de beaucoup, sauf par une poignée de petits pays d'Europe du Nord ; quant aux PMA, depuis trente ans, ce « club des indigents » s'est élargi de vingt-cinq à quarante-neuf États, le dernier en date à l'avoir rejoint, en 2001, étant le Sénégal. Mais les bailleurs de fonds n'ont pas changé de cap. Ils promettent toujours des fonds pour faire advenir le développement. En mai 2003, alors que le gouvernement sénégalais leur soumettait un catalogue de projets aux dépenses chiffrées à 1,1 milliard d'euros, ils lui ont accordé 1,3 milliard d'euros. À croire que, en Occident, l'argent pousse sur les arbres... D'autant que le Sénégal, déclassé PMA, n'est pas vraiment un bon élève à l'école du développement : depuis son indépendance, ce pays, qui est le plus assisté du monde par tête d'habitant, vit de charité et se paie de mots, grand hâbleur dans la taverne « Au progrès assisté » où l'on se régale sur le compte de l'hôte.

En dépit des fortes fluctuations de l'APD au fil des décennies, l'Afrique au sud du Sahara a été préservée de coupes drastiques jusqu'à la fin de la guerre froide. Pour toute la période 1960 à 2000, l'Afrique subsaharienne est, *per capita*, la partie la plus assistée du monde. Selon les chiffres de la Banque mondiale, elle recevait dans les années quatre-vingt, bon an mal an, 15 milliards de dollars, soit 31 dollars par tête d'habitant, presque le triple de la moyenne – 11 dollars – pour l'ensemble du tiers-monde. Au total, les fonds d'aide versés à l'Afrique au sud du Sahara, depuis son indépendance, sont évalués à plus de 300 milliards de dollars. « Il ne serait pas honnête de nier que cette aide massive est partie à peu près en fumée », affirme Jean-Paul Ngoupandé. Le jugement de la Banque mondiale est plus alambiqué. Dans un rapport d'experts, publié en 1998 sous le titre *Assessing Aid. What works, what doesn't, and why*, l'institution s'exonère d'abord de toute responsabilité : « L'aide est neutre par elle-même, dans la mesure où ses effets positifs ou négatifs dépendent des politiques gouvernementales », affirme-t-elle pour ensuite plaider, en parfaite contradiction avec sa prémisse, en faveur de « conditionnalités politiques » qui, au regard de la justification invoquée, ont toujours existé. « L'aide de la guerre froide, dominée par des considérations stratégiques, a peut-être réalisé ses objectifs politiques, mais celle qui est allée à des pays à médiocre gestion n'a fait que peu de chose pour réduire la pauvreté. » Un exemple, pour toucher du doigt les réalités drapées dans cette langue lignifiée : en Afrique subsaharienne, près d'un tiers des 150 milliards de dollars investis depuis 1960 dans le réseau routier, en grande partie grâce à l'aide publique, a été gaspillé faute de maintenance, ces routes n'étant plus aujourd'hui qu'une succession de nids-de-poule en saison sèche, et de fondrières pendant la saison des pluies.

Pas assez ! Ce n'est jamais faux. Les 300 milliards de dollars donnés à l'Afrique en quarante ans sont inférieurs aux subventions agricoles *annuelles* des pays riches – 350 milliards de dollars – déjà évoquées. D'ailleurs, pendant la guerre froide, l'APD annuelle de tous les pays donateurs réunis représentait à peine un mois des dépenses militaires cumulées de l'Union soviétique et des États-Unis. Enfin, si les vingt-trois principaux bailleurs de fonds du tiers-monde, membres du comité d'aide au développement de l'OCDE, avaient versé en 2002 0,7 % de leur PNB, le tiers-monde aurait disposé de 165 milliards de dollars, trois fois plus que l'assistance fournie la même année – mais toujours moins que la moitié des subventions agricoles des nantis de la planète. Que faut-il en déduire ? C'est là que les esprits se séparent. Les uns réclament un relèvement urgent de l'aide publique au développement, une marche forcée vers les 0,7 % promis il y a plus de trente ans. Si un nouvel impôt au profit des pauvres pouvait s'y ajouter, par exemple la « taxe Tobin » (dont l'inventeur, James Tobin, a désavoué, avant sa mort en 2002, la récupération politique, son idée ayant visé une meilleure régulation des marchés des changes), ce serait mieux encore. Mais le *nec plus ultra* pour les avocats d'une aide accrue et, naturellement, pour les bénéficiaires potentiels de ces ressources serait « un véritable plan Marshall ». Leur argument : au plus fort de l'aide consentie à l'Europe ruinée après la Deuxième Guerre mondiale, les ressources du plan Marshall s'élevaient à 2,5 % du PNB des États-Unis, cependant que l'Amérique ne consacre que 0,1 % de son PNB actuel à l'aide au développement (et les pays de l'OCDE, dans leur ensemble, seulement 0,22 %). La différence n'est-elle pas aussi vertigineuse que l'écart entre les riches et les pauvres dans le monde ?

D'autres analysent la situation d'une façon radicalement différente. Ce n'est pas en augmentant leurs « rentes » et en les installant sur un épais matelas de dollars que les États clochardisés de la terre deviendront des pays producteurs. Au contraire. « Ces pays n'ont pas encore bien compris qu'ils sont pauvres, car ils peuvent encore trop facilement nous "taper" », avertissait en 1962, sans mâcher ses mots, René Dumont. En 1996, l'Afrique au sud du Sahara a reçu 15 milliards de dollars d'aide au développement. Pour une population totale (600 millions) de l'ordre des deux tiers de celle de l'Inde (950 millions), elle obtenait une assistance près de dix fois supérieure à celle – 1,6 milliard de dollars – octroyée à sa grande sœur démocratique en Asie. L'apport que constituait l'aide représentait alors pour l'Inde seulement 0,54 % de son PNB (360 milliards de dollars), contre 5,62 % pour l'Afrique (avec un PNB de l'ordre de 300 milliards de dollars). Depuis, où le développement a-t-il au moins maintenu en vie la flamme de l'espoir ? Quant au plan Marshall, les principaux bénéficiaires au sortir de la Deuxième Guerre mondiale – l'Allemagne et la France – n'ont reçu d'aide qu'à hauteur de 2,5 % de leur PNB (et c'est, comme déjà dit, du côté des destinataires qu'il faut regarder). En revanche, toujours pour 1996, les États subsahariens – excepté le Nigeria et l'Afrique du Sud – ont reçu, en moyenne, l'équivalent de 12,3 % de leur PIB sous forme d'aide. Ils ne se sont pas développés pour autant. Ce qui n'a d'ailleurs rien d'étonnant : les pays européens se sont relevés après la guerre grâce à la main tendue américaine ; n'ayant jamais atteint un niveau d'organisation sociale, de formation de leur main-d'œuvre et de productivité qui fondent le développement, et qu'aucune ligne de crédit ne saurait compenser, les pays africains, eux, tendent la main faute de pouvoir gagner leur vie autrement – et le feront tant qu'ils ne seront pas obligés d'améliorer leur sort par leurs propres efforts. Dans de nombreux pays africains, le secteur de l'aide est – après l'État – le deuxième employeur ! Entre 1990 et 1995, l'aide extérieure à l'Afrique subsaharienne représentait plus de 50 % des recettes et même 71 % des investissements des gouvernements bénéficiaires. Selon les cas, une petite ou une grande moitié des domaines clés que sont l'éducation nationale et la santé publique n'y relevait plus de l'État. En conjuguant leurs efforts, les donateurs – la coopération, les ONG, les Églises, le privé – assuraient ces services de base en son lieu et place. À ce degré de substitution, ne faut-il pas conclure à la complicité des bailleurs de fonds dans l'anéantissement de la capacité institutionnelle de l'État africain ?

L'aide n'est pas toujours désintéressée. Les conditions politiques de son octroi – et, par conséquent, ses montants – changent au gré des circonstances. Les riches ne donnent pas à tout le monde, ni en même temps ni de la même manière. En 1999, alors que le budget de l'Office humanitaire de la Commission européenne (ECHO) doublait en passant de 500 millions à 1 milliard d'euros, les Balkans reçurent autant d'argent que le reste du monde réuni. C'était l'année du Kosovo. Bruxelles achetait des jouets aux enfants des réfugiés européens, alors que les Africains chassés de leurs foyers voyaient leur ration alimentaire diminuée par manque de fonds. La réhabilitation par Médecins du monde de l'hôpital de Buchanan, au Liberia, pourtant promise par la Commission européenne, fut rayée de la liste des projets à financer dix jours avant le début des travaux. Une décision politique : l'Occident venait de baisser le pouce, scellant ainsi le sort de Charles Taylor, le « warlord » élu deux ans auparavant avec plus de 60 % des suffrages exprimés. On pourrait multiplier les exemples. À l'automne 1999, le Cameroun a été l'un des premiers pays africains à bénéficier, au titre de l'Initiative en faveur des pays pauvres très endettés (PPTE), de substantielles remises de dette. L'ONG *Transparency International* venait alors de lui décerner, pour la seconde année consécutive, le titre peu enviable d'État du monde le plus corrompu. Plusieurs centaines de millions de dollars de remises de dette étaient-elles censées récompenser le champion des détournements ? La complaisance politiquement motivée est la règle plutôt que l'exception : les sept premiers bénéficiaires des réductions de dette consenties par le Club de Paris au titre des « termes de Naples », en 1994-1995, furent, dans l'ordre, l'Ouganda, le Cameroun, le Tchad, la Guinée, la Mauritanie, le Sénégal et le Togo. Aucun de ces pays, hormis l'Ouganda, ne pouvait à ce moment se prévaloir d'un bilan de réformes économiques. Aucun d'entre eux, à l'exception du Sénégal, n'avait démocratisé son régime politique. Mais tous avaient un puissant « parrain » occidental ayant plaidé leur cause.

L'aide bilatérale est la plus directement « liée ». D'abord, au sens propre, parce que ses dons ou crédits à taux préférentiel sont parfois soumis à une clause d'exclusivité réservant l'emploi des fonds au marché du pays donateur. « La France,

par exemple, ne donne de l'argent qu'attaché à un élastique »,
affirme le ministre des Finances d'un pays ouest-africain.
« Vous l'avez à peine reçu qu'il est déjà reparti pour l'achat
d'un bien ou d'un service souvent plus cher qu'ailleurs. »
Cette charité bien ordonnée, dénoncée comme une subvention
déguisée à l'économie du pays donateur, est mal vue depuis
quelques années. Aussi, le Japon, la Grande-Bretagne, les
Pays-Bas et la Norvège ont-ils, en grande partie, « délié »
leur aide. Les États-Unis, l'Italie et l'Allemagne beaucoup
moins, comme la France. Le « taux de retour » de l'aide française reste appréciable : pour 100 euros « donnés », 61
reviennent dans l'Hexagone sous forme de commandes. Le
clientélisme politique ordinaire semble également promis à
un avenir qui ressemblera fortement au passé, à en juger le
palmarès quasi immuable des bénéficiaires des faveurs de
Paris ou d'une « coopération décentralisée » qui, pour
paraphraser une remarque de Marie-France Mottin, permet de
conjuguer développement et détournement à la base. On aime
à rester entre « amis », heureusement pour le Gabon, par
exemple, dont les pétrodollars, plus volatils que le naphte,
s'évaporent sans laisser de traces dans un pays à la richesse
toute relative. « Sous les porches de l'Église de la Coopération, la France reste africaine et l'Afrique française. » Écrite
en 1969, la phrase de Yambo Ouologuem n'a guère pris de
rides, même si le commensalisme franco-africain n'a plus
rien de la « grande bouffe » qu'il fut dans le temps. Carêmes
budgétaires et ramadans financiers s'étant succédé, le nombre
des coopérants a été drastiquement réduit depuis que la
France compte davantage ses sous et que les États africains
ne paient plus « l'accueil » – le logement et le véhicule de
fonction, la prime d'expatriation et les billets d'avion annuels
pour toute la famille – comme ce fut le cas jusqu'au milieu
des années quatre-vingt. L'*Akwaba* – la « bienvenue » en
Côte d'Ivoire – était alors telle que, aux dix mille Français
installés dans le pays à l'indépendance, se sont ajoutés quatre
fois plus de compatriotes expatriés, venus « faire du CFA ».
Pour la même raison, qui n'excluait pas un réel engagement,

28 000 instituteurs et professeurs français, soit un huitième du corps enseignant hexagonal, travaillaient à l'époque en Afrique francophone. Depuis, la « substitution » s'est faite « appui », plus modeste mais guère plus convaincant. Les multiples « projets d'appui » – à la comptabilité nationale, à la surveillance des frontières maritimes, à la lutte contre le sida ou la déforestation, à l'encadrement des coopératives agricoles – révèlent le vide d'État. Ses défaillances sont comblées, tant bien que mal, par la multiplication des experts et consultants internationaux – plus de cent mille pour l'Afrique – appelés en « mission de courte durée ». Ces « missionnaires » très bien rémunérés, un pays aussi pauvre que le Burkina Faso en recevait à la fin des années quatre-vingt environ quatre cents par an, plus d'un par jour. Selon des... experts, plus du tiers de l'aide publique au développement est consacré à des expertises de « faisabilité » ou la « (post-)évaluation » de projets. L'homme qui a vu l'homme qui a vu le développement vit toujours bien, merci !

On ne saurait en dire autant des pays africains. À qui la faute ? « Chez le donateur, l'aide est l'instrument de bonne conscience qui tend à se substituer à toutes les transformations qui auraient été nécessaires dans les relations internationales, si l'on avait voulu s'attaquer aux causes du sous-développement et non à ses seuls symptômes. Chez le receveur, il est bien difficile de mesurer les effets de l'aide extérieure sur le développement collectif et l'intérêt public, si l'on ne confond pas celui-ci avec l'intérêt de quelques bénéficiaires privilégiés, décideurs politiques, entrepreneurs, intermédiaires et courtiers », résume Christian Comeliau dans une analyse qui, pour être connue, ne perd rien de sa pertinence. Dans son article intitulé « La coopération au développement : nostalgie du passé ou rêve pour l'avenir ? », il ajoute ce soupçon au sujet de la « mentalité d'assisté » : « Si souvent dénoncée en termes vertueux, avec la passivité qu'elle engendre et la recherche perpétuelle d'alibis extérieurs ou de boucs émissaires pour les échecs internes, n'est-elle pas en définitive le produit de l'assistance elle-même ? » Voilà que l'on retrouve « la moitié d'âme » de Clopinel, la bienfaisance dégradante que se reproche M. Bergeret. Mais comment expliquer les effets pervers de l'aide, « action innocente en apparence » ? De sa passionnante enquête chez les contrebandiers du diamant en Angola, Filip de Boeck rapporte ce propos de l'un d'entre eux, un petit trafiquant : « Le jour où les Américains arriveront en Angola, ils pleureront en voyant ce que les gens ont fait de leur argent. En Angola, les dollars ne valent rien. » L'aide n'aurait donc de la valeur que pour le donateur, et non pas pour le bénéficiaire. C'est d'autant plus curieux qu'elle ne représente, comme on l'a déjà vu, pas grand-chose pour le riche, mais une fortune pour le pauvre.

L'homme qui avait – presque – tout compris, bien avant les autres, s'appelait Pieter Tamas Bauer, en tout cas à sa naissance en 1915 à Budapest. Ses parents ayant émigré de la Hongrie en Grande-Bretagne, il anglicise ses prénoms, étudie à Cambridge, puis part pour une enquête de terrain en Malaisie. Dans sa première publication, il met en valeur l'investissement à long terme des planteurs locaux d'hévéas, de modestes agents économiques qui prennent le risque d'une première récolte seulement après six années d'entretien de leur culture. Peter Bauer séjourne ensuite au Ghana et au Nigeria. En 1954, il signe un ouvrage de référence sur *Le Commerce ouest-africain*. En 1960, il devient professeur à la renommée *London School of Economics*, où il occupera sa chaire durant vingt-trois ans jusqu'à sa retraite en 1983. Anobli, Lord Bauer meurt en 2002, quelques jours après s'être vu attribuer le prix Milton Friedman, en hommage à « son travail de pionnier dans le domaine de l'économie du développement, où il était pendant de longues années pratiquement seul à critiquer les politiques étatistes ». Il n'aura pas eu le temps de recevoir cette distinction, décernée pour la première fois à la mémoire d'un économiste « conservateur » comme lui. En fait, bien que plus clairvoyant que les penseurs dominants de sa génération, Peter Bauer n'a pas pris sa revanche ni sur les adeptes de la planification qu'ont été Karl Gunnar Myrdal (*Planifier pour développer*, Éditions ouvrières, 1963) et Charles Bettelheim (*Planification et croissance accélérée*, Maspero, 1965), ni sur des économistes plus libéraux mais moins originaux que lui, tels que John Kenneth Galbraith (*Les Conditions actuelles du développement économique*, Denoël, 1962) ou Walt Whitman Rostow, le théoricien des « stades » successifs du développement, auteur en 1961 d'un « manifeste anticommuniste » qui partageait avec Moscou une profonde méfiance à l'égard des initiatives incontrôlées de la « base »...

Peter Bauer, lui, a toujours pourfendu « le mépris pour les activités commerciales dans les pays en développement », en même temps que la négligence des « déterminants décisifs pour la performance économique tels que des facteurs culturels et politiques ». Il a saisi tôt que « l'aide accroît le pouvoir, les ressources et la tutelle des gouvernements sur le reste de la société » (ce qui convenait à l'Occident pendant la guerre froide et après les indépendances, quand il s'agissait de « tenir » des pays du tiers-monde grâce à des régimes aidés et jugés à l'aune de cette collusion). Lucide sur les « victimes » de l'histoire, Peter Bauer ne percevait pas « les pauvres comme passifs mais vertueux et les riches comme actifs mais d'une perverse méchanceté ». Il était convaincu que les uns et les autres concouraient à la richesse d'un pays, bien plus que des ressources naturelles ou des capitaux étrangers, à la seule condition que la sécurité des biens et des personnes soit garantie en même temps que la liberté individuelle d'entreprendre. Contestant la compétence du pouvoir politique à intervenir à bon escient dans des processus économiques complexes, et lui prêtant le seul souci d'asseoir sa domination, il était hostile aux « transferts de gouvernement à gouvernement ». C'est lui l'auteur de la célèbre définition de l'aide comme « un phénomène qui consiste à imposer les pauvres dans des pays riches pour soutenir le mode de vie des riches dans les pays pauvres ». Il reprochait spécialement à l'aide multilatérale de ne pas être suffisamment liée à des conditions d'obtention. Aussi, pour l'aide bilatérale, Peter Bauer a-t-il édicté tout un décalogue de règles explicites :

« Des dons bilatéraux ne devraient être consentis que pendant des périodes limitées. Les bailleurs de fonds devraient mettre en évidence que ces transferts ne constituent pas une compensation pour une présumée inconduite de leur part, pas plus qu'un instrument ni pour une redistribution à l'échelle mondiale ni pour la garantie de taux de croissance ou de niveaux de revenus fixés d'avance. L'aide ne devrait pas aller à des gouvernements dont la politique étrangère entre en conflit avec les intérêts du donateur. » Ce n'est pas un bréviaire de charité. Et tant mieux, dans la mesure où des intérêts clairement affichés permettent des engagements réciproques précis, sans l'hypocrisie oblative des « dons sans contrepartie ».

Ce n'est donc pas faute de générosité que Peter Bauer a échoué si près du but, mais par manque d'audace et, sans doute aussi, en raison de son obsession anti-étatiste. M. Bergeret ne s'accuse pas de n'avoir rien demandé à Clopinel. Il se met à la place du clochard, quand il explique à sa fille que celui-ci a perdu une « moitié d'âme ». M. Bergeret s'est enrichi grâce à la bienfaisance qui valorise le donateur, mais avilit le mendiant pour qui la pièce reçue, quelle qu'elle soit, n'a pas de valeur puisqu'il ne l'a obtenue qu'en exhibant son incapacité à la gagner autrement. Le pauvre reste pauvre, même s'il peut dépenser l'argent d'autrui. La pitié est « barbare » parce qu'elle donne en ôtant sa dignité au receveur.

En termes moins littéraires, l'aide produit des effets pervers en raison de sa *gratuité*. À l'opposé d'une vue d'autant plus répandue qu'elle semble philanthropique, c'est déjà vrai pour les conditions *politiques* attachées à un don : le pire qui puisse arriver à un pays, le plus destructeur pour son « état », c'est d'être comblé de fonds d'assistance, sans qu'il n'y ait la moindre contrepartie aussi arbitraire et donc « injuste » soit elle. Car, au moins, le pays clochardisé vend-il son âme, au lieu de la perdre pour rien. La malédiction des dons du ciel est encore plus vraie, et encore moins souvent perçue, s'agissant des chances d'un pays de se développer, d'être un jour en mesure de subvenir lui-même à ses besoins. Ces chances sont compromises par la gratuité *économique* de l'aide étrangère. Le petit trafiquant de diamant l'a bien compris : le dollar avec lequel on peut bâtir des fortunes en Amérique ne vaut rien à Luanda où il se perd dans des réseaux de corruption, atterrit sur des comptes déjà bien garnis et, en tout cas, ne s'investit pas dans la production d'une richesse. Intuitivement, René Dumont avait également cerné le problème en s'irritant d'un propos souvent entendu en Afrique : « Cet argent ne nous a rien coûté, qu'importe s'il rapporte peu. » L'agronome commentait : « Le développement exigerait justement qu'il rapportât beaucoup. » Dans ce fossé d'incompréhension, l'avenir de l'Afrique s'abîme depuis plus de quarante ans. C'est aujourd'hui la vallée de la mort du continent. L'aide gratuite n'a aucune rentabilité. Dans ces conditions, l'augmenter revient seulement à mieux alimenter l'incinérateur à billets qu'est la coopération.

Logiquement, plus l'aide est gratuite, plus elle serait donc nocive. C'est aisé à vérifier sur l'aide humanitaire, de toutes les formes d'assistance la plus altruiste – « en apparence », préciserait M. Bergeret. « L'humanitarisme, fils aîné de la défunte Philanthropie », opinait Balzac, sans remonter jusqu'à la charité chrétienne. L'humanitaire, « un aveu d'échec converti en urgence », estime Marie-Dominique Perraut. Pendant la guerre froide, les nouvelles ONG « sans frontières » se sont aventurées – le slogan de MSF – « là où les autres ne vont pas », dans les zones de contact avec l'ennemi géopolitique de l'Occident, par exemple en Afghanistan, ou dans les régions de moindre valeur stratégique, comme l'Afrique. C'est dans ces arrière-cours du monde et, en particulier, sur le continent africain que les humanitaires – les ONG, mais aussi les organismes spécialisés des Nations unies comme le Haut-Commissariat pour les réfugiés (HCR) ou le Programme alimentaire mondial (PAM) – ont joué un rôle clé après la chute du mur de Berlin. L'Occident les y a financés comme arrière-garde couvrant son retrait en bon ordre. Hier des alliés ou des ex-colonisés toujours « paternés », les Africains sont alors abandonnés, mais en bonne compagnie. « La mission civilisatrice continue, faute de les aider à vivre, on peut toujours les empêcher de mourir », griffe Marie-France Mottin. Françoise Vergès, dans son livre *Abolir l'esclavage : une utopie coloniale*, souligne les parallèles entre l'abolitionnisme et le mouvement humanitaire qui s'inscrivent tous deux dans « une tradition de la pensée européenne dans sa relation à l'Autre non européen, perçu comme victime directe ou indirecte de l'Europe, et donc à sauver ». Cette culpabilisation extravertie répond en écho à la « victimisation » intériorisée de beaucoup d'Africains. La vision rédemptrice de l'humanitaire, qui partage avec les religieux l'esprit missionnaire, la foi en la parole émancipatrice et – une formule de Charles Lavigerie, le fondateur de l'ordre des Pères Blancs – l'appel à « la reine du monde d'aujourd'hui », l'opinion publique, fait pendant à la logique de damnation dans laquelle s'enferme le continent noir, persuadé d'être maudit. « Sauver l'Afrique, écrit Françoise Vergès, c'est, tout à la fois, expliciter les traits spécifiquement "africains" qui la distinguent du reste du monde et dire à quelles conditions l'Afrique peut devenir partie prenante d'un projet cosmopolite, universel et moderne. L'Afrique a manqué de responsables, d'un bon départ, d'amour et d'attention. Elle a été – elle est toujours – le théâtre de catastrophes : traite des esclaves, massacres coloniaux, génocides, guerres ethniques, dictatures sanglantes et corrompues, épidémies et désertification. » L'humanitaire s'afflige de tous ces maux et, porté sur l'action, entreprend d'aider sans autres raisons que sa compassion et la conviction de savoir ce qui est bon pour l'Afrique. C'est en cela qu'il est « mangeur d'âme », et non pas à moitié, son aide réduisant l'Africain à un corps à soigner ou à abriter, une bouche à nourrir. C'est le rêve, enfin exaucé, de la « négrologie » : l'aide comme un dû, comme « réparation » d'un passé d'horreurs, la sanctuarisation d'une identité intouchable, la prostration sous une bâche en plastique, avec ration alimentaire à heures fixes et interdiction d'aller et de venir, de travailler, de faire face à son sort. C'est la remontée aux sources de la vie nue, hors du temps et de toute sociabilité, l'apesanteur en toute irresponsabilité, un camp de concentration sur soi.

Il n'est plus aussi urgent de tirer sur l'ambulance. Le règne de l'humanitaire sur le continent n'est pas sans partage dans l'après-11 septembre. Les attentats de New York et de Washington ont fait voler en éclats, aussi, une Afrique sous cloche humanitaire, empêchée de déborder, objet de gestes médicaux appropriés, au besoin pour la réanimer, contenue dans un isolement aseptique grâce à un cordon sanitaire. Il est vrai que, avant même le 11 septembre 2001, l'Afrique avait réagi, tenté de reprendre l'initiative. Dès le sommet Afrique-Europe du Caire en 2000, plusieurs chefs d'État du continent avaient proposé un nouveau marché pour renouer les liens, pour stopper la dérive des continents : la « bonne gouvernance » librement consentie contre des fonds d'aide plus abondants que dans le passé. Au fil des sommets, notamment du G8, le club des pays les plus développés auquel le Sud-Africain Thabo Mbeki, le Nigérian Olusegun Obasanjo, le Sénégalais Abdoulaye Wade, l'Égyptien Hosni Moubarak et l'Algérien Abdelaziz Bouteflika ont été conviés pour la circonstance, ce marché a pris le nom de Nouveau partenariat pour le développement de l'Afrique (Nepad, son acronyme anglais). Des financements annuels de 64 milliards de dollars pour 7 % de croissance en Afrique, l'État de droit, la fin de la corruption et la stabilité en sus... C'est, évidemment, une chimère, une de plus. Mais le moulin à prière s'est remis à tourner, couvrant le silence de cimetière qui s'était instauré auparavant. Qui s'en plaindra ? La « rente » antiterroriste se confondra avec le Nepad, un marché de dupes contracté, des deux côtés, en toute connaissance de cause. L'Afrique ne se muera ni en paradis pour investisseurs ni en terre de droit et de démocratie ; l'Occident augmentera « l'aumône », sans plus. Cependant, eu égard à l'extrême pauvreté du continent noir, le surplus permettra de racheter, en partie, le mécontentement des déçus du développement. Créatrices d'emplois pour ses supplétifs, la « pacification » et la compassion feront le reste. Comme toujours, l'Afrique se débrouillera.

Cette vision lénifiante oublie les leçons de l'après-guerre froide. Privée de sa « rente » géopolitique, incitée à se hisser au niveau du reste du monde en matière de libertés publiques et de gestion d'État, l'Afrique s'est livrée à des violences inouïes, moins à l'encontre de ses anciens « tuteurs », souvent hors de portée, que contre elle-même. En vingt ans, un continent « bon enfant » que des hippies attardés traversaient en auto-stop sans la moindre crainte s'est transformé en une zone largement interdite, une jungle sans foi ni loi avec des clairières surprotégées, réservées aux expatriés. Crime inconnu dans le temps, nombre de « Blanches » y ont été violées, un geste vengeur que les ambassades occidentales tentent d'isoler comme un mauvais germe en étouffant le « scandale ». Mais, surtout, l'Afrique s'est automutilée, s'est abandonnée à l'ultime chantage du faible : le suicide. À quel point faut-il être hors de soi, aliéné à ne plus se reconnaître, pour se grimer et s'affubler de perruques, pour abattre, brûler vifs ou écharper à coups de machette des hommes, femmes et enfants ? « Le masque de l'anarchie » (Stephen Ellis) est le vrai visage de l'Afrique déboussolée par la modernité. L'Occident pourra apaiser la grimace en multipliant ses « cadeaux ». Mais il ne changera pas la nature du monstre qu'il a créé – un Frankenstein noir – à force de tromper et de corrompre l'Africain, avec des verroteries sur la plage, le pacte colonial, l'indépendance, la coopération, des « partenariats » maintes fois trahis et toujours renouvelés. Au mieux, l'après-11 septembre sera une nouvelle ère de glaciation pour une terre brûlante.

Tout ce qui est gratuit rend ingrat. Le romancier américain Paul Theroux, connu aussi pour ses récits de voyage tel que *The Great Railway Bazaar*, consacré à l'Orient-Express, en a fait l'expérience au cours d'un périple à travers l'Afrique, du Caire au Cap. Tout va bien jusqu'en Éthiopie, malgré des moments durs comme celui où un ancien prisonnier politique lui raconte sa détention, pendant laquelle il a gribouillé sur quelque trois mille feuilles argentées de paquets de cigarettes une traduction en amhara d'*Autant en emporte le vent*, publiée après sa libération. Mais en Afrique noire, les choses se gâtent. Paul Theroux, qui fête ses soixante ans pendant le voyage, ne supporte pas la saleté immonde, la grossièreté et la force brute qui l'assaillent de toute part. Il s'irrite encore plus des « humanoïdes » que sont, à ses yeux, les *aid workers* étrangers, « ces salauds égoïstes et pleurnichards qui transforment des problèmes africains en une condition permanente ». Au Kenya, la fabrication de cercueils lui semble la seule activité florissante ; au Mozambique il trouve « un air d'un futur distant et désespéré, avertissement d'une possible fin du monde ». Au Zimbabwe, l'Américain rend visite à un squatter noir qui tente de s'incruster sur la ferme d'un Blanc et demande de l'aide – au gouvernement ou, pourquoi pas, au propriétaire légitime – pour pouvoir fertiliser et cultiver son lopin. « Il était comme un voleur de manteau qui demanderait à sa victime de lui payer le nettoyage à sec et les retouches nécessaires », s'insurge Paul Theroux. Arrivé au Malawi, il n'en peut plus, au point d'agresser un mendiant dans la rue : « Pourquoi ne me demandes-tu pas du travail, plutôt que la charité ? » Quand, en sa présence, un bureaucrate malawite trouve des excuses à la pauvreté du pays, Theroux se met tellement en colère qu'il sent « les symptômes d'une maladie ». L'Afrique l'écœure. Il faut dire qu'il a des excuses. Dans les années soixante, il avait été lui-même *aid worker*, membre du *Peace Corps* au Malawi, enseignant puis professeur à l'université. Retournant à l'école où il avait commencé, il peine à reconnaître la ruine qui en subsiste, se sent comme un fantôme « tapant de ses doigts osseux contre des carreaux cassés, pressant son crâne contre le verre et murmurant de sa bouche édentée : te souviens-tu ? ». Or, personne ne se souvient de lui, et la tombe du couple anglais qui dirigeait l'école dans le temps n'est « pas seulement envahie par l'herbe folle, non pas abandonnée mais oubliée ». Qui, parmi ceux qui ont « donné » à l'Afrique, n'a jamais été Paul Theroux ?

En face, chez les Africains, l'incompréhension, l'amertume et la colère sont plus fortes encore. « Nous sommes un melting-pot culturel, des mutants culturels que l'Occident a créés et qui font se gratter la tête », a expliqué, le 27 septembre 1985, le chanteur reggae ivoirien Alpha Blondy au quotidien français *Libération*. « Ils sont venus et nous ont dit : "On va vous coloniser. Laissez tomber les pagnes et les feuilles. Prenez le Tergal, le blue-jean, Ray Ban style." Et puis, en cours de route, ils changent d'avis : "Écoute, ça revient trop cher, vous êtes indépendants !" Ce serait trop facile. Nous ne voulons pas de cette indépendance-là. Nous voulons que cette coopération qui a si bien démarré continue. Tu sais que tu es condamné à me reconnaître, tu ne peux pas m'appeler bâtard : je suis le fruit de ta culture. Je suis maintenant une projection de toi. Les Blancs ne doivent pas démissionner. Celui qui m'a conquis et qui m'a mis son verbe sur la langue, il n'a pas intérêt à se tromper. Je ne peux pas le lui permettre. » La hargne du colonisé devenu assisté émerge de ces paroles de bouderie, de chantage. L'Afrique est blessée dans sa dignité. Le grand soir de la revanche historique, sa violence ne sera pas gratuite.

# 6

## AU PARADIS DE LA CRUAUTÉ

Pour l'Afrique noire, l'après-guerre froide a été le parcours du combattant. Bien sûr, il y a eu des conflits armés avant la chute du mur de Berlin, et ils n'opposaient pas exclusivement des États entre eux. Déjà avant 1989, le continent a eu plus que son lot de guerres civiles ; il a connu quelques – rares – tentatives sécessionnistes (Katanga, Biafra, Érythrée, Casamance), de très nombreuses rébellions, des conflits frontaliers aussi. Comme ailleurs, la guerre y était cruelle, sans merci. Mais elle avait un sens accessible au reste de la planète, sans doute du fait que les conflits africains étaient alors « surdéterminés » par la confrontation Est-Ouest et, aussi, souvent « parrainés » par les superpuissances ou leurs substituts militaires dans la région, la France et Cuba notamment, l'Afrique du Sud dans une moindre mesure, en allié encombrant.

Ce monde est mort, six semaines seulement après la chute du mur de Berlin, le 24 décembre 1989, près de Danané, ville ivoirienne dans la zone frontalière avec le Liberia. Sous *Le Masque de l'anarchie*, titre du remarquable livre de Stephen Ellis sur le conflit libérien, un nouvel ordre naît alors, d'emblée, avec toutes ses caractéristiques : un « seigneur de la guerre », des États commanditaires, une terre à butins, une « bande » de combattants, dont des enfants, qui s'adonnent à des massacres apparemment insensés, transforment la guerre en *happening*, sur un mode carnavalesque qui renverse l'or-

dre établi... En cette nuit de la nativité 1989, un groupe armé
d'une trentaine d'hommes, commandé par un ancien haut
fonctionnaire libérien, Charles Mac-Arthur « Ghankay » Taylor, s'infiltre dans le nord-est du Liberia. Ces combattants –
des Libériens et des mercenaires, parmi lesquels des soldats
réguliers « prêtés » par les États parrainant l'opération – ont
été entraînés au Burkina Faso et en Libye, le colonel Kadhafi
étant le principal bailleur de fonds de Charles Taylor. Celui-
ci, surnommé « superglue » quand il était le responsable –
extraordinairement vénal – de la centrale d'achat du gouvernement libérien, a fui son pays pour les États-Unis, puis s'est
évadé d'une prison américaine où il attendait son extradition
pour répondre d'un détournement de 900 000 dollars qui lui
était reproché à Monrovia. Beau parleur, sans scrupule, titulaire d'un *Bachelor of Science* en économie du *Bentley Col-
lege* (Massachusetts), il devient le premier « seigneur de la
guerre » de l'Afrique de l'après-guerre froide, comme vont
être appelés – par analogie contestable avec la Chine du début
du xxᵉ siècle – les entrepreneurs politico-militaires prêts à
mettre le feu à leur pays. Charles Taylor n'a pas usurpé ce
titre : rapidement, dans la zone « libérée » par son Front
national patriotique du Liberia (NPFL), apparaissent, aux
côtés de guerriers affublés de façon extravagante, en robe de
mariée ou avec un masque Halloween de Donald Duck, des
enfants-soldats regroupés dans une unité de choc, la *Small
Boys' Unit* ; souvent drogués, comme les autres combattants,
ils participent aux tueries de civils qui vont se multiplier. Le
carnaval sanglant durera six ans, aussi parce qu'une force
d'interposition ouest-africaine (ECOMOG), dirigée par le
Nigeria, aura empêché la prise de pouvoir de Charles Taylor.
Mais en 1996, un accord entre toutes les factions libériennes
et l'ECOMOG, devenue elle-même partie prenante au conflit
et dans l'économie de prédation qu'il a permis d'instaurer,
prépare la tenue d'élections. Un an plus tard, Charles Taylor
les remporte haut la main, avec un slogan-chantage qui
annonce la poursuite de la guerre par d'autres moyens : « *I
killed your mam, I killed your pa, vote for me if you want*

*peace »* [J'ai tué ton père, j'ai tué ta mère, vote pour moi si tu veux la paix]. Chef de guerre devenu chef d'État, Charles Taylor continue le pillage non seulement du Liberia, mais aussi de la Sierra Leone voisine qu'il a embrasée dès 1991, en y déléguant l'un de ses lieutenants originaire de ce pays, Foday Saybana Sankoh, surnommé Okuruba (« le guerrier »), grand initié de la société secrète traditionnelle Poro, caporal dans la *African Volonteer Force* de l'armée coloniale britannique, putschiste, ancien prisonnier politique pendant six ans, photographe itinérant dans les villes minières de l'est après sa libération. À la tête du Front révolutionnaire uni (RUF), Foday Sankoh a instauré la terreur en Sierra Leone, notamment en ordonnant l'amputation des bras de ses prisonniers (« manches courtes » au niveau des coudes, « manches longues » au niveau des aisselles), une pratique dont son mouvement n'a cependant pas le monopole. Le tandem Taylor-Sankoh a mis en place un réseau de trafic d'armes, de diamants, de drogues, de voitures volées, de bois précieux... Foday Sankoh a finalement été fait prisonnier, une fois le RUF vaincu par l'armée britannique, qui est intervenue en Sierra Leone en mai 2000. Presque septuagénaire, à moitié paralysé et mentalement perturbé, il est décédé, le 30 juillet 2003, alors qu'il attendait d'être jugé par le Tribunal spécial de Freetown, créé avec le concours des Nations unies pour sanctionner les criminels de la guerre civile. En mai 2003, cette cour a également inculpé Charles Taylor, « commanditaire et complice » des exactions commises en Sierra Leone. En août 2003, des sanctions internationales de plus en plus sévères et deux mouvements rebelles, dont l'un assaillant la capitale, ont mis à genoux son régime. Mais il a fallu deux semaines de siège de Monrovia, soumis au feu d'artillerie des rebelles, un millier de morts supplémentaires, plusieurs sommations de George W. Bush et d'énormes pressions en coulisses de ses pairs africains, pour que le président libérien quitte le pouvoir et son pays, le 11 août 2003. Une force ouest-africaine de paix s'étant déployée à Monrovia, Charles Taylor a troqué son pouvoir de nuisance contre l'offre d'un « exil sûr » à Calabar, à l'abri des poursuites de la justice internationale.

Le premier des nombreux conflits africains de l'après-guerre froide a éclaté dans le seul pays au sud du Sahara – à l'exception de l'Éthiopie – à n'avoir pas été colonisé par des « Blancs ». Terre d'accueil d'anciens esclaves américains affranchis et « rapatriés » sur la côte des Graines, le Liberia – d'où le nom de l'État fondé en 1847, d'abord appelé... *Negroland* – a été jusqu'en 1980 une ploutocratie raciste, les descendants des Afro-Américains (moins de 5 % de la population) y monopolisant le pouvoir au détriment des « natifs », considérés comme citoyens de seconde zone. Mais le Liberia a également été, pendant la Deuxième Guerre mondiale puis tout au long de la guerre froide, le principal allié africain des États-Unis, lieu d'implantation – avant la mise en service de satellites – d'un important relais de communication de la CIA, des réémetteurs de la Voix de l'Amérique pour le continent, sans parler de la plantation d'hévéas Firestone, la plus grande du monde. Est-ce un hasard si ce petit pays tenu à bout de bras par Washington, bénéficiaire d'un demi-milliard de dollars en aide militaire seulement, ait plongé dans la guerre civile dès la fin de l'alliance nourricière ? Le fait est que Washington, après avoir assisté sans réagir en 1980 au renversement sanglant du régime minoritaire, dont les plus hauts dignitaires furent exécutés en public sur la plage de Monrovia, avait sanctifié avec cynisme, en 1985, l'élection scandaleusement frauduleuse (« un scrutin acceptable par rapport aux standards africains ») du dictateur Samuel Doe, abandonné cinq ans plus tard face à Charles Taylor. Celui-ci inaugurait alors une nouvelle ère féconde en guerres et, plus encore, en pillages et massacres : le règne des « grands frères d'armes », des États africains envahissant leur voisin ou, la plupart du temps, le déstabilisant par le soutien apporté à un mouvement rebelle, déjà existant ou créé par leurs soins pour la circonstance. Y étant auparavant lui-même maintes fois intervenu, s'étant servi de mouvements « fantoches » et ayant commandité des coups d'État, l'Occident se trouvait mal placé pour rappeler au respect des frontières « internationale-ment reconnues et garanties » des pays africains.

Dans son livre publié en 1999, *Le Masque de l'anarchie*, Stephen Ellis brocarde le « stock limité de vieux clichés sur l'Afrique », dont les journalistes se sont servis pour rendre compte du conflit au Liberia, comme « anthropologie pop ». À la fin 1992, quand les Américains montent une intervention « militaro-humanitaire » en Somalie, pays victime de famine et d'une guerre de factions après la chute, en janvier 1991, d'une autre dictature nourrie par la guerre froide (successive-ment par les Russes *et* les Américains), celle de Siaad Barre, le registre sera plus hollywoodien : avec *Le Jour le plus long* sur la plage de Mogadiscio, lors du débarquement spectacle des marines américains, puis *Mad Max* en version locale, le général Aideed et les autres *warlords* affectionnant les véhi-cules tout-terrain surmontés d'une pièce d'artillerie. Ce con-flit auquel, malgré un flot de reportages et d'émissions, le grand public n'aura rien compris, est redevenu un huis clos depuis la défaite des Américains et la fin de l'opération des Nations unies (UNOSOM II) ayant assumé le rôle ingrat du syndic de faillite de leur tentative de « Rendre l'espoir ». Bons guerriers, mais surtout dignes fils d'une « anarchie pas-torale » (Gérard Prunier) dépourvus de tout complexe d'infé-riorité, les Somaliens ont infligé quatre leçons à l'Occident : celle de sa vulnérabilité ou, plus exactement, de la supériorité des intérêts vitaux du faible sur les velléités du plus fort d'im-poser un « nouvel ordre international » jusque dans les recoins de la planète ; la leçon que l'aide humanitaire consti-tuait un pactole de guerre ; l'enseignement que, en lieu et place d'un État-nation, pouvait exister une « Nation sans État », ce qui est le cas en Somalie depuis 1991, aucun gou-vernement – ni celui du Puntland ou du Somaliland ni le « gouvernement intérimaire » à Mogadiscio – n'étant reconnu par la communauté internationale ; et enfin, la leçon liée à la précédente que l'homogénéité ethnique, religieuse et cultu-relle d'un pays ne met pas nécessairement celui-ci à l'abri d'une guerre de fragmentation, clanique en l'occurrence. Ce fait a d'ailleurs été confirmé en 2003 par une étude entreprise pour le compte de la Banque mondiale. En analysant les guerres civiles dans le monde depuis 1960, l'économiste Paul Collier a constaté que des pays ethniquement ou religieusement homogènes ont été plus souvent victimes de conflits intestins que des sociétés de plus grande diversité, traversées de clivages. Pour les unes comme pour les autres, de façon constante, la corrélation entre pauvreté et conflit s'est révélée la plus belligène : les 20 % les plus démunis du globe ont enduré 80 % des guerres.

Quand, le soir du 6 avril 1994, après l'attentat contre l'avion du président Juvénal Habyarimana, des massacres débutent à Kigali puis gagnent tout le Rwanda, le monde hésite. S'agit-il « simplement » d'un autre bain de sang africain dans lequel il vaudrait mieux ne pas tremper, sous peine d'un nouveau fiasco militaro-humanitaire ? C'est la première réaction sur laquelle, même contre l'évidence d'un génocide en cours, les États-Unis en particulier ne vont pas revenir, pressant au contraire les Nations unies de retirer leurs casques bleus. En cent jours, non pas dans « l'indifférence générale », mais malgré une couverture médiatique *live*, un meurtre de masse est suivi en direct par le monde entier : plus de six cent mille Tutsi sont tués, la plupart d'entre eux à coups de machette. Pour expliquer ce massacre systématique, à défaut d'avoir pu l'empêcher, les uns recourent à une grille de lecture ethnique, « l'inextinguible haine » entre Hutu et Tutsi dans l'Afrique des Grands Lacs, où des tueries à grande échelle sont récurrentes. D'autres, soulignant notamment la communauté de langue et de culture entre les deux groupes dont l'antagonisme serait « d'ordre social », privilégient une interprétation plus politique du conflit, selon eux dû au « caractère raciste » du régime Habyarimana, un « nazisme tropical » (Jean-Pierre Chrétien). Dans ce contexte, la victoire militaire du Front patriotique rwandais (FPR) en juillet 1994, en mettant fin au génocide et à la guerre civile que le mouvement rebelle né dans la diaspora tutsi avait déclenchée en octobre 1990, ne constituerait pas une revanche ethnique, avec tous les risques de nouvelles exactions, mais l'avènement d'un ordre politique plus juste, porteur de démocratie et de réconciliation nationale. Aux yeux des tenants de cette thèse, le génocide au Rwanda est une « Shoah africaine ». Pour les partisans d'une lecture « tribale », largement adoptée par l'opinion publique africaine, le génocide rwandais est une hécatombe, certes, un massacre « hors proportion », mais, *in fine*, tout de même un massacre parmi d'autres. L'opposition entre les deux thèses a été perçue, et vécue par les intéressés, comme une querelle entre « anciens » et « modernes ».

Le génocide rwandais a-t-il sa place dans l'historique des guerres africaines depuis la chute du mur de Berlin ? N'est-ce pas banaliser la « Shoah africaine » que de l'inscrire dans une suite de conflits se caractérisant précisément davantage par le massacre des civils que par de véritables faits d'armes, des batailles, des raids, des lignes de défense ? Eu égard à l'organisation du génocide par les autorités du défunt régime Habyarimana et, notamment, par les miliciens *Interahamwe* (« ceux qui travaillent ensemble ») qui ont servi d'encadreurs à la tuerie planifiée, n'est-ce pas ouvrir la porte au révisionnisme ? Ces questions sont légitimes. Elles seraient pertinentes si le FPR ne s'était pas livré à l'épuration ethnique dans la zone septentrionale du Rwanda qu'il occupait entre 1992 et 1994, *avant* le génocide ; si le FPR n'avait pas commis, au lendemain de sa victoire militaire, des massacres organisés et prémédités d'une ampleur telle – tuant 50 000 Hutu selon *Human Rights Watch*, plus de 100 000 selon d'autres enquêtes sérieuses – qu'on ne peut pas les considérer comme des actes de vengeance « à chaud », en réaction au génocide ; si le FPR n'avait pas persécuté, d'octobre 1996 à mai 1997, sur 1 800 kilomètres à travers l'ex-Zaïre, des réfugiés hutu dont, selon Médecins sans frontières, environ 200 000 ont trouvé la mort, victimes des tueries perpétrées par des unités spéciales de l'Armée populaire rwandaise (APR) ou succombant à la faim, aux maladies dans la jungle. Enfin, selon des sources proches du dossier, l'instruction judiciaire menée depuis 2000 par le juge antiterroriste français Jean-Louis Brugière sur l'attentat contre l'avion de Juvénal Habyarimana établirait la responsabilité du FPR dans cet événement qui déclencha le génocide – et dont il était difficile d'ignorer, dans le contexte extrêmement tendu d'avril 1994, qu'il risquait de déboucher sur l'extermination des Tutsi de l'intérieur, ceux qui n'avaient pas fui le « nazisme tropical ».

Nul besoin de tomber dans le « piège ethnique » (Jean-Pierre Chrétien), de postuler que « les » Hutu et « les » Tutsi chercheraient inéluctablement – pour ne pas dire : génétiquement – à s'éradiquer à tour de rôle. Au contraire, c'est parce que l'illusion identitaire conduit les acteurs dans l'impasse exterminatrice qu'une lecture politique doit tenir compte de la conscience ethnique, dont la *logique génocidaire* est la raison paroxystique : en situation de crise, chacun est prêt à tuer le premier pour ne pas être tué, les précédents massacres servant à justifier cette anticipation. Au Rwanda, les deux parties en conflit – le régime Habyarimana et le FPR, plutôt que « les » Hutu et « les » Tutsi – participaient de cette logique génocidaire qui veut que la « majorité naturelle » monopolise le pouvoir, en éradiquant la minorité s'il le faut, tandis que la minorité, perpétuellement en danger d'extermination, doit recourir à tous les moyens, si elle a réussi à s'emparer des leviers de l'État, pour ne plus mettre sa survie en jeu, quitte à asservir la majorité et à en éliminer l'élite qui pourrait prétendre à gouverner la cité. Bien entendu, ce ne sont jamais « les » Hutu ou « les » Tutsi qui sont au pouvoir, mais seulement des factions politiques – l'*akazu*, la « petite maison » – qui usent de la démagogie ethnique pour entraîner « leur » communauté à leur profit. Cependant, tant que ces leaders sont suivis, vouloir prouver – ce qui n'est pas difficile – que la conscience ethnique est « fausse », non conforme aux réalités, est aussi vain que de démontrer, avec la même facilité, que la guerre civile irlandaise n'a pas été une guerre « religieuse », au sens où son enjeu eût été la confession des uns et des autres. Seulement, dans les rues de Belfast, c'étaient bien des catholiques et des protestants qui se combattaient, comme ce sont des Hutu et des Tutsi qui s'entre-tuent dans la région des Grands Lacs. Peu importe alors que l'on parle d'un conflit « ethnique » au Rwanda, de la même manière que l'on a parlé de guerre « religieuse » en Irlande, en s'en tenant aux apparences, à condition de ne pas succomber soi-même à l'illusion identitaire des intéressés. L'essentiel est de ne pas départager les bourreaux et les victimes aussi sommairement que... « les » Hutu et « les » Tutsi. Car ce piège-là a coûté la vie à un nombre effroyable de Rwandais avant, pendant et après l'unique génocide, celui perpétré contre la minorité tutsi en 1994.

En novembre 1996, dans divers camps à l'est de Kisangani, ils étaient près de 250 000 à guetter anxieusement l'avancée de Laurent-Désiré Kabila et de ses « *kadogos* », les « enfants-soldats », ainsi appelés en raison de leur taille – *kadogos* signifiant « petites choses de rien » – et de leurs treillis uniformément verts, sans grade ni insigne d'aucune sorte. Les 250 000 Hutu en fuite n'auraient eu que faire de la marche sur Kinshasa de l'opposant de toujours au maréchal Mobutu, et de ses *boy soldiers* recrutés en échange de leur uniforme, s'ils n'avaient pas su que le chef rebelle était instrumentalisé par plusieurs pays voisins, dont le leur, lesquels équipaient les partisans de Kabila bien que ce ne fussent pas eux qui combattaient, mais les troupes étrangères d'invasion, tout en restant dans l'ombre. La nervosité dans les camps de Kisangani était déjà grande, quand le haut-commissaire aux réfugiés d'alors, Sadako Ogata, y a effectué une brève visite, quelques heures seulement, le temps d'exhorter les « extrémistes hutu » à rendre leurs armes, à se conformer aux « conventions internationales », sous peine de perdre leur droit à l'aide. Des extrémistes hutu, il y en avait sans doute beaucoup au milieu des femmes, des vieillards et des enfants. Ironiquement, ce sont eux qui ont eu les meilleures chances de survie, trois jours plus tard, quand les troupes du FPR sont arrivées, ont encerclé les camps et abattu sans distinction hommes, femmes et enfants, avant de brûler leurs corps et de les ensevelir au bulldozer. Ceux qui étaient armés ont pu mieux se défendre et s'échapper, continuer leur fuite éperdue vers le

Congo-Brazzaville qu'environ 30 000 Hutu ont atteint au terme d'une longue chasse-poursuite, les dernières centaines de massacrés l'ayant été dans le port fluvial de Mbandaka, sur la rive zaïroise du fleuve Congo, le 17 mai 1997, le jour même de l'entrée victorieuse dans Kinshasa de Laurent-Désiré Kabila. S'étant acquitté du tribut du sang en échange du soutien reçu, le « tombeur » de Mobutu pensait pouvoir gouverner. Mais il s'est retrouvé l'otage de ministres, de conseillers et d'officiers qui prenaient leurs ordres dans d'autres capitales que la sienne, à Luanda, Harare, Kampala ou Kigali. L'ensemble de l'est de l'ex-Zaïre, au sous-sol riche et aux terres fertiles, était passé sous l'occupation de ses ex-alliés des Grands Lacs. Lorsque, trop nationaliste pour l'admettre, Laurent-Désiré Kabila s'est révolté contre ses tuteurs en août 1998, la guerre a repris aux quatre coins de son pays-continent, rebaptisé République démocratique du Congo (RDC). C'était une guerre impliquant quatre des neuf pays voisins, plus le Zimbabwe et la Namibie, sans frontière commune ; un conflit pour l'intégration économique régionale sur un mode « militaro-mafieux » ; une lutte finale génocidaire dans l'est de la RDC (« le feu est aux lacs, la fumée au Congo », résumait un haut responsable des Nations unies) ; une course au pouvoir central entre Congolais plus ou moins inféodés à des puissances étrangères... Il y aurait eu tant à dire pour caractériser ce vaste champ de bataille au cœur de l'Afrique. Mais, à moins de vouloir travestir *toutes* les réalités, pouvait-on trouver plus faux, sinon plus sot, que l'appellation – « la première guerre mondiale africaine » – qui a fait florès dans les médias ?

En désespoir de « cause » et de comparaisons, le monde a trouvé aux conflits africains une ultime rationalité : le goût du lucre des chefs d'État et de guerre, la ruée sur les pactoles que sont le pétrole, le diamant, l'or, le coltan... À la lecture des deux rapports qu'un groupe d'experts des Nations unies a consacrés au « pillage » du Congo par ses voisins, dans lequel seraient impliqués jusqu'au demi-frère cadet du président ougandais, Yoweri Museveni, des officiers proches de

son homologue rwandais, le général Kagame, et des cheva-
liers blancs connus du président zimbabwéen, Robert
Mugabe, on est tenté en effet de se persuader que l'économie
de guerre explique la guerre. Mais, s'il est certain qu'une
meilleure répression du trafic d'armes, des « diamants du
sang » ou des minerais précieux priverait d'oxygène l'embra-
sement du continent, les guerres en Afrique ne cesseraient
pas faute de ressources pour les financer – la pauvreté étant,
justement, leur meilleur combustible. La traque des pactoles
illicites se heurte, par ailleurs, à la criminalisation de nombreux États africains, dont les transactions commerciales ne
pourront pas être déclarées illégales sans porter atteinte à la
légitimité politique de l'État africain en général. Enfin, vouloir ramener une guerre à « sa » matière première est une
aberration, surtout si l'on finit par réinterpréter *a posteriori*
une guerre qui perdure depuis vingt ans, comme celle du Soudan. Longtemps présentée comme une guerre ethnico-reli-
gieuse entre le « nord arabo-musulman » et le « sud négro-
africain, chrétien ou animiste », elle est devenue une « guerre
du pétrole » à la suite de la mise en exploitation de gisements
pétroliers dans le centre-sud du pays, en 1999. Comme si le
colonel John Garang, le chef de l'Armée de libération du
peuple soudanais (SPLA), se battait depuis 1983 – rallumant
des hostilités qui avaient déjà ravagé le Soudan après son
indépendance, en 1956, jusqu'en 1972 – dans la seule attente
que l'or noir jaillît du sol ! Sur le même modèle, la guerre
« tribale » des Ovimbundus contre « les métis de la côte au
pouvoir » en Angola a été revue et corrigée, à partir de 1993,
comme un affrontement pour – sinon entre – deux matières
premières : le pétrole enrichissant le régime de Luanda contre
les diamants vendus en contrebande par les rebelles de
l'Union pour l'indépendance totale de l'Angola (UNITA).
Comme si Jonas Savimbi, le président fondateur de l'UNITA,
avait fait le maquis pendant trente-six ans, jusqu'à sa mort en
février 2002, pour vendre des gemmes à son profit, manquant
le bon moment pour « décrocher »...
En janvier 2003, la Mission des Nations unies au Congo

(MONUC) a saisi le conseil de sécurité de l'ONU au sujet de
« très graves exactions en Ituri », la province limitrophe de
l'Ouganda. Dans son rapport d'enquête, la MONUC s'est
bornée à rappeler que les richesses de l'Ituri font de la région
le principal théâtre de la lutte pour l'hégémonie régionale
entre l'Ouganda et le Rwanda, qui s'affrontent sur le sol congolais par milices locales interposées. C'est un peu court pour
qui se souvient de l'origine « administrative » du conflit, puis
de son extension aux voisins. Profitant du désordre provoqué
par la rébellion de 1996, des membres fortunés de l'ethnie
Hema – minoritaire dans l'Ituri – avaient corrompu des fonctionnaires du cadastre pour obtenir de nouvelles « conces-
sions », des droits d'exploiter la terre qui, au regard de la loi,
restait la propriété de l'État. Or, dans le domaine foncier, une
règle établie voulait que, après trois années sans contestation,
le titre d'usufruit devînt inaliénable. Aussi, à l'expiration de
ce délai, en 1999, les « concessionnaires » hema firent valoir
leur droit et expulsé de « leurs » nouvelles terres – des dizaines de milliers d'hectares – les agriculteurs de subsistance de
l'ethnie lendu, majoritaire dans la région. Ceux-ci, grugés, se
révoltèrent et lynchèrent plusieurs « accapareurs » hema.
C'est alors que ces derniers firent appel à l'armée ougandaise,
pour les protéger et pour évincer *manu militari* les « occu-
pants » lendu qui, à leur tour, formèrent des milices et se
cherchèrent des alliés armés. L'engrenage des massacres et
des manipulations par l'étranger commence. Mais c'est la
faillite de l'État congolais qui est à l'origine du conflit. Les
Ougandais, les Rwandais, la « haine tribale », la rapine et son
cortège d'exactions, tout cela ne vient que par la suite. N'y
aurait-il pas là une double leçon à retenir ? D'abord, que l'effondrement de l'État peut entraîner des conséquences mortel-
les. Ensuite, que la « rivalité ethnique » se greffe sur une
situation conflictuelle bien plus que l'inverse (et, en l'occurrence, d'autant plus facilement que le parallèle vite établi
entre Hema et Lendu au Congo, d'un côté, et Tutsi et Hutu
au Rwanda, de l'autre, fournit à l'affrontement un imaginaire
génocidaire).

Que dit le rapport de la MONUC sur les exactions commises en Ituri ? Sur la foi de renseignements obtenus grâce à un missionnaire italien sur place et auprès des organisations locales de défense des Droits de l'homme, le document décrit le martyr subi par la population. Avec des accents de fin du monde, malgré la sobriété de sa rédaction, le document relate, en particulier, les nombreux méfaits des « Effacer le tableau », le nom tenant lieu de programme à l'unité du Mouvement pour la libération du Congo (MLC) que commande le lieutenant-colonel Freddy Ngalimo. Les faits remontent à l'automne 2002. Les « Effacer », non contents de semer la mort, de violer et de voler, d'abattre le bétail à l'arme automatique et de piller les tombes fraîches à la recherche de trésors cachés, se mettent à manger de la chair humaine. Dans la région de Mambasa, des soldats auraient « grillé des morceaux » de civils abattus, les auraient consommés devant témoins, puis auraient « boucané » les restes pour les emporter. À Bunia, chef-lieu de l'Ituri, un officier connu sous le nom de « Zorro » se serait vanté de ses actes anthropophages, exhibant dans sa gibecière les pénis rôtis de ses ennemis tués. Les principales victimes de ce cannibalisme de guerre seraient les Pygmées, en raison de vieux préjugés à leur égard, mais aussi du soupçon porté sur eux de servir aux factions rivales de « pisteurs » dans la jungle. Dans un reportage de Jean-Philippe Rémy, publié le 27 février 2003 dans *Le Monde*, est rapporté ce propos d'un membre du Programme d'assistance aux Pygmées (PAP), Benoît Kalume : « Depuis longtemps, les Pygmées sont déconsidérés par les autres ethnies, bien qu'ils soient les premiers citoyens de ce pays. Mais le fait d'être mangés, spécialement, les a convaincus qu'ils ne sont pas considérés comme des humains. » En février 2003, sous la pression des Nations unies, le chef rebelle du MLC, Jean-Pierre Bemba, organise dans son fief le procès de vingt-sept de ses militaires, dont le colonel Freddy Ngalimo. Celui-ci est alors condamné à quatre ans et sept mois de prison pour « non-assistance à personnes à danger », plusieurs de ses subordonnés étant sanctionnés par des peines

de prison inférieures pour des délits aussi saugrenus que le
« gaspillage de munition » ou pour avoir « emprunté une
route non autorisée ». En juillet 2003, la Cour pénale internationale (CPI), déjà saisie d'une plainte contre Jean-Pierre
Bemba pour les crimes de guerre commis par ses troupes en
Centrafrique, envisage l'ouverture de poursuites contre ce
chef rebelle congolais – et d'autres, coupables de crimes semblables, pas seulement en Ituri. Le même mois survient
l'aboutissement des négociations pilotées par les Nations
unies pour le retour à la paix au Congo : Jean-Pierre Bemba
devient vice-président de son pays.

Le dilemme est réel : inclure toutes les parties prenantes
dans le règlement d'un conflit revient à procurer à des tortion-
naires ou assassins notoires reconnaissance et honorabilité
internationales – en incitant ainsi d'autres à suivre leur exemple. Cependant, sans payer ce tribut aux chefs de guerre, il
est impossible, d'abord, de faire parvenir la moindre aide
d'urgence aux populations prises en otage et, ensuite, de réta-
blir une paix durable dans de vastes parties du monde que la
communauté internationale ne saurait occuper et administrer.
L'impunité des criminels de guerre étant un préalable, à la
fois pour la collaboration des *warlords* et pour l'instauration
d'une paix « juste », le choix est cornélien. D'autant qu'affaiblir les « seigneurs de la guerre » signifie aussi diminuer les
chances qu'un accord de paix soit respecté par des combattants qui ne reconnaîtraient plus l'autorité de chefs pouvant
s'engager en leur nom. N'ayant d'autre issue que le box de
l'accusé, combien de chefs d'État et de guerre se sont-ils
enfermés dans des logiques jusqu'au-boutistes ? En même
temps, comment demander aux victimes de côtoyer leurs
bourreaux impunis ? En définissant la paix comme « un bien
public universel », dont peut jouir « un nombre illimité de
bénéficiaires pour un coût additionnel nul », le politologue
Jürgen Bauer s'empresse d'ajouter qu'il n'existe cependant
« aucun droit de propriété exécutoire en matière de paix ».
Dans certains cas seulement, pas toujours avec succès, les
Nations unies tentent de faire valoir ce droit. Pour sauver la

paix, l'ONU est pour la première fois intervenue lors du conflit autour du canal de Suez en 1956. Mais sa première grande opération de maintien de la paix, comprenant le déploiement de vingt mille casques bleus, a été montée au... Congo-Kinshasa tout juste indépendant, en 1960. Quatre ans plus tard, face au chaos qui risquait de l'engloutir, l'ONU dut retirer ses troupes. L'échec fut total et l'ardoise lourde, 82,5 millions de dollars de l'époque. Personne ne voulut régler le coût d'un désastre. C'est de là que datent l'endettement chronique des Nations unies et, aussi, sa fuite de nouvelles responsabilités en la matière pendant la guerre froide. En 2003, sur les cinquante-quatre opérations de paix montées par l'ONU depuis sa création, quarante et une ont été mises en place *après* la chute du mur de Berlin. Dans les marges du monde alors délaissées, la demande était telle qu'un « mercenariat de la paix » s'est instauré, certains États du tiers-monde se spécialisant dans la fourniture de casques bleus, rémunérés au taux forfaitaire d'environ 1 000 dollars par soldat et par mois (plus un *per diem* variable, selon les conditions de l'opération). Ce sont les États qui touchent ces « frais d'absorption », libres de n'en reverser qu'une fraction à leurs soldats. Une pratique qui, en Afrique, a poussé à la mutinerie de nombreuses unités « prêtées » à l'ONU et revenues au pays exigeantes et aguerries... Depuis la fin de la guerre froide, le mercenariat ordinaire fleurit également comme jamais auparavant, même si les anciens « chiens de guerre » ont été supplantés par des « entrepreneurs en costume, avec site Internet, bien connectés avec les services, armées ou ministères de la Défense occidentaux, au sein de véritables holdings qui peuvent tout commercialiser en contrepartie de la "sécurité" procurée ». Richard Banegas, qui le constate, a dénombré en Afrique quinze opérations de mercenariat entre 1950 et 1989, contre soixante-cinq depuis 1989. L'Afrique n'a pas pris son destin guerrier en main. Ses armées fantômes se sont effondrées les unes après les autres. Si la presse a raillé l'évanouissement des Forces armées zaïroises (FAZ) du maréchal Mobutu, trop « déFAZées » pour combattre, ses commentaires ont été moins inspirés sur la déroute, face aux rebelles, de l'armée ivoirienne, encadrée pendant quarante ans par la Coopération militaire française. Même l'armée sénégalaise, la meilleure d'Afrique francophone, « dérape » en Casamance. Ce qui n'est pas étonnant, la – relative – incapacité institutionnelle de l'État africain affectant, inéluctablement, l'État dans l'État qu'est l'armée. Le fameux raccourci de l'historien Charles Tilly pour résumer, en particulier, la guerre de Trente Ans (1618-1648) – « L'État fait la guerre et la guerre fait l'État » – vaudra-t-il également, à terme, pour le continent africain ? C'est possible, mais le « terme » doit paraître terriblement lointain, vu de Kinshasa, de Monrovia ou même d'Abidjan. Pour un « État garnison » (James Gasana) comme le Rwanda, en guerre avec lui-même et avec deux de ses voisins, combien d'États africains qui s'effondrent sur le champ de bataille ?

Au sud du Sahara, la guerre s'est « privatisée ». Dans bien des cas, l'État n'y défend même plus son monopole de la violence légitime. Les armes légères – 500 millions de par le monde – y pullulent depuis que la dislocation de l'URSS a submergé le continent de kalachnikovs bon marché, bradés à 80 dollars à Mogadiscio ou à Bouaké, la « capitale rebelle » ivoirienne. Si le nombre des guerres par an dans le monde – une vingtaine – est resté constant depuis la fin du conflit Est-Ouest, celles-ci durent désormais, en moyenne, deux fois plus longtemps – huit ans au lieu de quatre – et seulement un dixième d'entre elles opposent des États entre eux (le conflit entre l'Éthiopie et l'Érythrée, de 1998 à 2000, a été la plus importante guerre interétatique conventionnelle en Afrique). Sur le continent noir, la privatisation de la guerre a entraîné la démocratisation de la mort. Si l'Afrique n'est pas exceptionnelle par la proportion des civils tués par rapport aux militaires (neuf sur dix morts, le contraire d'il y a un siècle), elle l'est par le nombre des victimes de ses conflits armés : rien qu'au Congo-Kinshasa, pendant les cinq ans de guerre entre 1998 et 2003, il y a eu autant de morts que dans toute l'Afrique pendant les quarante années qu'a duré la guerre froide (3,2 millions). En vérité, le bilan est bien plus lourd encore, compte tenu des ravages du sida. Selon une étude de l'Onusida *(Aids and the military)* publiée en mai 1998, le taux de prévalence VIH au sein des armées africaines engagées dans des zones de conflit est cinq fois supérieur à la moyenne nationale. Selon les chiffres les plus récents, cités par Dan Smith dans son *Atlas des guerres et des conflits dans le monde,* paru en 2003, la séropositivité atteindrait 40 % au sein de l'armée sud-africaine, 60 % parmi les militaires au Congo-Kinshasa et en Angola, voire 75 % dans l'armée zimbabwéenne. En 2020, selon les dernières prévisions, l'Afrique aura enterré 55 millions de ses habitants atteints du sida, soit le bilan – civils et militaires confondus – des deux guerres mondiales du XXᵉ siècle. Une fraction difficile à évaluer de ces morts africaines sera des victimes de guerre *indirectes,* d'autant que le taux de prévalence est également un multiple de la moyenne parmi les réfugiés et déplacés, entre 7 et 8 millions en 2002. Quant aux victimes *directes* des conflits armés en Afrique, il est éclairant de rappeler le bilan de la dernière guerre en Irak – et la disproportion entre la clameur médiatique, d'un côté, et le silence, de l'autre : pendant la période des combats entre le 20 mars et le 20 avril 2003, selon le décompte de l'agence *Associated Press* (AP) à partir des registres de décès, notamment de tous les hôpitaux du pays, 3 240 civils irakiens sont morts, dont 1 896 à Bagdad.

Pourquoi les morts africains ne comptent-ils pas, ou si peu ? Pourquoi la mondialisation évite-t-elle par un grand détour la mort violente, pourtant expérience universelle s'il en est ? En de nombreuses circonstances, le monde a observé une minute de silence pour les victimes des attentats contre le *World Trade Center* à New York. S'il voulait, une fois, rendre le même hommage aux victimes du génocide au Rwanda, ce petit pays de 6 millions d'habitants dont plus de deux fois le nombre des morts des *Twin Towers* – 2 823 – ont été suppliciés quotidiennement, et cela pendant cent jours, il lui faudrait garder le silence pendant trois heures et demie... Qui a conscience de ce déséquilibre ? Comment l'expliquer ? Le racisme ordinaire doit y avoir sa part. Mais, au-delà, la mort en Afrique est perçue comme gratuite, sans frais, du fait de la facilité avec laquelle elle est donnée, la cruauté avec laquelle elle est infligée – par des Africains. En février 1994, le journaliste américain Robert Kaplan a publié dans une revue prestigieuse, *Atlantic Monthly*, un article qui, deux mois plus tard, a paru prémonitoire. Intitulé « L'anarchie à venir », il visait à démontrer « comment la pénurie, le crime, la surpopulation et des maladies » allaient dérégler la planète et provoquer un chaos meurtrier. Le texte ne se référait pas spécialement à l'Afrique. Mais, dès le mois d'avril, le génocide au Rwanda semblait lui donner raison. On y mourait « comme agneau dans la Bible », au fil du coutelas. L'expression sort de la bouche des tueurs hutu, cités dans le dernier livre de Jean Hatzfeld, *Une saison de machettes*. Ce récit des intéressés, sidérant comme l'était le précédent ouvrage, côté tutsi, *Dans le nu de la vie*, rend son quotidien – on manque d'écrire : sa vie – à une tuerie insensée. « La règle numéro un, c'était tuer. La règle numéro deux, il n'y en avait pas. C'était une organisation sans complications », dit Pancrace. « Celui qui était lancé la machette à la main, il n'écoutait plus rien. Il oubliait tout et en premier lieu son niveau intellectuel. Ce programme répété nous dispensait de réfléchir à ce qu'on faisait. On allait et on revenait, sans croiser une idée. [...] Nos bras commandaient nos têtes, en tout cas nos têtes ne disaient plus leur mot », explique Joseph-Désiré. « À force de bien tuer, de bien manger, de bien accaparer, on se sentait tellement gonflés d'importance qu'on se fichait bien de la présence de Dieu », s'avoue Léopard. « Le génocide n'est pas une idée commune aux guerres et aux batailles. C'est une idée des autorités pour se débarrasser d'un danger à jamais. Elle est très ordinaire lorsqu'elle vole de parole en parole, parfois de blague en blague ; elle devient extraordinaire lorsqu'elle est attrapée par la pointe des machettes », précise Adalbert. Pour Robert Kaplan, de telles paroles attestent la « nouvelle barbarie » qu'il a pressentie, en même temps que *La Fin du Monde*, le titre de son livre publié en 1996. Pour l'écrivain camerounais Patrice Nganang, auteur

notamment de *Temps de chien*, « il y a très peu de pays en
Afrique où les conditions d'une violence aussi extrême que
celle qui flamba sur les collines des Grands Lacs en 1994 ne
sont pas remplies ». Il fait cette remarque dans un court texte,
titré « La dernière station de l'imagination africaine », où le
Rwanda est présenté comme le terminus d'une pensée qui se
résume dans des concepts tels que « essentialisme », « négritude », « africanité »... La prolifération de la thématique « génocidaire » partout au sud du Sahara donne, hélas, raison à
Patrice Nganang : la pensée identitaire, la plupart du temps
« tribale » en Afrique, cherche son ultime preuve d'existence
dans la négation absolue de l'Autre qu'est le meurtre de
masse.

Et la « nouvelle barbarie » ? N'a-t-elle pas instauré son
règne en Afrique, depuis la fin de la guerre froide ? N'est-ce
pas le nom que mérite l'orgie de violences sur un continent
qui guerroie en permanence, sans fronts ni distinction entre
militaires et civils, entre fait d'armes et crime ? Il n'y a plus
de batailles en Afrique, que des massacres, des combats d'une
inégalité telle qu'il ne s'agit pas de vaincre une résistance,
mais d'anéantir l'ennemi, souvent des civils pas même armés,
des femmes et des enfants. « Exterminer toutes ces brutes ! »
le cri fou déchirant le *Cœur des ténèbres* de Joseph Conrad,
ce rappel des « nécessités fâcheuses » de la guerre coloniale,
elles aussi « totales », est devenu l'ordre du jour invariable
d'une boucherie continentale. Qui relève que, en Afrique, les
accords de paix ne prévoient pas l'échange des prisonniers ?
Il n'y en a pas ! Pourquoi s'embarrasser d'une vie, quand elle
ne vaut rien ? Il n'y a plus d'armée digne de ce nom, seulement des bandes armées semblables aux « meutes » chassant
l'homme pour le tuer, comme le firent les « maraudeurs » en
Europe, dans la première moitié du xviiᵉ siècle. « La guerre
doit nourrir la guerre », professait alors le duc de Friedland,
Albrecht von Wallenstein, seigneur de la guerre de Trente
Ans. En ce temps, comme à présent au Congo-Kinshasa, la
tuerie générale et des épidémies prélevaient un lourd tribut :
40 % de la population des campagnes, 30 % de celle des vil-

les en Allemagne. Dans le roman de l'époque, le *Simplicissimus* de Hans Jacob Christoffel von Grimmelshausen, figure ce passage : « J'ai longtemps vécu en Europe et qu'ai-je vu ? La guerre, le pillage, le meurtre, l'incendie, des hommes martyrisés, des femmes déshonorées. La guerre finie, la faim et la peste se sont retirées avec elle, mais les vices sont restés. » Ce passé lointain est-il le futur proche de l'Afrique ?

La thèse de la « nouvelle barbarie » cède à la facilité de l'indignation. Elle ne va pas au fond de la cruauté, et de la détresse, de l'Afrique. Tant qu'à établir des parallèles historiques, pourquoi ne pas remonter à la « guerre des écorcheurs », la guerre de Cent Ans (1337-1453) ? Des hordes armées, parfois à la solde d'une autorité, souvent en roue libre, rassemblant des déracinés ayant perdu jusqu'au souvenir d'un lieu d'origine où retourner, parcouraient alors la France, de la Champagne à la Lorraine, de l'Alsace à la Bourgogne. Des brutes, comme le Breton Geoffroy dit « Tête Noire », perpétraient ce que le lieutenant-colonel Freddy Ngalimo du Mouvement de libération du Congo (MLC) commet de nos jours : les plus abominables crimes de guerre. Sauf que ceux-ci étaient couverts par « une éternité d'oubli et d'amnistie », selon la belle formule inscrite dans la paix de Westphalie (1648). Laquelle mit fin à la guerre de Trente Ans, dont il ne faut pas passer sous silence les actes... d'anthropophagie. Le cannibalisme de guerre fut une réalité vécue, notamment en Haute-Allemagne, où des gens tenaillés par la faim des interminables sièges en arrivaient à s'entre-dévorer, à disputer des cadavres aux chiens. Cependant, comme le souligne l'historienne Claire Gantet, spécialiste de cette époque, les récits d'actes anthropophages sont aussi une voie de décharge symbolique, l'abréaction d'une violence crue, insoutenable. Une fois exprimée, l'horreur aide « à forger une mémoire apaisée », hier comme aujourd'hui. À travers les âges se révèle ainsi une même humanité souffrante, partagée, qui n'est pas « moyenâgeuse » ou « sauvage », d'un côté et, de l'autre, « civilisée ». Au demeurant, il resterait à établir en quoi la mort par boîte crânienne fracassée est plus

« barbare » que le déchiquetage d'un corps par une bombe, même si, nul n'en disconvient, le largage de cette dernière est infiniment plus « propre » que le maniement d'une machette. Mais cette propreté renvoie davantage à la lâcheté qu'à la morale.

Au juste, qu'est-il arrivé à l'Afrique, après la fin de la guerre froide ? Privée de sa rente viagère, abandonnée à elle-même et à ses inextricables problèmes, elle est entrée dans *L'Ère de l'épouvante* (Wolfgang Sofsky). Tout d'abord, on ne s'est aperçu de rien : elle a glissé de l'économie informelle et de la « débrouille » à un peu de prédation, au pillage occasionnel. Mais, ensuite, l'Afrique est entrée au paradis de la cruauté qui est l'enfer pour ses victimes. C'est un vrai éden pour des combattants de plus en plus nombreux qui délaissent, sans hésiter, une vie quotidienne recrue d'injustices, de privations, d'ennui et d'exactions. Grâce à la guerre, la violence qu'ils avaient subie des « corps habillés » de l'État devient violence à portée de leur main, armée d'un fusil. C'est la fête, leur tour à eux, leur revanche sur les « *groto* » (« *big men* ») qui les ont fait souffrir, sur toutes ces femmes qu'ils n'ont jamais pu prendre. Après la mort lente dans les bas quartiers, dans des bidonvilles ou des camps de réfugiés, c'est la pleine vie sur un grand pied. Tous les soirs, comme avant, ils comptent à qui ils ont survécu, à combien. Seulement, ce ne sont plus des morts dans leurs rangs, mais des tués « chez les autres » qu'ils laissent derrière eux, traces sanglantes de leur parcours de héros, preuves de leur irrésistible vitalité. Après l'exploit, le meurtre se fait routine, « travail ». Ils le raffinent, rivalisent au sein de leur « bande » dans l'art de donner la mort. L'excitation, la transe sont au rendez-vous jour après jour. Le *staccato* stakhanoviste de la tuerie dissout le temps, le rend uniforme. Ils s'y abandonnent, comme à l'alcool, au tabac, au chanvre, aux pilules magiques. Ils sont hors d'eux et trop dans ce qu'ils font pour rester conscients. Ils portent des masques, changent de tenue, prennent un nom de guerre. Ils ne se connaissent plus de barrières, ni de l'âge ni de la parenté, plus d'interdits religieux ou d'obligations sociales, juste l'instinct de la meute dont ils font partie. Et l'obéissance au chef, quand il est là. Tout est à eux, plus rien n'a de la valeur. C'est le monde à l'envers. Avant, ils en rêvaient, ils faisaient du lèche-vitrines à la télévision. « Émigrés du satellite », ils connaissaient tous les prix pour mieux mesurer l'inaccessible. Maintenant, ils prennent ce qui leur tombe sous la main, sans rien demander à personne. Ils ne sont pas des criminels, mais des justiciers, des « combattants de la liberté », la leur. Malheur aux faibles, aux étrangers, aux chrétiens, aux musulmans, à tous les autres ! La liberté des loups est la peur des agneaux. La vie, c'est la guerre !

# 7

# LA TRIBU ENCHANTÉE

En ce temps-là, pas si lointain, on procédait au « test du peigne » dans l'administration sud-africaine chargée de la « classification raciale des populations ». Sans surprise, dans la tête laineuse des Noirs, le peigne restait accroché quoi qu'on leur fît faire. Mais chez les *colored* et les métis, c'était moins évident, notamment quand on leur demandait de sauter à pieds joints en hauteur. À l'atterrissage, le peigne tombait souvent, signe irréfutable d'un progrès sur l'échelle de l'humanité : l'être à classer était moins « négroïde ». De là à le considérer comme Blanc, le statut sommital au pays de l'apartheid, il y avait de la marge – exactement celle qui séparait les métis de leurs maîtres, dont la plupart des sang-mêlé partageaient pourtant la même culture et la même langue, l'afrikaans. Dans ce contexte, en 1984, une très vive polémique opposa la rédaction de la revue *Sechaba*, proche du Congrès national africain (ANC), à un lecteur, métis et outragé du fait que sa communauté fût traitée à longueur de colonnes comme « soi-disant métisse ». Le débat fit rage dans plusieurs numéros successifs de *Sechaba*, comme on peut aisément l'imaginer à une époque où le grand bond en avant dans la société dépendait de l'ordalie du peigne sur le linoléum d'un bureaucrate de la ségrégation. « Pour l'amour du ciel, ne m'appelez pas "soi-disant métis" », implora le lecteur en question. « Je suis métis ! »

Le lecteur avait-il raison de s'insurger ? Incontestablement, il était métis. Mais qu'est-ce que cela veut dire ? Qui, parmi nous, n'est pas métis, de « sang-mêlé » ? Et si c'est une question de couleur, qu'avons-nous à reprocher au fonctionnaire de l'apartheid ? Avec les moyens du bord, il tentait de distinguer des gens à peau mate des vrais basanés, les moricauds des authentiques « nègres », noirs comme un fond de poêle... On ne s'en sort pas : dès qu'on met le doigt dans l'engrenage racial, l'humanité y passe intégralement. D'où l'anathème, mais aussi la distanciation par l'opprobre ou le ridicule qui frappent des termes tels que « race », « tribu » ou « ethnie ». Manque de chance, c'est le vocabulaire de base des Africains ! Mais ces notions, comme le relève Jean-François Bayart, présentent la « particularité de désigner des réalités incontestables en les rendant à peu près incompréhensibles ». On se persuade d'ailleurs rapidement de l'inanité de vouloir les définir en consultant l'abondante littérature qui leur est consacrée. Dans chaque ouvrage, ces termes sont entendus différemment, toujours pour d'excellentes raisons, plus objectives les unes que les autres. Bien malin qui saurait expliquer, par exemple, la différence entre tribalisme et « ethnicité », un concept forgé en 1969 par l'anthropologue norvégien Frederik Barth pour désigner « l'identité sociale en construction » d'un groupe ethnique. Une consolation, tout de même : quand le tribalisme sévit, on s'en aperçoit aussi aisément que de la présence d'un Noir parmi les *Springboks*, la très blanche équipe de rugby sud-africaine.

Au Gabon, par exemple, le tribalisme n'est pas un vain mot. Dans cet État de un million d'habitants, on saisit l'importance des liens de parenté et, d'abord, des liens de famille. Père de la nation, Omar Bongo préside aux destinées du Gabon depuis 1967. Son fils Ali, qui ambitionne de lui succéder, occupe depuis de longues années le portefeuille stratégique de la Défense. La fille aînée du chef de l'État, Pascaline, est la directrice du cabinet présidentiel, en même temps que la vice-présidente de la compagnie pétrolière Elf Gabon, autre périmètre stratégique. Elle a été successivement mariée à deux piliers du régime, l'ancien ministre du Pétrole et, à présent, chef de la diplomatie gabonaise, Jean Ping, et le ministre de l'Économie et des Finances, Paul Toungui. Les petits frères et sœurs d'Ali et de Pascaline sont également bien placés dans l'appareil de l'État et les grandes entreprises publiques, dont l'organigramme se confond en partie avec l'arbre généalogique présidentiel : Jeff Bongo est ainsi directeur de la programmation des règlements à la Trésorerie générale ; Christian Bongo, directeur général de la Banque gabonaise de développement (BGD) et président du Transgabonais (avec sa mère, Cécilia Ndjavé Ndjoy, comme chef de cabinet) ; Alex Bongo, directeur financier de Gabon Télécom ; Nadine Bongo, directeur général de l'hôtel Atlantique ; Anicet Bongo, directeur de TVSAT – et ainsi de suite. Les postes sensibles de la sécurité, à commencer par le ministère éponyme que dirige Idriss Ngari, reviennent exclusivement aux personnalités du Haut-Ogoué, la province natale du président. C'est une entorse à la stricte filiation : point n'est besoin d'appartenir à la même tribu – très minoritaire – d'Omar Bongo, du moment que l'on est originaire de son fief. Ce qui n'évite pas toujours des fâcheries, comme ce fut le cas avec l'ancien directeur du cabinet présidentiel, Jean-Pierre Lemboumba, victime d'une tentative d'assassinat après sa rupture avec le « clan » présidentiel. Toutefois, après quelques années passées dans l'opposition comme bailleur de fonds de la contestation et, notamment, de plusieurs organes de presse, Jean-Pierre Lemboumba a réintégré la présidence en 2003, avec tous les honneurs. « L'oiseau ne se fâche pas contre l'arbre », aimait à dire feu Félix Houphouët-Boigny, maître en disgrâces s'achevant – presque – toujours en récupérations. Il est vrai que les *happy few* du « Bongoland » ont beaucoup en commun, pas seulement les « charges » de l'État et leurs dividendes pétroliers. Car, *tout* se partage au sein de cette nomenklatura. Ainsi, en dressant la liste des plus gros bénéficiaires de titres d'exploitation forestière, on retrouve la même hiérarchie, le père-président en tête (avec un permis industriel pour 200 000 hectares et un autre, temporaire, pour 40 000 hectares), talonné par son fils Ali (200 000 hectares), suivi d'une respectueuse distance par Idriss Ngari (110 000 hectares)... Le chef de l'État veille cependant à faire profiter du pactole des représentants de toutes les ethnies du Gabon, pour les associer à la « gestion » du pays. Un journaliste du quotidien national *L'Union* explique sans détour de quoi il s'agit : « Dans nos us et coutumes, ne pas faire la part belle aux siens équivaut à une négation de ses propres valeurs et le contrevenant court le risque majeur d'être vomi et de voir sa carrière politique compromise. Tout Gabonais, quel qu'il soit, a l'impérieux devoir de consolider ses bases et de plaire, avant tout, aux siens propres. Car, demain, quand il ne sera plus là, son vrai bilan ne sera pas tant d'avoir goudronné telle ou telle artère, mais, plutôt, d'avoir aidé ou placé tant de cadres du clan. » À en juger le réseau routier du Gabon, les « us et coutumes » sont bien respectés. Y compris, à l'occasion, par des opposants qui accèdent à la « mangeoire de l'État », comme ce fut le cas en 1996 pour l'imprécateur le plus virulent du régime, le père Paul Mba Abessole. Élu maire de Libreville, il limogea si prestement les anciens édiles pour y mettre des « frères » et « sœurs » de son ethnie, les Fang de l'Estuaire, que son propre parti, les Bûcherons, élevait la voix contre ce « favoritisme régional ». Il faut dire qu'il avait commencé par confier à sa tante les finances municipales... Le même *« spoil system »* ethnique rend chaque remaniement ministériel dramatique pour des cadres évincés du seul fait de leur appartenance tribale, au bénéfice des « parents » du nouveau titulaire. « Sage de l'Afrique » ou, c'est selon, despote éclairé d'un raffinement supérieur, Omar Bongo nomme toutefois, souvent, comme successeur d'un ministre remercié, un frère ennemi du même fief. Ce qui lui permet de diviser pour mieux régner à tous les échelons des familles élargies et de maintenir la sienne tout en haut de la pyramide nourricière.

Au prix de quelques girations dans sa tombe de Max Weber, le grand sociologue allemand, et à condition de ne pas être à cheval sur les limites floues entre népotisme, régionalisme et tribalisme, le « système Bongo » peut être présenté comme *« Idealtyp »* du régime subsaharien, à des degrés divers, patrimonial et, souvent, matrimonial – heureusement avec de notables exceptions (comme par exemple le Mali). On aurait cependant tort de penser qu'il serait seulement le fait des « dinosaures » au pouvoir depuis des décennies, ou la survivance de pratiques politiques en voie de disparition. Bénéficiaire d'une alternance démocratique exemplaire, dans un pays épargné par le tribalisme, déjà du seul fait de la prédominance écrasante des Wolof, l'ancien opposant et nouveau président du Sénégal, Abdoulaye Wade, a coopté à la présidence et sa fille et son fils, dans des fonctions officielles éminentes. De retour au pouvoir depuis 1997, après en avoir été chassé en 1992, Denis Sassou Nguesso, l'ex-nouveau chef de l'État du Congo-Brazzaville, ne fait plus confiance qu'à sa famille et à sa tribu, qui lui ont permis de reconquérir la magistrature suprême. Sa fille Claudia est chargée de sa communication – comme Claude Chirac auprès de son père. Mais le parallèle s'arrête là. À Brazzaville, une autre fille présidentielle, Ninèle, est également conseillère de son *pater*, qui a nommé son époux, Hugues Ngouelondele, député maire de la capitale. Un fils du chef de l'État, Denis Christel Nguesso, est le directeur du bureau londonien de la Société nationale des pétroles du Congo (SNPC), qui assure l'essentiel des revenus du pays. Il travaille main dans la main avec un autre parent, Bruno Itoua, patron de la SNPC. L'or noir est ainsi géré en famille, sans droit de regard du ministre des Finances sur les pétrodollars du *trading*. Au quotidien, le plus proche collaborateur du président est son neveu et « conseiller spécial », Dominique Okemba. Deux autres neveux occupent également des postes clés : l'un, Edgar, comme directeur du Domaine présidentiel, l'autre, Willy, à la tête de la Société congolaise des transports maritimes (Socatram). Par rapport à son premier règne, long de treize années, « Sassou II » réserve à son cercle familial restreint des postes auparavant dévolus à sa tribu, les Mbochi. La même « familiarisation » du pouvoir, après une traversée du désert, se constate au

Bénin où Mathieu Kérékou, depuis son second avènement –
par les urnes – en pentecôtiste converti, « *born again* », place
les siens en rompant avec le sacerdoce de l'État qui était le
sien pendant sa période militaro-marxiste. Deux de ses fils,
Montan et Hervé, contrôlent à présent la garde présidentielle.
Un troisième, Modeste, est devenu à vingt-sept ans le plus
jeune député de la nouvelle Assemblée nationale. Pour son
élection, en mars 2003, toute la famille s'est mobilisée : son
oncle Frédéric Kérékou a été son directeur de campagne,
assisté de son frère, Moïse, et de sa sœur, Karine. En face,
chez le « tombeur » et prédécesseur au pouvoir de Mathieu
Kérékou, Nicéphore Soglo, la famille est plus présente
encore : l'épouse, Rosine Vieyra Soglo, préside « leur » parti,
la Renaissance du Bénin, avec deux de leurs fils, Lahady
et Ganiou, respectivement secrétaire exécutif et chargé des
élections, et avec son frère, Désiré Vieyra, « premier conseiller spécial ». Exclu de la course présidentielle pour avoir
atteint la limite d'âge de soixante-dix ans, Nicéphore Soglo,
ancien cadre de la Banque mondiale et naguère héraut de la
« bonne gouvernance », reste président d'honneur de la
Renaissance du Bénin et a été élu maire de Cotonou, la plus
grande ville du pays. Son premier adjoint y est Lehady Soglo,
qui apparaît de plus en plus comme le dauphin désigné de
son père. À quand les dynasties ? La question ne se pose pas
seulement dans l'ancien royaume du Dahomey. À côté, au
Togo, le général-président Gnassingbè Eyadema, grand ordon-
nateur de sa réélection, en juin 2003, pour prolonger un règne
de trente-six ans, a placé l'un de ses fils, Fauré, dans la pole
position du président de l'Assemblée nationale. En cas de
vacance du pouvoir, la relève constitutionnelle sera ainsi
assurée...

En France, où une fille du président, chargée de son
« image », a succédé à l'Élysée à un fils du prédécesseur,
Jean-Christophe Mitterrand, surnommé « papa-m'a-dit » du
temps où il était conseiller de son père pour l'Afrique, on
serait mal venu pour dauber sur la familiarité du pouvoir au
sud du Sahara, à un moment où les épouses de plusieurs

ministres – Nicolas Sarkozy, Luc Ferry – occupent des fonctions dans les antichambres de leurs maris. Au moins, cette
République des parents, bien que sous-développée par rapport
au « modèle » africain, pourrait-elle aider à mieux comprendre le tribalisme dans sa banalité : quand on est sur la corde
raide d'un mandat public, à qui faire confiance sinon à ses
proches, de la même famille ou tribu, surtout quand celle-ci
partage avec le titulaire sa langue maternelle et l'affectivité
de l'univers socioculturel dans lequel il a grandi ? Ce qui est
fréquemment le cas en Afrique, cette tour de Babel où ce
n'est pas Pentecôte tous les jours, où doivent « cohabiter »
une soixantaine d'ethnies en Côte d'Ivoire, plus de deux cents
au Nigeria, près de trois cent cinquante au Congo-Kinshasa...
Dans sa garde rapprochée ou à un autre poste exposé aux
tentations, notamment pour la gestion de *la* matière première
dont dépend le salut du pays, qui ne voudrait pas pouvoir
compter sur un « frère » ou une « sœur » ayant le sort lié au
sien ? Même si la vertu démocratique et la neutralité de l'État
le réprouvent, le recours aux *« parents »* est compréhensible.
D'ailleurs, dans n'importe quelle organisation internationale,
les ressortissants d'un même pays – ou les membres d'une
même communauté linguistique – se font la courte échelle,
à moins de se détester à titre individuel. Ils court-circuitent
l'organigramme par des liens de solidarité primordiaux, qui
peuvent aussi être ceux d'une foi religieuse partagée. Eu
égard à la primauté de la parenté en Afrique, est-il alors étonnant que des réseaux familiaux « doublent » une haute administration, au demeurant sans tradition de service public et
de loyauté au gouvernant du moment. Expliquer n'est pas
excuser...
    En Afrique, la tribu est le rocher sur lequel sont bâties
toutes les Églises et chapelles, aussi bien pour diaboliser que
pour racheter le continent. Seulement, qu'est-ce qu'une
tribu ou – son synonyme plus contemporain dans l'usage courant – une ethnie ? Une parenté élargie, réelle ou imaginaire,
le rattachement revendiqué par un groupe à un ancêtre connu
ou fictif. Qui n'a pas en tête l'une de ces cartes où, ignorant

les frontières « arbitraires » tracées à la règle – les États
« artificiels » légués par le colonialisme –, des ensembles
humains remontant au matin du monde s'inscrivent tout naturellement : des Dogon du Mali aux Zulu sud-africains, en
passant par les Haussa de la bande sahélo-soudanaise et les
Masaï de l'Afrique de l'Est ? La voici, la « vraie » Afrique,
traditionnelle ! Un continent d'éternels mystères et de rites
secrets, une terre de solidarité lignagère, d'hospitalité envers
l'étranger, de cruauté aussi, comme c'est nécessaire pour la
survie dans un univers où la pitié n'existe pas, où la nature
est force... Qui n'a pas été nourri à cette Afrique-là, une
« mosaïque de tribus » sur laquelle tout glisse sans s'infiltrer
en profondeur, le christianisme, l'islam, le socialisme, le
capitalisme, le développement, même si la modernité a fini
par « polluer » le terreau africain ? L'ennui, c'est que cette
Afrique n'existe pas, du moins pas dans l'atemporelle
immuabilité dans laquelle la baigne notre imaginaire. Le continent se (ré)invente tous les jours, se bricole un présent via-
ble, de son passé maîtrisé et de son avenir incertain. Sa foi
est syncrétique, et disparate sa marque de fabrique. Il fait du
neuf avec du vieux et de l'identité à partir de l'altérité –
comme le reste de la planète. Mais les méprises y sont plus
nombreuses, parce que, davantage que partout ailleurs, les
« découvertes » y sont des apports, vite assimilés par les Africains pour donner le change aux explorateurs trop pressés.
C'est ainsi que la tribu est devenue la quintessence historique
du continent, son « inchangé dans le temps », à commencer
pour ses propres habitants. Or, la tribu est *moderne*, voire un
signe de modernité. La preuve : il s'en crée tous les jours !

Comment naît une tribu ? Une réponse exemplaire à cette
question a été apportée par le chercheur Jean-Pierre Dozon
dans une étude consacrée aux Bété ivoiriens et publiée, en
1985, dans un ouvrage devenu depuis une référence, *Au cœur
de l'ethnie*, édité (et réédité en 1999) sous la direction de
Jean-Loup Amselle et d'Elikia M'Bokolo. La permanence de
la « société traditionnelle » et de ses tribus consubstantielles
y subit un rude coup argumenté. D'abord, pour ce qui est du

nom de l'ethnie – entendue au sens de « groupe de tribus
se reconnaissant un ancêtre commun » – qui vit sur environ
15 000 km dans le centre-ouest de la Côte d'Ivoire. Ayant
mis en garde que « l'ethnonyme est sujet à caution », Jean-
Pierre Dozon rapporte une explication, selon laquelle bété
proviendrait d'une « expression courante *bete o bete* signifiant littéralement "paix" ou "pardon"*, maintes fois utilisée
par les populations locales durant la phase de pacification
intensive » pour désigner « un geste de conciliation ou de
soumission ». Le professeur Bernard Zadi, lui-même bété et,
sans doute, le meilleur connaisseur de l'intérieur de cette aire
culturelle, précise que, frappées par les Neo de l'embouchure
de la Sassandra, qui servirent d'auxiliaires aux premiers Français remontant le fleuve au début du XXᵉ siècle, les gens
criaient *« bete o !* [doucement] ! », pour calmer les ardeurs
répressives dont ils furent victimes. Il cite également cette
autre version explicative : premiers arrivés sur la côte, où ils
se heurtèrent à la farouche résistance des populations sur le
front de mer, les Anglais, pénétrant eux aussi sur la Sassandra
à l'intérieur du pays, auraient trouvé les Bété bien plus hospitaliers, *« better* [meilleurs] » que les autres. *Si no e vero e
bene trovato...* On peut en retenir que les Bété doivent leur
nom aux envahisseurs, qui les ont identifiés selon des critères
pour le moins arbitraires. Leur autodésignation antérieure à
la colonisation est d'ailleurs – étonnamment vite... – tombée
dans l'oubli, même si une vague réminiscence suggère que
l'ancien ethnonyme eût signifié « les noirs de la terre » – pas
vraiment une façon de se distinguer en Côte d'Ivoire ! Bref,
le Bété d'aujourd'hui ne sait pas comment il s'appelait avant
d'avoir été nommé par l'Européen, comme chair à chicote ou
comme « meilleur » hôte. Il ne connaît pas non plus son ter-
roir ancestral, en fait délimité par le réseau routier créé par
le colonisateur, le triangle formé par les villes de Daloua,
Soubré et Gagnoa, reliées entre elles. Ensuite, le parler des
« Bété de Gagnoa » est assez différent de celui du reste du
« pays bété », auquel, d'un point de vue ethnolinguistique, on
aurait tout aussi bien pu intégrer, entre autres tribus voisines,

les Neo, si ceux-ci n'avaient pas servi de supplétifs aux Français pendant la pacification de la région, entre 1907 et 1912. Après leur vaillante mais vaine résistance, fuyant les nouvelles plantations d'hévéa et de cacao, le travail forcé et l'enrôlement coercitif pendant les deux guerres mondiales, nombre de jeunes Bété émigrent dans les villes côtières, à Grand-Lahoue, Bassam ou Bingerville, plus tard à Abidjan. Là-bas, dans une société coloniale en avance sur l'ouest reclus, ils font l'objet d'un stéréotype qu'ils finissent par revendiquer : leur « tempérament turbulent » de fortes têtes. Enracinant leur particularité, les Bété citadins, regroupés dans des associations culturelles, entretiennent leurs liens avec leurs villages d'origine, s'y rendant fréquemment, investissant leurs gains « chez eux », où ils se retirent souvent pour leurs vieux jours. Ainsi se tisse une identité d'autant plus forte que les terres fertiles de l'ouest attireront, outre une main-d'œuvre étrangère, immigrant du Sahel, de plus en plus de ressortissants d'autres régions de la Côte d'Ivoire, des « allogènes ». Parmi eux, les Baoulé, l'ethnie de Félix Houphouët-Boigny, posent un problème particulier, dès lors que leur leader dame le pion à d'autres chefs de file, dont Dignan Bailly, originaire de Gagnoa, comme « père de l'indépendance » puis premier président de la Côte d'Ivoire. Les Bété se sentiront « colonisés » par les Baoulé, bien mieux représentés qu'eux dans les sphères du nouveau pouvoir, ainsi que par les Dioula du nord, alliés politiques des Baoulé et « cousins » des Sahéliens toujours plus envahissants. Dans ce contexte, se développe, chez les Bété, une forte thématique d'« autochtonie » et de revanche historique à prendre sur leur marginalisation et leur aliénation foncière par des « allogènes » et des étrangers. En 1970, une tentative sécessionniste de trois cantons, réprimée dans le sang pour avoir visé à ériger le pays bété en « République d'Éburnie », achève de forger l'identité d'une ethnie qui est une *« création coloniale »* – l'intitulé de l'étude de Jean-Pierre Dozon – confortée par l'histoire indépendante. L'accession au pouvoir de Laurent Gbagbo en octobre 2002, dans des circonstances que le nouveau président a lui-même

jugées « calamiteuses », ajoutera un chapitre supplémentaire
à « l'ethnogenèse » retracée ici à grands traits. Bété et opposant, ce qui était un quasi-pléonasme du vivant de Félix Houphouët-Boigny, Laurent Gbagbo engage le destin des
« siens », d'autant que son régime s'est rétracté sur le socle
de la solidarité ethnique depuis qu'il doit faire face aux « as-
saillants » venus du nord. L'historien qu'il est, auteur d'une
ethnographie – *Sur les traces des Bété* – publiée en juillet 2002, deux mois avant l'insurrection armée, sait-il qu'il
construit sur un sable mouvant ?

En réaction à la « bibliothèque coloniale » qui a immorta-
lisé « l'Afrique tribale », des anthropologues de l'après-indé-
pendance sont parfois allés jusqu'à présenter la trame ethnique du continent – et son expression politique qu'est
l'ethnicité – comme une « invention », sinon une « conspiration » du colonisateur, cherchant à diviser pour mieux régner.
Cependant, comme l'atteste l'exemple bété, il ne s'agit pas
de création *ex nihilo*, mais de la « formation » d'une ethnie à
laquelle l'étranger dictant sa loi au continent a, en l'occurrence, puissamment contribué. Dans le centre-ouest ivoirien,
les sociétés lignagères partageant des traits socioculturels et
linguistiques susceptibles de permettre l'émergence d'ensembles, au-delà des villages liés entre eux par des alliances
matrimoniales ou territoriales, existaient. Toutefois, leur
structuration politique actuelle relève du hasard et de la
nécessité dans l'interaction avec l'extérieur. L'ethnicité est
une « langue » dont la syntaxe se réinvente chaque jour, à
l'usage. Temps d'une interaction forte parce que forcée,
l'époque coloniale a été propice à l'ethnogenèse, mais elle
n'en détient nullement le monopole. Pour s'en convaincre, il
suffit de constater le « réveil ethnique » de la Centrafrique au
cours des deux dernières décennies du XXᵉ siècle. Largement
« détribalisée » au début des années quatre-vingt, au point où
nul ne s'intéressait à l'appartenance ethnique de l'autre dans
un pays unifié par une « vraie » langue nationale, le *sango*
(en fait, une « invention » des baptistes américains qui, dans
les années vingt, ont synthétisé le sabir le long du fleuve

Oubangui), la Centrafrique ne s'est souvenue du « langage » ethnique qu'au moment où il fallut donner sens à la monopolisation du pouvoir et de ses prébendes par l'entourage du général-président André Kolingba. Une fois celui-ci défait dans les urnes par Ange-Félix Patassé, le nouveau président a exacerbé la revanche des « gens de la savane » sur les « gens du fleuve » dans le contexte d'une époustouflante paupérisation du pays. De la sorte, le registre ethnique est devenu la partition à suivre pour comprendre l'actualité et, pour finir, l'actualité elle-même. Pendant « la danse à couteaux tirés autour du gâteau national », qu'a dénoncée Jean-Paul Ngoupandé, les Centrafricains ne se sont plus demandé pourquoi l'enjeu de leur ronde rétrécissait comme peau de chagrin mais, plutôt, comment diminuer le nombre des ayants droit à son partage. Redécouverte à cette fin, l'ethnicité leur a fourni le mode d'emploi à un jeu de massacre politique.

C'est, à plus forte raison, le cas tragique des Hutu et des Tutsi. Leur ethnogenèse est à ce point controversée parmi les spécialistes de l'Afrique des Grands Lacs que rien de sûr ne peut en être dit, notamment au sujet de l'éventuelle migration des Tutsi à partir de l'actuelle Éthiopie ou du caractère – social ou ethnique – de l'antagonisme entre Hutu et Tutsi. Que les clichés raciaux européens de la fin du XIXᵉ siècle, exportés au « pays des mille collines », aient été *a minima* un facteur aggravant semble cependant incontestable. Mais cet imaginaire n'a pas été une fatale prophétie autoréalisatrice, dans la mesure où les Rwandais ont dû s'y reconnaître et se l'approprier pour « naturaliser » leurs différences, de quelque origine – mythique ? – ou nature – identifiable ? – qu'elles soient réellement. On aurait tort de penser que les consciences obtuses de « bons sauvages » fussent dépravées, à leur insu, par le venin raciste européen. En atteste le *Manifeste des Hutu* de 1957, véritable cri de ralliement pour la « révolution sociale », accompagnée de tueries anti-Tutsi, deux ans plus tard, à la veille de l'indépendance. « En quoi consiste le problème racial indigène ? D'aucuns se sont demandé s'il s'agit là d'un conflit social ou d'un conflit racial. Nous pensons que c'est de la littérature... Le problème est avant tout un problème de monopole politique dont dispose une race, les Tutsi ; monopole politique qui, vu les sélections *de facto* dans l'enseignement, parvient à être un monopole culturel, au grand désespoir des Hutu qui se voient condamnés à rester d'éternels manœuvres subalternes, et pis encore, après une indépendance éventuelle qu'ils auront aidé à conquérir sans savoir ce qu'ils font. » Un demi-siècle plus tard, après tant de massacres et le génocide de 1994, le poids des morts est tel qu'il paraît indécent de vouloir « expliquer » un clivage qui a fait largement plus de un million de victimes en deux générations (soit un sixième de la population d'avant 1994), qui a transformé le fossé entre les deux communautés en fosse commune. Jean Hatzfeld, qui a pris ce parti agnostique pour mieux accomplir son remarquable travail sur l'holocauste africain, rapporte dans son dernier livre ce propos de Jean-Baptiste Murangira, Hutu marié à une Tutsi, sur la haine ordinaire : « Ils se plaisaient à multiplier des sornettes sans vraisemblance pour creuser une mince ligne de discorde entre les deux ethnies. L'important était de garder un écart entre les deux en toute occasion, dans l'attente d'une aggravation. » Ignace Rukiramacumu ajoute : « Les parcelles fécondaient de la haine sous les récoltes, parce qu'elles n'étaient pas en largeur suffisante pour deux ethnies. » Cependant, pour Alphonse Hitiyaremye, la pauvreté, l'envie et la jalousie n'expliquent pas tout : « Je ne crois pas que nos cœurs détestaient les Tutsi. Mais il était inévitable de le penser, puisque la décision était prise par les encadreurs de tous les tuer. Pour tuer sans vacillation autant d'humains, il fallait détester sans indécision. La haine était le seul sentiment autorisé au sujet des Tutsi. Les tueries étaient une entreprise trop manœuvrée pour nous poser d'autres questions sentimentales. » Car la haine ethnique est une passion de proximité attisée par des « encadreurs » qui en tirent profit. Si elle élargit quelques parcelles, ce sont les leurs.

Les peuples heureux n'ont-ils pas de tribus ? « Pour le bien de la Nation, la tribu doit mourir », était l'un des slogans phare du Frelimo, quand ce mouvement de libération prit le pouvoir au Mozambique. Curieuse opposition entre un bien explicite et un mal sous-entendu : car, comment s'appelle, notamment dans l'Occident civilisé, cette entité mystique que nul ne saurait définir, mais qui est palpable, viscéralement présente dès qu'il y a un drapeau, un chef d'État à la télévision, un 4 ou un 14 juillet, quand il y a une guerre, des morts frais ou des anciens combattants à honorer, un panthéon à visiter, un *mundial* à vivre dans la ferveur ? Le mépris des tribus semble d'autant plus fort que la « Nation » est grande... Mais à l'instar de n'importe quelle tribu emplumée, de quoi vit une nation sinon du plébiscite quotidien de ses membres qui se reconnaissent en elle, dans ses symboles ; qui se querellent entre eux parce qu'une mosquée dans un village ou un foulard islamique à l'école, « ce n'est pas français », comme il est *« unamerican »* de méconnaître Walt Disney, de bouder Halloween ou de ne pas aimer le base-ball. Chacun défend son « identité collective présumée » qui lui fait chaud au cœur, même si c'est un « artefact politique » facile à manipuler. C'est en ces termes que Max Weber a caractérisé la tribu. Pour le sociologue allemand, l'homme est un animal pris dans la toile des significations qu'il a lui-même tissées. Quoi de plus vrai pour les Bété, mais aussi pour les Français ou les Américains ? À chacun son rêve, le « réenchantement du passé » (Achille Mbembé) étant apparemment un besoin universel. Et il ne servirait à rien de prouver, ni aux uns ni aux autres, que leur conscience est « fausse », qu'elle ne correspond pas à la réalité, puisqu'il ne s'agit pas de connaissances, falsifiables, mais de certitudes subjectives. Autant vouloir convaincre, un thermomètre à la main, quelqu'un qui grelotte qu'il n'a pas froid. De même, il ne sert à rien de savoir que la différence entre Hutu et Tutsi, même s'il en existait réellement une, ne saurait jamais justifier les centaines de milliers de leurs parents qui sont morts parce qu'ils y ont cru, ou supposé que « les autres » y croyaient et qu'ils ont préféré les tuer les premiers, par peur d'être tués eux-mêmes. Le (res)sentiment ethnique, de même que le (res)sentiment national, est un *fait de conscience* qui ne se réfute pas, et qui est même vrai tant que les membres de la communauté y croient fermement. Pour preuve, tous ces morts, pas seulement dans l'Afrique des Grands Lacs... Pour le meilleur et pour le pire, chacun est libre de se persuader, ou de se laisser persuader par les « encadreurs » que sont ses dirigeants politiques, qu'il *est* bété, français, américain, hutu, tutsi ou métis. Ce dernier, au piège de l'illusion identitaire, écope même d'une double peine : parce que tout le monde lui confirme, à vue d'œil, qu'il est métis. Or, cela ne veut rien dire, sauf qu'il a la peau plus pigmentée que les autres « sang-mêlé » que nous sommes. Mais ce n'est pas ainsi qu'on l'entend. Ni pour les métis ni pour les Noirs, qui deviennent des « nègres » quand ils se prennent – ou quand on les prend – pour des êtres à part, authentiquement et irréductiblement différents.

La tribu ou l'ethnie sont à la nation ce que les sectes sont à l'Église ou les dialectes à la langue officielle : l'*alter ego* en manque de reconnaissance. On pourrait également dire que la nation est une vieille tribu qui a su s'imposer, sur le temps et sur ses rivales, mortes en chemin. Quoi qu'il en soit, le besoin d'appartenir à une communauté – politique, religieuse ou autre – semble irrépressible en l'homme. Or, toute communauté définit l'appartenance par l'exclusion et, de ce fait, en procurant une appréciable sécurité morale à ses membres, « ouvre largement la porte à la persécution » (Wolfgang Sofsky), dès lors qu'elle cherche à forcer la nature, qui est diversité, ou à « naturaliser » la culture – politique, religieuse ou autre – qui tend vers l'homogénéité. Un peuple, un territoire, une seule nation ou ethnie – voilà le cri de guerre du nationalisme ou de l'ethnicité exacerbée. De là à l'épuration, le basculement n'est jamais loin. Mais ce n'est pas parce que la digue peut rompre qu'il faut condamner la retenue identitaire que sont les nations et les ethnies. La Vieille Europe a appris à faire de la politique, pacifiquement, avec l'État-nation. Si, en Afrique, les ethnies étaient reconnues comme des réceptacles identitaires légitimes, aussi légitimes – et non pas vrais ou faux – que les sentiments d'appartenance qui les font

vivre, voire se multiplier, serait-ce inconcevable que des
« États-nations » encadrent des communautés souvent très
différentes les unes des autres, au seul nom d'une citoyenneté
à partager ? C'est d'autant plus urgent que le tribalisme et
l'ethnicité ne sont justement pas les « vieux démons de l'Afrique », des reliques de son primitivisme, mais les signes sous
lesquels le continent naît à la modernité et ses élites s'essaient
à la démocratie. Pour l'instant, comme des apprentis sorciers.

# 8

# L'APOCALYPSE AU PLURIEL

La perception des réalités religieuses varie selon l'échelle de grandeur. Sur la carte du monde, qui est à nouveau très étudiée depuis les attentats du 11 septembre 2001, s'oppose une Afrique musulmane au nord, en progression depuis la rive méditerranéenne, à une Afrique chrétienne au sud, centrée sur le bassin du Congo. La « ligne de front » entre ces deux grandes fois révélées suit de façon sinueuse le 16ᵉ parallèle, du Sénégal – islamisé à partir du XIᵉ siècle, aujourd'hui à 95 % – jusqu'au Soudan où la majorité musulmane (70 %) est depuis vingt ans en guerre avec la minorité chrétienne ou « animiste ». Sur une carte du seul continent, cette opposition schématique s'efface au profit d'une Afrique religieusement pluraliste, l'islam et le christianisme s'y imbriquant dans nombre de pays, sur fond d'un « animisme » toujours très présent au sud du Sahara, représentant entre 10 et 40 % de la population. Mais ces chiffres ne sont que des indicateurs de tendance, dans la mesure où le terme conçu par l'ethnologue britannique Edward Burnett Tylor (1832-1917), pour englober l'ensemble des religions « traditionnelles » de l'Afrique – « animisme », du latin *animus*, l'esprit –, désigne plutôt le bouillon de culture dans lequel baignent toutes les croyances venues d'ailleurs. Que celles-ci soient aussi nombreuses que diverses, on le constate si, pour finir, on consulte des cartes pays par pays. Du côté chrétien, entre le catholicisme le

plus orthodoxe, les Églises autochtones (longtemps appelées
« éthiopiennes », en référence au seul pays du continent à
n'avoir pas été colonisé) et la myriade des chapelles protes-
tantes, 1 526 selon un comptage effectué en 1998, l'offre religieuse est foisonnante. Elle l'est également du côté de l'islam, si l'on tient compte des différents rites, des diverses
confréries et multiples « sectes ». Ainsi, au Nigeria, de loin
le pays le plus peuplé au sud du Sahara avec 126 millions
d'habitants recensés en 2002, les *mahdis* – les envoyés « guidés » par Allah – sont nombreux à délivrer des messages
divins, notamment dans la moitié nord à prédominance
musulmane, la plupart du temps sans troubler l'ordre public.
Cependant, il y a des exceptions. Par exemple, un maître
d'école coranique, Muhammadu Marwa, proclama au début
des années quatre-vingt une « République islamique » à
Kano, expliquant aux jeunes migrants de l'exode rural qu'il
avait rassemblés autour de lui que « quiconque porte une
montre, roule à bicyclette ou en voiture, ou envoie ses enfants
dans une école d'État, est un infidèle et mérite châtiment ».
Pour réduire son fief, l'armée et même l'aviation nigérianes
durent intervenir, leur assaut se soldant par quelque 4 000
morts. L'épisode rappelle la place centrale qu'occupe l'acte
guerrier dans l'islam qui considère comme légitime, voire
glorieux, d'imposer la foi par les armes (même si le *djihad*,
la « guerre sainte », est aussi ascèse et discipline, lutte contre
soi-même). Au pays de l'islam *(dâr al-islam)*, habité par la
communauté des croyants, s'oppose le pays de la guerre *(dâr
al-harb)* des « infidèles »... Cette confrontation avec le lourd
imaginaire qu'elle charrie depuis l'expansion initiale de l'islam « par le sabre », puis les croisades pour délivrer la
« Terre sainte », a été brutalement réveillée par les attentats
du 11 septembre. Leur instigateur, Oussama Ben Laden, a
vécu pendant cinq ans au Soudan, de 1991 à 1996. Parmi les
vingt-deux terroristes les plus recherchés après le foudroie-
ment du *World Trade Center*, figuraient douze Africains,
dont trois étaient originaires du sud du Sahara. Depuis, l'actualité de l'Afrique noire est « lue » avec une loupe grossis-

sante : sans adaptation d'échelle, le local est surinterprété à la lumière d'une « vision globale ». Cela fait oublier que l'islam est un formidable filet de sécurité spirituel, un ordre structurant, une éthique et une esthétique de vie, un transformateur de superstitions en mystique et, loin d'être le moindre de ses mérites, une académie de l'universel pour 300 millions d'Africains – soit 40 % des habitants du continent, davantage de fils et de filles d'Allah que comptent tous les pays arabes réunis. Marc Augé a raison de compter l'islam parmi les « nouveaux mondes qui expriment à la fois la singularité qui les constitue et l'universalité qui les relativise ».

Que *L'Islam noir* (Vincent Monteil) recèle des menaces, nul ne peut le nier, même si la part du fantasme est tout aussi réelle. La quête de la *zakaat*, l'aumône prescrite par le Coran, grossit les rangs de l'Organisation de la conférence islamique (OCI) et réduit des États d'Afrique noire à la mendicité auprès de « frères arabes » tels que le colonel Kadhafi ou la famille régnante de l'Arabie saoudite wahhabite. En Centrafrique, un « ministère chargé des relations avec le monde arabe », simple guichet sans administration, fut même créé en 1999 (mais que sont les ministères de la Coopération dans tous les pays du continent, sinon les guichets de la charité chrétienne ?). Avec ou sans bailleurs de fonds religieux, prenant appui sur des ressentiments anti-occidentaux latents, des fondamentalismes musulmans progressent partout au sud du Sahara, comme l'a relevé Christian Coulon dans son introduction à l'annuaire 2002 du Centre d'étude d'Afrique noire (CEAN) consacré aux *Islams d'Afrique*. Le pluriel s'impose d'autant plus qu'un nouveau syncrétisme naît des allers-retours des travailleurs migrants, et de leurs enfants, entre les « quartiers sensibles » des villes européennes et les villages africains parmi les plus reculés. Modernisation islamiste, d'un côté, et réinvention de « racines », de l'autre, sont la chaîne et la trame de ce tissu identitaire inédit. Dans plusieurs pays sahéliens, l'appel à la « moralisation » de la vie publique, extraordinairement populaire auprès de la masse des démunis qui sont les principales victimes des abus et de la corruption, débouche sur la revendication d'un État islamique, arbitre d'un mode de vie qui ne saurait se concevoir que dans son intégrité – dans tous les sens du terme. Le vecteur préféré de ce ressourcement est la loi coranique, la *charia*, appliquée comme code pénal dans toute sa rigueur originelle. Depuis 2000, dans le nord de la fédération nigériane, une douzaine d'États ont conféré force de loi à la *charia*, sous la pression de la rue. Des mains de voleurs récidivistes ont été coupées, mais, surtout, des condamnations à mort de femmes accusées d'adultère – un « crime » établi dès lors qu'une femme, mariée ou même divorcée depuis moins de trois ans, porte un enfant dont son époux n'est pas le géniteur... – ont été prononcées. En septembre 2003, aucune de ces sentences capitales n'avait encore été exécutée, et ne devait normalement l'être, puisque le recours aux instances d'appel fédérales, qui ne reconnaissent pas la *charia*, est ouvert aux condamnées, à qui des associations locales d'avocats prodiguent l'assistance nécessaire pour faire valoir leurs droits. L'État fédéral, qui a maintes fois réaffirmé le principe de laïcité inscrit dans la Constitution, est néanmoins pris entre le marteau d'une opinion internationale outragée par des « châtiments barbares d'un autre âge » et l'enclume de sa propre opinion publique qui l'accuse de complicité avec le crime et « l'ordre injuste », rejetant les appels de l'étranger comme une « ingérence », d'autant moins tolérable que le silence occidental couvre les – fréquentes – exécutions en Arabie saoudite. Or, le Nigeria, lui-même gros producteur de pétrole, récuse sans complexe cette indignation à géométrie variable. Quant à son gouvernement, il cherche à se faire réélire (avec le moins de fraude nécessaire) et tient donc compte d'une sensibilité vive dans le nord au nom de la démocratie que l'Occident, donneur de leçons pris à son propre jeu, lui demande de respecter...

« Tout ce qui monte converge », disait Senghor. Les ressorts de la nouvelle religiosité en Afrique, qui s'affirme depuis la chute du mur de Berlin, sont les mêmes des deux côtés de la ligne de partage entre l'islam et le christianisme qui obsède tant la « vision globale » de l'après-11 septembre. Ce qui a frappé dans les attentats contre les *Twin Towers* à New York, c'est d'abord la vertigineuse liberté prise par les pilotes du fanatisme avec la vie, la leur et celle de leurs victimes ; et, ensuite, le degré d'instruction des terroristes, de leur intégration dans différents pays d'accueil occidentaux, le fait qu'ils partageaient un savoir et un mode de vie uniquement pour mieux les retourner comme armes contre leurs hôtes. Aussi, leur liberté s'enracine-t-elle davantage dans le désarroi que dans la misère, parce qu'elle appartient en propre aux rescapés de la pauvreté qui, mentalement, ne parviennent pas à franchir le *limes* (la frontière de civilisation) qui sépare les « nouveaux barbares » (Jean-Christophe Rufin) de l'Occident. Celui-ci est reparti en « croisade », et pas seulement le temps d'un lapsus de George W. Bush. En Afrique, terre annexe de cet affrontement religieux comme elle fut, pendant la guerre froide, un champ de bataille secondaire pour la lutte entre le capitalisme et le communisme, le *revival* chrétien – principalement américain – est à l'œuvre. Après la chute du mur de Berlin, grâce à la liberté du culte retrouvée, il s'est singulièrement intensifié. Depuis le 11 septembre 2001, il est devenu de plus en plus agressif, à mesure que se sont précisés les contours de son ennemi islamiste. Or, si le « clash » entre le messianisme chrétien et le millénarisme musulman devait avoir lieu à l'échelle planétaire, on n'aurait plus à se demander de quoi mourra l'Afrique qui abandonnerait ses ancêtres fatigués pour les dieux guerriers du monde... Et l'on se souviendrait de la mise en garde du philosophe allemand Ernst Bloch. « Le monde de la foi n'annonce que les premières lueurs de l'apocalypse, a-t-il prévenu, et c'est dans l'apocalypse même qu'il trouve son ultime mesure, l'irruption de cette liberté qui appartient aux enfants de Dieu. » Cette liberté, entrevue le 11 septembre, naît également, tous les jours, parmi les chrétiens d'Afrique. Seulement, elle grandit dans l'angle mort de la « vision » occidentale, trop accaparée par la « dangereuse radicalisation de l'islam ».

Non loin de l'aéroport international de Bangui, dans le

quartier Galabadja, un modeste périmètre délimité par une palissade en pans de tôle neuve, aveuglante dans le soleil, abrite la « nouvelle Jérusalem ». Ainsi s'appelle l'unique paroisse en Centrafrique du « christianisme céleste ». Au visiteur s'avançant dans un sas de bâches en plastique, un diacre demande de se déchausser pour ne pas « profaner la cour sainte » où a été érigée une petite chapelle en pisé. L'entrée est subdivisée en trois couloirs à respecter, à gauche et à droite pour les hommes et les femmes, au milieu pour les « devanciers ». C'est le nom générique des hommes d'église engagés dans la voie tracée par Oshoffa Bilihou, fondateur, en 1947, du christianisme céleste. De père béninois et de mère nigériane, ce premier « pasteur », mort en 1985, a laissé une Église – une secte, au sens propre et non péjoratif du mot, dans la double filiation étymologique de *sequor*, « suivre » un maître, et de *secare*, « se couper » du monde – rayonnant non seulement sur l'ouest du Nigeria et l'est du Bénin, son foyer originel, mais sur pratiquement toute l'Afrique subsaharienne – sauf l'hémisphère austral –, et nombre de pays d'émigration, dont la France. « Chaque être est une étincelle qui vient de Dieu », explique Jules Feikerei, le responsable de la paroisse. « Nous sommes partout, nous n'avons plus de nationalité. » Comme pour attester ses paroles, des « frères » camerounais et tchadiens, de passage à Bangui, se trouvent à ses côtés, sous l'auvent de la chapelle. Ils sont de rangs supérieurs au sien, dans une hiérarchie – littéralement : le « gouvernement du sacré » – d'une complexité à rivaliser avec la curie romaine ou un ordre des plus ésotériques. Il y a là Célestin Yaommoh, « senior évangéliste » et, à ce titre, séparé seulement de trois échelons du « pasteur », la tête unique d'un clergé dont les – nombreux – pieds sont les « dehoto », les « plantons » ; également camerounais, Benjamin Sagal-Bimaï est « assistant évangéliste », subalterne de deux grades, comme l'est à son égard le Tchadien Guy Kuidche, « senior leader ». Les femmes portent des noms différents, des « dehoto mamans » aux « supérieures mamans », et ne peuvent accéder ni à l'autel, ni à la prédication, ni aux

trois degrés d'initiation qui distinguent les agents d'évangéli-
sation, les « leaders », des prophètes, appelés « *olis* », et des
sages, les « *alabas* ». Le converti devient « simple fidèle »,
après « quelques briefings » et le baptême par immersion
totale, le seul valable. Il doit renoncer à l'alcool, au tabac, à
la viande de porc, à « l'abomination », en général, et à l'adultère, en particulier. Sur ce dernier point, une vive querelle
s'engage entre les quatre prêtres sous l'auvent. Il en ressort,
dans une confusion propice au schisme, que la polygamie leur
est permise « pour le moment », et qu'elle est pratiquée avec
ferveur, mais qu'une « récente révélation » faite dans son
sommeil à l'actuel « pasteur » à Porto Novo, Benoît Agba-
hossi, enjoint au « bon berger » de n'avoir qu'une seule
épouse. Ce qui s'avère d'autant plus contraignant que Dieu
impose à son serviteur le « sabbat sexuel », du jeudi matin au
dimanche soir. S'il veut être en état de guérir des malades, il
lui est même proscrit de « toucher sa femme plus de deux
fois par mois, maximum ». Or, la capacité de guérir est le
signe le plus évident de la sanctification d'un « devancier »,
et une source de prestige et de revenus pour l'église. À « l'hôpital de Dieu », fréquenté avec assiduité par ceux qui déser-
tent le CHU de Bangui en se lamentant, faute de soins appropriés ou abordables, « *mbi koui* » [je suis mort], on ne se
moque pas de la charité. L'obole des « miraculés » est un
apport appréciable pour un clergé qui, par ailleurs, vit de la
délivrance des certificats de baptême, pour l'équivalent de
3 euros, de ses « droits d'onction » et d'une dîme – 10 % des
revenus de ses fidèles – dont le recouvrement semble poser
quelques problèmes, à en juger le nombre des écriteaux alen-
tour renvoyant à « *Malachi* 3, 8 à 12 ». La bonne ouaille
connaît le passage par cœur : « Apportez à la maison du trésor
toutes les dîmes, afin qu'il y ait de la nourriture dans ma
maison, et j'ouvrirai les écluses des cieux pour vous. » Certains hésitent à s'engager dans ce marché à terme... « Les
guérisons, reconnaît Jules Feikerei, c'est ça qui fait le plein
d'église. »
    Du monde, il y en a cependant eu, même sans guérison,

à la Pâque 2003. Ce dimanche 20 avril, un mois après la
« libération » de la Centrafrique par une force rebelle, le tout
nouveau président, le général François Bozizé, est venu assister à la messe, au premier rang, juste en face de la bannière
du christianisme céleste, les lettres J, H et S superposées –
pour « Jésus, Homme, Sauveur » – tapissant le fond de la
salle, derrière le lutrin. La présence du chef de l'État, qui
s'était également rendu dans une mosquée et à la cathédrale
de Bangui, où il avait même communié (avant de se faire
vitupérer, en privé, pour ce « sacrilège », par le maître des
lieux, Mgr Mathos), ne constitue pas en soi un événement.
Lui-même « devancier » du christianisme céleste, le général
Bozizé est chez lui dans ce temple où l'on se prosterne, pieds
nus sur des nattes de prière, le front plaqué au sol et en direction de l'est, « là où se lève le soleil » ; où la ségrégation des
hommes et des femmes est « un gage de pureté » ; où la croix
chrétienne et l'eau bénite, distribuée en bouteilles en plastique pour être bue, jouxtent des chandeliers à sept branches et
des signes cabalistiques, combinatoires des chiffres 1, 3 et
7, pour « le Père, le Fils et le Saint-Esprit, plus les quatre
archanges » ; où les officiants portent des vêtements liturgi-
ques dont le symbolisme ferait la fierté d'une loge maçonni-
que, si le noir n'y était pas proscrit comme « la couleur du
malheur » et le rouge comme « la couleur des fétichistes »...
Contrairement à une rumeur persistante, le président n'a pas
lui-même prêché la bonne parole ce jour-là. À la sortie de la
messe, après plusieurs heures de discours extatique ponctué
par des « amen » ou « alléluia » collectifs, il a seulement
répondu aux questions de ses coreligionnaires devant les
caméras de la télévision nationale, qui devait abondamment
rediffuser la scène. Laquelle se trouve, du reste, immortalisée
par une photo accrochée à l'entrée de l'église dont le nouveau
chef de l'État est « le principal soutien, aussi matériel », selon
Jules Feikerei. Depuis la prise de pouvoir de François Bozizé,
les chrétiens célestes à Bangui sont sortis des catacombes et,
« déjà plus de deux mille » en mai 2003, gagnent tous les
jours de nouveaux adhérents.

La voie du salut a été longue et accidentée. Ayant fui son pays après une tentative de putsch en 1983, l'ancien chef d'état-major général de l'armée centrafricaine, « jusque-là bon catholique » selon Mgr Mathos, avait embrassé sa nouvelle foi dans son pays d'exil, le Bénin. Il avait même intégré le clergé en franchissant trois échelons de la hiérarchie céleste, pour devenir un « leader » voué à l'apostolat... Ce qui, dans l'immédiat, ne fut cependant pas un bon signe du ciel, puisque, ficelé comme un paquet, l'officier devait être livré aux autorités de Bangui. Légitimement, il craignait pour sa vie. Aussi, libéré, et même pour finir rétabli dans son rang, a-t-il implanté l'unique paroisse du christianisme céleste en Centrafrique. Celle-ci a été fermée, et ses adeptes ont été tenus en suspicion, quand François Bozizé est de nouveau entré en dissidence armée, en octobre 2001. Un premier assaut de la capitale, un an plus tard, a échoué faute de munitions, à 300 mètres de la résidence présidentielle. Ce n'est que le 15 mars 2003, avec l'aide de « frères d'armes » tchadiens, que « le Bien a triomphé sur le Mal ». C'est en tout cas ainsi que Jeannou Zallo, lui-même « leader » et l'un des sept chrétiens célestes enlevés, dans la nuit du 8 décembre 2002, par des militaires de l'ex-président Ange-Félix Patassé, résume l'événement. « Ils disaient que nous étions des complices de Bozizé, qu'ils allaient nous tuer si on ne leur révélait pas qui l'aidait en ville », se souvient Jeannou Zallo. Tabassé, « laissé pour mort » dans une forêt à la périphérie de la ville, il estime n'avoir survécu que « par miracle » à la terreur de l'ancien régime. « On était traqués, mais Dieu ne nous a jamais abandonnés. Il a assuré la victoire de notre frère Bozizé. » La pleine signification de cette « révélation » de la volonté divine transparaît dans la réfutation du jugement dernier à laquelle se livre Jules Feikerei : « Grâce à la prédestination, qui est le livre ouvert du destin que nous méritons, chacun peut connaître à tout moment sa position avec Dieu et le Satan. »

En Afrique, où les croyances n'ont jamais été réduites à la sphère privée, religion et politique ont le sort lié. L'une et l'autre sont des passions d'élites, les plus « évolués » – pour reprendre un terme colonial – ouvrant la voie au plus grand nombre qui, en « votant avec ses pieds », tranche entre les options proposées. Ce n'est donc pas la cosmogonie africaine dite traditionnelle qui, par la force de son inertie, déciderait du destin du continent, mais le chantier ouvert aux « entrepreneurs religieux » qu'est le spirituel dans sa métempsycose à travers le temps. L'histoire du Congo-Brazzaville en est une parfaite illustration comme l'avait déjà démontré, magistralement, Georges Balandier dans sa *Sociologie des Brazzavilles noires*, parue en 1955.

Dans la partie de l'actuel pays qui fut christianisée par des franciscains portugais dès le XVIᵉ siècle, l'ancien royaume Kongo – dont le souverain Nzinga Nkuwu prit alors le nom de João Iᵉʳ –, des prophètes autochtones de Jésus apparurent sur les brisées des missionnaires. Du temps de la colonisation française, dans l'entre-deux-guerres, des Églises messianiques fleurirent à Brazzaville. Bien qu'il ne se considérât pas lui-même comme un fondateur d'Église, André-Grenard Matswa, qui créa en 1926, à Paris, un mouvement égalitariste, l'« Amicale des originaires de l'Afrique équatoriale française », fut un *« ngounza »* – un possédé de l'Esprit – qui inspirait fortement ses concitoyens et, en particulier, les Lari, son ethnie. Leur héros étant décédé le 13 janvier 1942 dans une prison coloniale, sans avoir été inhumé dans les formes, les « matswanistes » attendaient son retour sur terre avec tant d'ardeur que certains d'entre eux prirent le général de Gaulle, à la conférence de Brazzaville en 1944, pour sa réincarnation, d'autant plus aisément que leur croix et la croix de Lorraine avaient en commun la double barre horizontale. Déçus, la domination étrangère n'ayant toujours pas pris fin, ils refusèrent ensuite toute collaboration avec l'administration coloniale. À chaque consultation électorale, ils votèrent « pour les os » en boudant les urnes... Et c'est seulement en 1956, quand l'un des leurs, l'abbé Fulbert Youlou, ranima l'espoir du second avènement de l'illustre disparu, que les Lari plébiscitèrent « l'héritier ». Avant de s'en mordre les doigts et d'entrer en résistance – belle illustration des limites du tribalisme ! – contre un régime aussi fantasque qu'autoritaire qui, jusqu'à sa chute en 1963, les prit pour cible de sa répression. S'ensuivit la longue période « marxiste » du Congo, vingt-huit années pendant lesquelles la liberté de culte était restreinte à sept Églises agréées officiellement, le marxisme faisant office de succédané de religion. En 1991, quand le régime à parti unique céda aux assauts de la contestation, une « Conférence nationale souveraine » (CNS) fut convoquée pour organiser la relève institutionnelle. Elle fut présidée par un évêque catholique, Mgr Kombo, qui fit distribuer une bible à chacun de ses mille cent membres, avant de convier les « honorables » au nettoyage des tombes et à des cérémonies d'offrandes aux ancêtres. Soucieux de contenir la violence de l'épreuve cathartique, le prélat décida de clore les débats houleux de la CNS, en s'inspirant de rituels kongo pour le pardon mutuel, par une séance de lavement des mains à laquelle participa l'ex-dictateur Denis Sassou Nguessou. Si les deux guerres civiles subséquentes, de 1993-1994 et de 1997, scellèrent l'échec du religieux dans sa tentative d'assurer une transition pacifique, la liberté de la foi ne fut, elle, plus remise en question. Plusieurs centaines de nouvelles « Églises du Réveil » furent fondées en ces années difficiles, durant lesquelles, selon un sociologue local, Dongala Kodi, « tout Congolais, ayant l'habitude de vendre sur un étal la mangue ou la banane tombée sur sa parcelle, se mit à prophétiser, à commercialiser ses propres rêves, ses fantasmes ou ses paranoïas ». Pour sa part, le « Moïse » de l'opposition antimarxiste pendant près de trente ans, Bernard Kolelas, brada l'attente messianique des Lari d'être enfin conduits en terre promise. Après la chute de la dictature, il s'allia successivement à tous les protagonistes, dont le général Denis Sassou Nguesso, l'ancien « Satan » militaro-marxiste, s'attirant les foudres d'un hebdomadaire local, *Le Choc*, qui titra sa manchette, le 23 octobre 1992 : « Quand Moïse et Satan prient dans le même bordel »... Défait en 1997, Bernard Kolelas a fui à l'étranger où il vit, depuis, en exil. En pays lari, le

« révérend pasteur » Ntoumi, de son vrai nom Frédéric
Bitsangou, a organisé la résistance désespérée de ses miliciens, les « Ninjas », des combattants en culottes courtes,
badigeonnés de cendre, la bible ou une palme tressée dans
une main, le fusil dans l'autre. Astreints à de nombreux interdits, dont celui de ne boire que de l'eau vive et de ne point
guerroyer le mercredi, ils pratiquaient la gifle de saint Michel,
du plat d'un coupe-coupe chauffé à blanc. Pour eux, Ntoumi
était « l'Envoyé ». Au terme d'une lutte inégale et coûteuse
en vies civiles avec l'armée de Denis Sassou Nguessou,
revenu au pouvoir à la faveur de la seconde guerre civile,
Ntoumi et ses « Ninjas » ont négocié au printemps 2003 une
reddition honorable. La lecture de certains de leurs pam-
phlets, très virulents, fait penser au « prêche aux princes »
d'un autre « pasteur du Réveil », Thomas Münzer, qui, dans
l'Allemagne protestante du xvi$^e$ siècle, assura la jonction
révolutionnaire entre anabaptistes et paysans insurgés.

En Afrique, le « réveil » religieux de l'après-guerre froide
est-il simplement dû à la levée des restrictions autoritaires
qui pesaient sur l'offre spirituelle, à la fin des « régimes à
Église unique », à une « décompression » comparable à la
démocratisation politique ? C'est le cas dans certains pays,
où la chape de plomb pesait aussi sur la vie religieuse. Or,
par exemple dans l'ex-Zaïre, juste en face du Congo-Brazzaville où seules les grandes Églises (catholique, protestante,
kimbanguiste) étaient autorisées, quelque mille trois cents
nouveaux cultes ont fleuri, entre 1960 et 1980, bien avant la
chute du mur de Berlin. C'est que le maréchal Mobutu avait
tôt compris que liturgie veut dire « service public ». Lorsque
l'État n'assure plus ni la sécurité, ni la santé, ni l'éducation
pour l'écrasante majorité de la population, le spirituel dans
toutes ses formes d'organisation devient « un refuge, un lieu
de gestion de l'infortune », comme l'explique l'historien congolais Abel Kouvouama. La guérison miraculeuse est un service de santé, surtout quand des petits miracles se produisent
tous les jours dans les centres thérapeutiques paroissiaux ; les
écoles confessionnelles suppléent l'enseignement public ; la

solidarité entre « frères et sœurs en Dieu » permet de se serrer les coudes, d'organiser des rondes nocturnes dans les quartiers les moins sûrs, de se constituer en justice pour combattre l'arbitraire ou de se faire la courte échelle dans le labyrinthe administratif et sur un marché du travail exigu, où les associations religieuses font office de lobbies. Car les nouveaux fidèles et autres convertis sont, en règle générale, des cadres tombés du carrosse de l'État (« déflatés ») ou sans perspective d'emploi adéquat (« diplômés-chômeurs »), plus largement toutes les victimes d'une « modernité insécurisée » (Pierre-Joseph Laurent). Les plus dynamiques d'entre eux – les « entrepreneurs » – s'investissent directement dans les champs religieux, souvent grâce au principe protestant du « sacerdoce universel » qui ouvre le domaine clérical réservé aux appelés de Dieu. Bien sûr, parmi ceux qui se découvrent ainsi une vocation ou se prétendent bénéficiaires d'une révélation, les charlatans sont légion. À Kinshasa, leur capitale, on les appelle les « prédicateurs-brigands ». Depuis que la crise a vidé les entrepôts et hangars industriels le long de la grande rocade de cette métropole de six millions d'habitants, ils célèbrent dans ces temples-tonnelles leurs *« live shows »*, à l'instar du plus célèbre d'entre eux, le pasteur Fernando Kutino, fondateur de l'Église de la Victoire. Ancien trafiquant d'armes du temps de Mobutu, l'homme de synthèse qui s'est autoproclamé *« archibishop »* et possède, outre des limousines à rallonge et un jet privé, sa propre station de radiotélévision, Message de vie, se donne en spectacle au *« Miracle Center »*. Il y paie de sa personne pendant des heures de prédication « inspirée », se roulant sur l'estrade en proie à des convulsions médiumniques, ravissant un public qui ne lésine alors pas sur le *mabonza*, la version locale du denier du culte, quitte à y laisser un bijou de famille, une paire de lunettes ou de chaussures... Sont-ils tous dupes ? En avril 2001, une femme fortunée, prise à partie par ses coreligionnaires transis de vertu en raison de son concubinage notoire avec un homme marié, a fait venir, séance tenante, tous ses biens, chargés sur un camion. Ayant déversé la cargaison aux pieds de son gourou et d'une assistance entrant en transe, elle a précisé que ses trois enfants issus de l'union pécheresse faisaient partie du lot, qui était « à prendre ou à laisser ». La dame est repartie avec sa progéniture et ses biens.

Il ne faut pas confondre cependant prolifération de cultes et « réveil » spirituel. De par leur message bien particulier, les Églises qui se sont multipliées depuis la fin de la guerre froide constituent un désaveu non seulement pour l'État africain défaillant, mais aussi pour les grandes Églises établies et... le mythe du développement. Si, par exemple dans l'ex-Zaïre, le principal bastion subsaharien du Vatican avec quelque vingt-cinq millions de catholiques, la moralité du clergé ne laissait pas tant à désirer, si les fonds de l'Église n'étaient pas si souvent détournés, si des religieuses n'y subissaient pas « des abus sexuels jusqu'au crime de l'avortement, afin de cacher le très grave péché », si les prêtres n'y avaient pas fréquemment « une ou plusieurs concubines, qui ont des enfants et de nombreux enfants dans les cas extrêmes », les temples-tonnelles de la prédication seraient peut-être moins courus. Ce constat a été dressé, le 18 novembre 1999, devant l'épiscopat congolais, par le nonce apostolique, Mgr Lozano, qui venait alors d'arriver à Kinshasa. Un an plus tard, le représentant du pape a adressé une note verbale aux ambassades occidentales, les priant « d'appliquer, si possible, des critères restrictifs en matière d'octroi de visa au clergé congolais ». Le mobile de cette surprenante requête : l'évasion des prêtres, au point que « pas mal de diocèses ont un tiers de leur clergé à l'étranger ». Or, si Rome est devenue le centre commercial pour les apôtres africains de Jésus, comment espérer que le commun des fidèles continue à croire à sa rédemption à la sueur de son front ? À quoi bon travailler, quand il n'y a pas d'emploi ? À quoi bon investir dans l'éducation des enfants, quand les « années blanches » se succèdent et, au bout du compte, qu'il n'y a pas d'embauches ? À quoi bon faire des économies pour un avenir meilleur, quand, au jour le jour, la vie ne vous épargne rien ? À toutes ces questions qui relèvent de « l'économie des désirs inassouvis »

(Achille Mbembé), le sésame ouvre-toi promis par l'Occident
– le développement – n'apporte plus de réponse. En revanche,
les nouvelles religions, loin de n'être qu'une solution par
défaut sur un continent où tout s'écroule, offrent de vraies
alternatives – proprement révolutionnaires – pour d'autres
conduites de vie, selon d'autres critères et priorités. Le converti vit une nouvelle foi : pour lui, tout change, de la tenue
vestimentaire au régime alimentaire en passant par des liens
sociaux soudés par l'indépassable pouvoir d'une transcen-
dance. C'est une refonte identitaire, parfois une résurrection.
C'est souvent aussi une revanche : celle de l'ouaille sur le
berger, à qui est ravi le monopole de la bonne parole, de
l'exégèse biblique qui tombe dans le domaine public ; celle
de l'intellectuel injustement « brimé », exclu de l'élite qui se
partage les prébendes ; celle d'une individualité naissante
face à un collectif gardien de la « tradition africaine », qui
rackette ses membres en échange d'une protection minimale,
qui bride leurs initiatives pour mieux asseoir son contrôle sur
le groupe dans son ensemble. Le trait commun le plus saillant
des « Églises du Réveil » est leur promesse d'un « blindage »
contre les sortilèges tant redoutés du monde ancestral. Seule
une foi pure, neuve et ardente permet de résister, avec l'aide
d'un Dieu tout-puissant, aux pressions de la tribu, de la
famille, des aînés, de la nombreuse parentèle qui s'invite à la
table d'hôte... Pourquoi faut-il dépenser tant pour le mort, lui
acheter un cercueil richement décoré, entretenir pendant de
longues veillées des centaines de personnes, payer les pleu-
reuses, louer des véhicules pour le cortège funèbre et le matériel vidéo pour enregistrer des funérailles baroques, quand on
n'a pas de quoi régler son loyer, se vêtir et se nourrir, pour
envoyer les enfants à l'école ? C'est la crainte de l'Afrique
de nuit, de son « registre de l'invisible » et de sa vengeance
qui dicte cette conduite, comme tant d'autres. L'Africain
panique à l'idée d'être « fétiché » à tout moment. Le discours
de la rupture ne peut alors être tenu que collectivement, par
une communauté fondée sur une cohésion plus forte que la
consanguinité. Ce discours – sectaire – rejette le parasitisme

de la « tribu », au profit de la famille nucléaire ; récuse le principe de séniorité, pour faire de la place au mérite et aux jeunes ; fustige la polygamie et le « vagabondage sexuel » en prenant le parti du couple ; refuse les excès des rites mortuaires en plaidant la cause des vivants.

Ce « réveil » met l'Afrique à la même heure que le reste du monde. C'était déjà vrai, auparavant, du fait que tous les spiritismes, des plus institutionnalisés aux plus extravagants, avaient depuis longtemps élu domicile sur le continent. La secte japonaise de Tenrikyo, la Rose-Croix, Moon, le mouvement raëlien, la Fraternité blanche universelle du Roumain Mikhaïl Aïvahon (OMRAN), l'Armée du salut, le martinisme de Pappus ou l'ordre du Temple solaire sont des enseignes familières au sud du Sahara. Pour des Africains épris de généalogie, les différences entre Mennonites, Amishs et Quakers – tous anabaptistes – ou entre Mormons et Témoins de Jéhovah – deux mouvements adventistes – ne recèlent pas plus de secrets que le camaïeu tribal dont les nuances les moins signifiantes (l'exemple des Hutu et des Tutsi l'atteste peuvent trancher entre la vie et la mort. Mais, au sens où Jean-Loup Amselle croit l'universalité des cultures fondée sur des « branchements », cette offre spirituelle mondialisée ne « branchait » pas le continent sur le reste de la planète, tant que les Africains ne s'y engageaient pas corps et âme en masse, ce qui ne fut le cas qu'à partir de la fin des années quatre-vingt, quand seules des voix extraterrestres parlaient encore aux Africains abandonnés qui n'étaient prêts ni à prendre les armes ni à mourir en silence. C'est cette « majorité morale », piégée entre massacreurs et massacrés, qui a cherché les moyens de faire la révolution, non pas dans la rue, mais dans son for intérieur, pour « se refaire » en puisant à toutes les sources qui lui était encore accessibles. Aussi, de nouveau, pour des raisons utilitaires et matérielles, des réseaux se sont alors constitués, en interne (comme la Ligue congolaise des associations messianiques et ésotériques, LICAME) ou en externe, sur un mode succursaliste ou par marcottage (l'Église du christianisme céleste compte ainsi sept paroisses à Saint-Denis, au nord de Paris). Pour de multiples raisons, tant pratiques que théologiques, le protestantisme américain a réussi à capter mieux que d'autres cultes cette nouvelle religiosité africaine : à cause du grand nombre de ses chapelles, d'un prosélytisme plus agressif, du prestige et des moyens de l'Amérique, du relais que pouvait y assurer la communauté afro-américaine. Au demeurant, les États-Unis, sanctuaire religieux de l'Occident (seulement 1 % des Américains se déclarent athées), fournissent à l'Afrique l'exemple d'un pays d'une très grande diversité ethnique, uni par sa foi en Dieu. Bref, au sud du Sahara sans doute davantage qu'au nord de la Méditerranée, on est en phase avec le « *Deep South* » américain, avec « l'empire du Mal » de Ronald Reagan, le « travail de Dieu » de Bush père, « l'axe du Mal » de Bush fils ou, au besoin, avec la « *Christian Coalition* » des pentecôtistes dont est proche, par exemple, Donald Rumsfeld.

L'Afrique n'a pas abandonné ses dieux. Aux « Églises du Réveil » s'opposent, dans une variété qui n'a d'égale que celle des terroirs du continent, des Églises appelées, faute de mieux, « néotraditionnelles » et qui sont, souvent, d'un chauvinisme difficile à surpasser. Au Congo-Brazzaville, elles se signalent par l'épithète « *Kongo dia ntotila* [du Congo de la terre des ancêtres] ». Ces antres du repli identitaire recueillent le vieux fond du « nativisme » et d'une « africanité » raciale, dont se repaît la « négrologie ». Mais ces cultes du sang et de la terre natale, à l'instar des Églises « branchées » sur le reste du monde, créent du lien parce qu'elles « font » symbole. Or, comme le relève Régis Debray dans son livre *Le Feu sacré*, le symbole (ce qui réunit) a pour ombre portée le « *dia-bole* » [ce qui sépare], puisque « tout acte d'intégration est discrimination ». Une communauté – politique, ethnique, religieuse – s'identifie nécessairement par opposition, par la négation de qui n'en fait pas partie, en délimitant un dedans du dehors. Un parti politique trouve et retrouve son unité par rapport à d'autres partis, la parenté élargie au-delà de la famille « fait » tribu face à d'autres tri-

bus, au risque de dérives qui ont pour nom sectarisme et tribalisme. En Afrique, continent de dictatures et de persécutions
tribales, on en connaît les dangers. Mais la dérive d'une religion est, potentiellement, plus « *dia-bolique* » encore dans la
mesure où la foi s'ancre dans l'absolu, fonde sa vérité sur
l'apocalypse, le mot grec pour « révélation ».

Candidat *a priori* improbable à la tuerie fratricide, la Côte
d'Ivoire qui, de mutineries en coups d'État, a plongé dans la
guerre civile en fournit l'illustration. La crise y est née d'une
guerre de succession politique, de problèmes d'immigration
et d'identité nationale, d'un conflit sur le foncier rural, de la
crise financière de l'État patrimonial, du « réenchantement »
des consciences ethniques. Dans la longue durée, elle peut
aussi être interprétée comme une revanche historique que le
nord sahélien chercherait à prendre sur le sud plus fertile,
porte d'entrée de la colonisation et pôle de développement.
Sans oblitérer ces lectures, mais en s'articulant avec elles,
une dimension religieuse s'ajoute. Elle porte sur l'avènement
au pouvoir d'un président chrétien converti, Laurent Gbagbo.
Opposant socialiste pendant trente ans, rien ne semblait pré-
destiner ce professeur d'histoire à faire le « plongeon » – le
« *baptisma* » évangélique – dans les eaux lustrales du pentecôtisme. Tout juste savait-on que, catholique, il avait changé
de confession pour pouvoir divorcer et épouser, en 1970, une
femme également mariée avec des enfants, Simone Ehivet,
professeur de linguistique et militante de gauche de la première heure. Mais Laurent Gbagbo n'était connu ni pour sa
dévotion ni, *a fortiori*, pour son prosélytisme. Comme d'autres hommes politiques ivoiriens, il fréquentait les « prophètes pasteurs » du littoral, nombreux et influents. L'un d'eux,
« Papa Nouveau », de son vrai nom Dagri Najva, mêlé de
près à la politique depuis l'époque de Félix Houphouët-Boigny, a prédit à Laurent Gbagbo un avenir présidentiel. C'était
en août 2001, un mois avant la mort du « dernier prophète de
la lagune » dans son village de Toukouzou Hozalem, littéralement « le lieu du génie de la Nouvelle Jérusalem ». Papa
Nouveau a également révélé « un message de Dieu qui

demande aux Ivoiriens de ne pas confier la direction de leur Côte d'Ivoire à une autre communauté ». Cette « apocalypse » a été d'emblée comprise par tous les Ivoiriens : l'autre communauté ne pouvait être que celle des musulmans, compatriotes du nord et immigrants sahéliens confondus, dont Alassane Ouattara était devenu la figure de proue politique. Du temps où l'ancien directeur général adjoint du FMI, né dans le nord de la Côte d'Ivoire mais élevé dans l'actuel Burkina Faso, était Premier ministre de Félix Houphouët-Boigny, il avait ajouté les fêtes religieuses musulmanes au calendrier officiel des jours chômés et payés, où figuraient déjà les grandes dates chrétiennes. Il avait aussi créé, en 1993, le Conseil national islamique (CNI), présidé depuis par l'imam Idriss Koudouss. Ses adversaires avaient dénoncé une récupération politique de l'islam. La confrontation s'était aggravée quand le CNI avait pris position contre « l'ivoirité » promue par le président Henri Konan Bédié, qui empêchait son rival, Alassane Ouattara, de briguer un mandat électif au motif de sa « nationalité douteuse ». Le soupçon sur l'appartenance à la communauté nationale s'était vite porté sur tous les ressortissants du nord, les « grands boubous » – musulmans – ou « *Dioulas* », locuteurs de la langue véhiculaire du commerce. Se rendant compte du danger de les voir rallier en bloc le camp d'Alassane Ouattara, le président Bédié a chargé un richissime prédicateur musulman, Mustapha Diabi dit « Koweït » (le pays du Golfe d'où étaient censés provenir ses fonds), de couper l'herbe sous le pied du CNI. Ayant renversé Henri Konan Bédié le 24 décembre 1999, le général Robert Gueï a réitéré cette vaine tentative en nommant « conseiller spécial à la présidence chargé des affaires politiques et religieuses » Balla Keïta, un ami de Mustapha Diabi, lui-même originaire du nord, plusieurs fois ministre sous Félix Houphouët-Boigny. La boucle a été bouclée quand, à la veille de l'insurrection militaire du nord de la Côte d'Ivoire, déclenchée depuis le Burkina Faso en septembre 2002, Balla Keïta a été assassiné à Ouagadougou où il avait trouvé refuge après la chute du général Gueï, un an plus tôt.

Que s'est-il passé à Abidjan ? Le 22 octobre 2001, les premiers résultats de l'élection présidentielle que le général Gueï organise après avoir éliminé tous ses concurrents de poids, sauf Laurent Gbagbo, déplaisent à ce point au président en uniforme qu'il fait obstruction au dépouillement du scrutin et tente un hold-up électoral. Après deux jours de flottement, il se proclame élu. Le lendemain, c'est la « révolution d'octobre » : à l'appel de Laurent Gbagbo, la mégapole côtière – trois millions et demi d'habitants – se soulève et marche sur le palais de la République. La garde présidentielle ouvre le feu, mais, au prix d'une soixantaine de morts, le général Gueï est délogé et se réfugie dans la lagune... chez Papa Nouveau. À Abidjan, les événements se précipitent. Quand, le 26 octobre au soir, Laurent Gbagbo prête serment comme chef de l'État, de nouveaux cadavres jonchent les rues. Les partisans d'Alassane Ouattara ont marché à leur tour pour exiger la reprise des élections, « sans exclusive ». Laurent Gbagbo les a fait mater par la gendarmerie, le corps de l'armée qui lui est acquis. Il se considère comme l'élu du peuple, quitte à démocratiser le martyre. Ce péché originel non seulement stigmatise son régime, qui ne sera reconnu par la communauté internationale qu'en raison du parrainage insistant de la France, mais il isole aussi le président qui, se sachant mal-aimé, voire objet de complots, se « bunkerise », ne faisant confiance qu'à ses parents et, de plus en plus, à des prédicateurs pentecôtistes. Les échos de longues séances de prières à la présidence – « pasteurisée » selon la *vox populi* – parviennent à l'extérieur. Tout le monde remarque le tableau du pécheur contrit, effondré sous le poids de sa déréliction, qui domine le bureau du chef de l'État. Le nom de son « gourou » se chuchote en ville. Laurent Gbagbo dément que le pasteur Moïse Koré soit son « Raspoutine ». Or, après la sanglante tentative de coup d'État du 19 septembre 2002 et la rébellion du nord qui divise le pays, c'est bien son maître de conscience qui lui sert de *missi dominici*, y compris pour négocier des achats d'armements à l'étranger. Et dans une interview publiée, le 13 septembre 2003, dans *Notre Voie*, le quotidien du parti présidentiel, Moïse Koré ne laisse guère subsister d'ambiguïté au sujet de sa mission divine auprès du président du « peuple de Dieu en Côte d'Ivoire ». Il y déclare : « La responsabilité qui m'a été confiée par l'Éternel est de veiller sur la bonne santé spirituelle du chef de l'État. En tant que son pasteur, il est ma brebis. Et je lui indique comment il doit marcher, selon ce que Dieu m'a enseigné, c'est tout. » Le président ivoirien, sa sœur cadette et son épouse, très radicale dans sa volonté de bâtir le royaume de Dieu sur terre, ont adhéré à l'Église évangélique Foursquare, d'origine américaine mais implantée dans de nombreux pays de l'Afrique de l'Ouest. Un personnage d'un charisme météorique, Kacou Séverin, était le « prophète des nations » et le leader de Foursquare en Côte d'Ivoire, jusqu'à sa mort dans un accident de voiture, à trente-sept ans, le vendredi 13 avril 2001, un vendredi saint... L'une de ses prédictions, la résurrection du pays après l'avènement d'un « premier président chrétien », est devenue l'article de foi du pentecôtisme national qui inspire la présidence ivoirienne. Pour cette mouvance, « chrétien » signifie fatalement « converti » *(born again)* et la Seconde République fondée par Laurent Gbagbo n'est pas l'État laïc prévu par la Constitution, mais une seconde conversion collective, le baptême de l'Esprit saint qui donne accès à la vérité révélée, le savoir apocalyptique. Dès lors, les épreuves politiques subissent une dramatisation christique, la guerre contre les rebelles a été menée comme une croisade contre Satan, le nord musulman insurgé doit être ramené, par ordre divin, dans la voie du Salut.

La dérive ivoirienne est exemplaire. L'élu du peuple est devenu l'élu de Dieu. Peut-il remettre son mandat en jeu ? Surtout si, demain, la religion devait polariser le monde, avec un saint empire *born again* face à l'islam ?

# 9

# L'ÉTHIQUE DES NAUFRAGEURS

On doit à l'Afrique au sud du Sahara un indice de la dépendance, une mesure de la minorité internationale qui mériterait d'être intégrée dans le classement annuel du PNUD du « développement humain » dans le monde : l'observation électorale. De quoi s'agit-il ? Dans des pays où la vérité des urnes menace d'être controversée, des étrangers supposés impartiaux et désintéressés sont pris à témoin pour prévenir ou arbitrer des querelles sur la régularité d'un scrutin. Première question : qui leur confie cette tâche ? *In fine*, les autorités du pays d'accueil, qui disposent du pouvoir d'accréditation. Cependant, leur refus de les faire venir équivaudrait, aux yeux de l'opinion publique nationale et internationale, à l'aveu d'une intention frauduleuse. Par conséquent, en fonction des rapports de forces entre le régime en place, son opposition et la « communauté des bailleurs de fonds », se négocie, la plupart du temps, un compromis accepté par tout le monde. Ainsi, dans des pays qui ont – à tort ou à raison – une haute opinion de leur solidité institutionnelle, les observateurs étrangers, dont la venue serait vécue comme une blessure de l'orgueil national, sont refusés. C'est le cas, par exemple, de l'Algérie. On imagine mal une délégation de députés et sénateurs français émettre un jugement sur la transparence des urnes au lendemain d'un scrutin présidentiel algérien. On notera aussi que, au Maroc, malgré la présence d'observateurs étrangers, le palais royal a dû lui-même promettre des « élections honnêtes » pour que le trucage des scrutins depuis l'indépendance devienne vérité officielle. Et il a fallu attendre la tenue des législatives de septembre 2002 pour que ces observateurs amicaux s'aperçoivent du fait qu'il s'agissait là de la première consultation, depuis quarante ans, à être organisée à la date constitutionnellement prévue... D'où cette deuxième question : les scrutateurs étrangers sont-ils inutiles ? Totalement pour la démocratie, mais pas pour tout le monde. En effet, et le pouvoir en place et l'opposition ont intérêt à faire venir « leurs » témoins pour accréditer « leur » vérité. Pour cette bonne cause, il s'est instauré tout un système de complaisance, une industrie du tourisme électoral. Ce n'est aucunement exagéré. Car, à la demande de gouvernements et d'opposants en mal de légitimité (ces derniers sont généralement moins solvables), il s'est créé en Afrique un – vaste – marché pour des ONG prêtes à observer ce qu'on leur dit de voir. Elles ne sont pas toutes africaines. Conseiller de plusieurs chefs d'État africains, dont le Congolais Denis Sassou Nguesso, le Français Michel Le Cornec, également président d'une ONG, l'Observatoire de la démocratie, a réussi le tour de passe-passe, lors de l'élection législative au Congo en mai 2002, de faire citer son avis – concluant au bon déroulement de l'exercice – comme témoignage indépendant dans une dépêche de l'Agence France-Presse (AFP). Plus méthodiquement, l'Organisation internationale de la francophonie est une machine huilée pour sanctifier des scrutins scandaleusement truqués – comme, par exemple, la réélection d'Idriss Déby au premier tour, avec 63 % des voix en juin 2001. Responsable de la division informatique au ministère tchadien de l'Intérieur, Abdoulaye Abakar Abdoul fut alors la cheville ouvrière d'une fraude grossière en amont du vote, lors du recensement des électeurs. Pour avoir boursouflé le corps électoral dans le nord, fief du président, et l'avoir amaigri dans le sud, majoritairement acquis à l'opposition, l'homme a été remercié par une « autorisation à fonctionner » que le ministère tchadien de l'Intérieur, son employeur, a délivré à son association, le 22 mars 2001, sous le « numéro de folio » 1118. La vocation de cette ONG, appelée Action pour le développement de la démocratie en Afrique (ADDA) était « la promotion d'élections libres et justes en Afrique, l'encouragement à la création d'organismes électoraux et la formation d'administrateurs électoraux indépendants et impartiaux. » Une vocation était née, une expérience à partager avec le reste du continent... Enfin, pour le dernier scrutin présidentiel au Togo, le 1er juin 2003, l'Élysée s'est donné la peine de trouver des parlementaires français aptes à crédibiliser le nouveau bail sollicité par le général-président Gnassingbè Eyadema, au pouvoir depuis trente-six ans. Lors de la précédente élection en 1998, le chef de l'État togolais avait ordonné à ses soldats d'encercler la Commission électorale nationale indépendante (CENI) et d'avorter le dépouillement des bulletins. Il s'était ensuite proclamé vainqueur au premier tour, avec 52 % des voix. Pour ne pas avoir besoin de recourir à nouveau à des moyens aussi extrêmes, il avait entre-temps supprimé la CENI, modifié en sa faveur le code électoral, de même que la Constitution. Il avait également éliminé de la course, faute de « quitus fiscal » et de résidence continue au pays pendant les douze mois précédant le scrutin, son principal opposant, Gilchrist Olympio. Le fils aîné du premier président du Togo, Sylvanus Olympio, que le sergent-chef Eyadema a tué à bout portant, le 13 janvier 1963, au cours du premier coup d'État militaire dans l'Afrique indépendante, ne vit pas au Togo où il a échappé, de justesse, à une tentative d'assassinat. C'est dans ce contexte parfaitement transparent que le conseiller pour l'Afrique à l'Élysée, Michel de Bonnecorse, a écrit une lettre, datée du 20 mai 2003, à l'eurodéputé des Verts et ancien président de l'association SOS Racisme, Fodé Sylla. « Nous souhaitons, compte tenu de la carence de la Commission de l'Union européenne, qu'un certain nombre d'élus français puissent participer à l'observation des élections présidentielles au Togo. Je vous remercie d'avoir accepté ma suggestion de vous joindre à ceux-ci. » Indéfectible ami du président Eyadema, Jacques Chirac avait raison de témoigner sa gratitude à Fodé Sylla, moins suspect que d'autres d'indulgence à l'égard de l'inamovible chef de l'État togolais. Fodé Sylla avait-il raison de se rendre à Lomé pour observer un scrutin couru d'avance ? Ce n'était en tout cas pas l'avis de la Gauche unitaire européenne, son groupe parlementaire, qui ne l'avait nullement mandaté. Quant à la « carence » de l'Union européenne, pointée par le « Monsieur Afrique » de l'Élysée, il s'agit du refus de la Commission européenne d'envoyer des observateurs, la présence de ceux-ci n'ayant pas été acceptée par les autorités de Lomé dès le mois d'avril, pour pouvoir juger des préparatifs du scrutin. Y aurait-il donc, troisième et dernière question, des observateurs fiables et vertueux ? Pour sûr, certains d'entre eux ne font pas ce que, dans les quartiers populaires d'Afrique francophone, on raille comme « le maquis hôtelier »  : venir à la veille d'une élection, rester sous le climatiseur dans la capitale et constater, le jour du scrutin, à la suite d'une tournée d'inspection dans quelques bureaux de vote, « la validité globale des opérations qui, malgré quelques manquements organisationnels, traduisent la libre expression de la volonté populaire ». Mais, pour être professionnels, même ces scrutateurs exceptionnels ne sont pas nécessairement fiables, au regard de leur indépendance de jugement. Ils tiennent en effet à rester inscrits sur les listes de la société privée à qui la Commission européenne sous-traite un travail lucratif, deux ou trois « missions » par an faisant vivre – plutôt bien – l'observateur électoral, une profession née de la démocratisation de l'Afrique. Que le règne de la majorité triomphe sur le continent, sans urnes transparentes et arbitres fournis par l'Occident, le jour où les Africains le voudraient sérieusement, quitte à monter sur les barricades et à jeter leurs bulletins dans des cartons à chaussures qu'ils se chargeraient eux-mêmes de surveiller, ne viendrait pas à l'esprit d'un gardien bien rémunéré de la « démocratie comme procédure », dont parle le politologue Zaki Laïdi en l'opposant à « la démocratie comme culture ». Or, avant même de tenir compte de la confusion entre formes et fond démocratiques, le bilan d'une décennie de procédures électorales est déprimant : certes, entre 1990 et 2000, quatorze chefs d'État ont quitté le pouvoir à la suite d'une défaite dans les urnes, contre un seul au cours des trente années précédentes ; cependant, à la fin 2002, encore vingt et un des cinquante-trois chefs d'État africains exerçaient leur fonction depuis plus de quinze ans, trois d'entre eux – outre le Togolais Eyadema, le Gabonais Omar Bongo et le Libyen Mouammar Kadhafi – étant au pouvoir depuis plus de trente ans. L'Afrique, avec le monde arabe, reste le *Jurassic Park* des « dinosaures ».

L'un d'eux est tombé en décembre 2002 : le Kenyan Daniel arap Moi, au terme d'un règne sans partage de vingt-quatre ans. Sa chute était inattendue, presque miraculeuse, bien qu'il eût annoncé qu'il ne briguerait pas un *nouveau mandat*, respectant ainsi la Constitution. Mais il avait également prévenu qu'il comptait préserver la réalité du pouvoir, à la tête de la Kanu *(Kenyan African National Union)*, le parti-État depuis quarante ans. « Même si je déclare que je vais me retirer, est-ce que je ne serai pas toujours le président de la Kanu ? Mon influence est encore intacte. Elle est partout », avait-il tenu à faire savoir. Aussi, à l'approche du scrutin du 27 décembre, les ambassades occidentales avaient-elles mis à jour les plans d'évacuation de leurs ressortissants, en prévision de violences (post-)électorales. Celles-ci paraissaient inévitables pour toute une kyrielle de raisons. Lors des deux précédents scrutins pluralistes, en 1992 et 1997, des tueries organisées par le pouvoir avaient eu lieu, la première fois dans la vallée du Rift, au nord, la seconde fois sur la côte de l'océan Indien, autour de Mombasa. Comment croire que le régime ne se préparait pas à une nouvelle vague d'intimidations, d'autant que la secte prophétique Mungiki, bien qu'officiellement interdite depuis neuf mois, enrôlait à tour de bras des jeunes dans des « milices d'autodéfense » et nimbait d'un halo millénariste les nettoyages ethniques comme « le désordre généralisé ou les tribulations qui précèdent le millenium » ? Le détournement de l'équivalent de 56 millions de dollars du trésor public, début décembre 2002, puis l'appari-

tion chez les adeptes Mungiki de Land Rover flambant neu-
ves, équipées de moyens sophistiqués de communication,
n'étaient pas propres à calmer ces inquiétudes. De manière
générale, quoi d'autre qu'un crépuscule violent pouvait-on
attendre d'un régime de plus en plus minoritaire, recentré sur
« l'ethnie du président », les Kalenjin, avec une nomenklatura
de quelque deux cent cinquante personnes qui « siphon-
naient » les fonds de l'État ? Insatiable, le clan présidentiel
avait volé, au début des années quatre-vingt-dix, lors du
grand casse précédant le rétablissement du multipartisme sous
la pression de la rue, 900 millions de dollars d'un seul coup
(soit, alors, un cinquième du PIB du pays). Ce scandale,
connu sous le nom de la société d'import-export Goldenberg
qui en était au cœur, avait mis fin à l'aide de la Banque
mondiale, du Fonds monétaire international et (la France
figurant parmi les notables exceptions) de la plupart des bailleurs de fonds. En 1996, acculé à la banqueroute, l'État
kenyan avait dû ajouter au gel d'embauche dans la fonction
publique le licenciement de cinquante mille de ses serviteurs.
Depuis, pour le moindre équipement public, des *harambees*
– collectes communautaires traditionnelles – étaient organisées et devenaient une nouvelle source d'enrichissement pour
les dirigeants les moins scrupuleux à tous les niveaux, du
maire au chef de l'État. Les cours du café s'étaient effondrés
et, le 28 novembre 2002, des attentats contre un hôtel et un
avion israéliens à Mombasa, attribués au réseau al-Qaïda, ne
pouvaient pas ne pas entraîner les pires conséquences pour
l'industrie touristique, la deuxième source de devises du pays,
quatre ans après l'attaque terroriste contre l'ambassade américaine à Nairobi. En un mot comme en cent : le Kenya était
un pays condamné. Un de plus sur le continent.

Or, le désastre annoncé a débouché sur une alternance au
pouvoir, sans violences. Une large majorité des Kenyans,
armés de leurs seuls bulletins de vote, a renversé un régime
vieux de quarante ans et renvoyé le « professeur en politique » Daniel arap Moi, définitivement à la retraite, sur sa
ferme de Kabarak. Le front commun de l'opposition, la Coa-

lition nationale arc-en-ciel, a remporté cent vingt-cinq des deux cent dix circonscriptions, ne laissant à l'ex-parti unique qu'un tiers des sièges au parlement. Le vote, aussi massif que la première consultation électorale – en 1963 – après l'accession à l'indépendance, a transcendé les barrières ethniques du pays. Bien que le chef de l'État sortant eût désigné comme son successeur le fils de son prédécesseur au pouvoir et premier président du Kenya indépendant, le prestigieux Jomo Kenyatta, l'ethnie de celui-ci, les Kikuyu, n'a pas plébiscité l'héritier : jeune et inexpérimenté, mais surtout imposé, Uhuru Kenyatta n'a obtenu que 30 % des suffrages dans la province centrale, le pays kikuyu, contre 69 % pour Mwai Kibaki, candidat septuagénaire de l'opposition. Plus embarrassant encore, le vote « ethnique » – en fait, clientéliste – a eu lieu dans la vallée du Rift, parmi les Kalenjin de Daniel arap Moi qui savaient bien que le maintien de leurs privilèges passait par la victoire du successeur choisi par « leur » président : aussi ont-ils apporté au « dauphin » du dictateur la moitié des voix qu'il a récoltées – 1,7 million – dans tout le pays. À l'annonce des résultats, qui donnaient Mwai Kibaki vainqueur avec 62 %, ni l'armée ni la police n'a pris la défense du pouvoir désavoué par les *wananchi*, le mot swahili pour « citoyens ». La volonté populaire d'en finir était telle que nul n'osait faire obstacle au changement, d'autant moins que la masse des partisans de l'ancien régime s'était, elle aussi, mise à croire au slogan mobilisateur de l'opposition : « *yawezekana bila Moi* » [tout est possible sans Moi]. Bref, à en croire la plupart des commentateurs, le « miracle démocratique » s'était accompli. Comme souvent quand il s'agit de la démocratie en Afrique, on passait d'un extrême à l'autre.

Que s'était-il réellement passé ? Par quel retour de fortune les sombres prédictions ont-elles été démenties ? Avec le bénéfice du recul, les analystes ont mis en exergue la tentative suicidaire de Daniel arap Moi d'imposer une relève générationnelle – le passage de ses pairs en âge à ses petits-fils – à la tête de la Kanu. En limogeant, neuf mois avant les élections, la vieille garde de son parti pour faire place à la « génération dot.com », il s'était aliéné des poids lourds de la politique kenyane qui, en ralliant l'opposition, avaient conféré à celle-ci la masse critique pour l'emporter. Ils ont aussi noté que l'État qu'ils avaient cru « effondré » assurait encore, malgré « la rentabilité décroissante de l'autoritarisme », une respectable ponction fiscale, 22 % du PIB. Cependant, ils ont surtout trouvé, après coup, quelques vertus à l'ancien régime et à son président, ce « pasteur kalenjin jusqu'au bout des ongles » (John Lonsdale). Certes, Daniel arap Moi mangeait la laine sur le dos de ses compatriotes, mais il ne les avait pas conduits à l'abattoir, contrairement aux dirigeants de plusieurs pays voisins – la Somalie, l'Ouganda, le Rwanda, le Burundi – victimes de sanglantes guerres civiles. Au Kenya, l'essentiel restait donc à préserver, à la fois pour les dirigeants politiques et pour les – importantes – classes moyennes. L'État avait échoué sur les bas-fonds d'un clientélisme d'apparence tribale (une apparence doublement trompeuse, les Kalenjin étant une ethnie « inventée » par le colonisateur britannique), mais le bénéfice de sa remise à flot paraissait toujours supérieur au festin unique des naufrageurs. C'est sur cette base que s'est conclu le compromis historique pour la « IIIe République kenyane » entre opposants de longue date et dissidents de la 25e heure au sein de la Kanu. La Coalition nationale arc-en-ciel, sous le lyrisme de son appellation, réunit des prébendiers et contestataires de l'ancien régime, des bourreaux et victimes de la torture qui s'étaient connus dans le sous-sol du *Nyayo House*... Face au désastre programmé par Daniel arap Moi, ils se sont engagés, comme partenaires, dans une négociation permettant de « diviser cette marchandise qu'est le "pouvoir" selon des règles qui dissuadent les concurrents d'aller trop loin et de mettre l'État en danger ». Le résumé est de John Lonsdale, professeur à Cambridge et l'un des meilleurs connaisseurs du Kenya. Ce qu'il appelle « un remaniement dans les coteries et factions de la haute politique » résistera-t-il à l'essai de durée qu'est le redressement d'un pays ? Ce pacte, avec clause de sauvetage, permettra-t-il de désamorcer des inégalités sociales qui sont telles que la masse des « sans-terre » ou « sans-logis » peut être tentée par une razzia sur l'économie ou – jolie litote pour la révolution – par une « redéfinition populaire du politique » ? Les réponses à ces questions appartiennent aux Kenyans. Que leur victoire au fond des urnes en décembre 2002 ait été démocratique ne fait pas l'ombre d'un doute. De là à professer que la démocratie est advenue au Kenya, il y a un pas qu'il serait imprudent de franchir. Mais il y a une leçon à retenir pour échapper au double péril de l'« afro-optimisme » et de l'« afro-pessimisme » : la démocratie n'existe qu'à travers ses (é)preuves.

Si c'est vrai, en Afrique comme ailleurs, il faut aussitôt rappeler une évidence chassée du champ de la « bonne » conscience, une pensée suspectée de racisme : sauf concours de circonstances exceptionnelles et donc, fatalement précaires, la démocratie n'a pas actuellement de base sur le continent noir. Prétendre le contraire reviendrait à soutenir que la démocratie n'est pas une *culture liée à une histoire et à des conditions*, mais un kit institutionnel dont, mode d'emploi à la main, n'importe quelle société peut *disposer*, s'il le faut sur commande. Et, précisément, le « vent du changement qui a secoué les cocotiers » (Jacques Pelletier) après la chute du mur de Berlin soufflait du nord. Ce fut l'appel d'air du retrait de l'Occident, son cadeau d'adieu aux anciens « pays amis » sur l'honorabilité desquels il n'avait pas été très regardant pendant la guerre froide. Certes, privée du « loyer » géopolitique qui lui avait été versé auparavant, l'Afrique s'est démocratisée sous la *double* pression, à la fois extérieure et intérieure. Mais cette dernière n'était-elle pas elle-même le résultat, outre de l'incapacité des partis uniques, de la faillite financière de l'État africain... due au désengagement de la « coopération » occidentale ? Dans les rues de Cotonou, de Lomé, d'Abidjan, de Brazzaville, de Kinshasa et d'autres anciennes capitales de la sollicitude néocoloniale de la France (dont l'évanescence exposait l'Afrique francophone d'autant plus aux remous de la démocratisation que ce « pré carré » avait été auparavant préservé de contestations violentes), la foule des manifestants conspuait davantage le « voleur » au pouvoir que le dictateur. Ceux des « dinosaures » qui, comme Omar Bongo grâce au pétrole, avaient les moyens de racheter le mécontentement occupent toujours leur fauteuil présidentiel. Ce n'est pas faire injure aux démocrates africains, qui existent – et qui existaient déjà bien avant la chute du mur de Berlin, le 9 novembre 1989. Mais ils n'ont trouvé une large audience parmi les enfants gâtés de l'assistanat subventionné par la guerre froide qu'à la fin de celle-ci, quand le nerf de la paix sociale venait à manquer. Il n'y eut alors guère de jacqueries ou de révoltes en brousse ; l'Afrique la plus pauvre – par exemple sahélienne – a moins « bougé » que l'Afrique nantie (sauf au Mali, l'un des rares pays dont les habitants étaient prêts à payer de leur sang leur libération, au lieu d'implorer la France d'« enlever » le satrape qu'elle avait, réellement ou prétendument, mis au pouvoir). Dans certains États choyés puis abandonnés pendant la guerre froide, comme le Liberia ou la Somalie, les naufrageurs de l'État ont exercé leur droit d'épave, l'arme à la main ; dans d'autres, comme le Bénin, le Congo-Brazzaville ou le Gabon, des « compromis » ont été négociés à la faveur d'une Conférence nationale souveraine ou de la formation d'un gouvernement de transition nationale, souvent sans être respectés par la suite ; enfin, par exemple en Côte d'Ivoire ou dans l'ex-Zaïre riches et corrompus, le pillage des acquis s'est étiré sur de longues années, alternant des phases de négociations et de violences, de la mutinerie et du massacre « occasionnel » à la guerre civile *et* régionale. Il y a eu – peu – d'alternances démocratiques, dont certaines marquaient le retour d'ex-nouveaux présidents, et – beaucoup – de restaurations autoritaires, après des phases de vacillements. Globalement, à commencer par le « *new breed of African leaders* », la nouvelle graine des chefs d'État sortis du maquis et – un peu vite – promus meilleurs élèves de la « bonne gouvernance », les opposants devenus présidents ont déçu : l'Ougandais Yoweri Museveni dirige un régime de parti unique en voie de fossilisation, l'Érythréen Issayas Afeworki est un dictateur sûr de son bon droit au point d'avoir guerroyé contre son frère ennemi, l'Éthiopien Meles Zenawi, pour quelques arpents de caillasse ; pour un Mali béni d'Alpha Oumar Konaré, puis d'Amadou Toumani Touré, pour quelques élus en demi-teinte tels John Kufuor (Ghana), Abdoulaye Wade (Sénégal) ou Olusegun Obasanjo (Nigeria), combien de Pascal Lissouba (Congo), Frederik Chiluba (Zambie) et Ange-Félix Patassé (Centrafrique) ? On plaidera, non sans raison, l'apprentissage difficile de la chose publique, la lente émergence d'une classe dirigeante. Cependant, comment s'aveugler sur le fait que, à ce jour, le multipartisme se résume à la démultiplication scissipare de partis uniques sous la férule de « chefaillons », sans démocratie interne ; que la presse « libre » est une presse privée... de déontologie, dans bien des cas plus sordide et haineuse que les anciens bulletins officiels, plus vénale aussi ; que la « société civile » en Afrique est une trouvaille protéiforme, à la solde de tout bailleur de fonds, de la Banque mondiale aux Ligues internationales des Droits de l'homme en passant par les régimes locaux à la recherche de caisses de résonance pour l'air du temps (à Brazzaville, une banderole en travers d'une grande avenue portait cette inscription, alors que la guerre dans le « pool », au sud de la capitale, faisait rage : « la société civile remercie le président Sassou Nguesso pour son œuvre de pacification ») ; que la myriade d'ONG locales sont, sauf oblative exception, des créations à but lucratif, des antennes de captation d'aides extérieures ; que de tous les scrutins, les élections locales – expression de la démocratie de base – importent le moins aux Africains, à tel point que des maires ou des présidents de conseils régionaux ont été élus seulement dans une poignée de pays au sud du Sahara depuis 1989. Comme l'avait crûment expliqué le général-président André Kolingba, en 1993, sur les ondes de la radio centrafricaine, quand il a convoqué ses concitoyens aux urnes : « Ceux qui nous donnent l'argent nous demandent de faire la démocratie. » Il est vrai qu'il fut balayé par un vote protestataire, mais au profit d'un démagogue, Ange-Félix

Patassé, qui avait fait le tour du pays en promettant à chaque village « une usine à fabriquer des billets de banque »...

On pourrait, à l'infini, débattre de la noirceur des ombres ou de l'éclat des rutilances. Quoi qu'il en soit, aucun bilan d'étape ne vaudra réfutation de la viabilité de la démocratie en Afrique. Le bilan esquissé ici, plutôt sévère, ne vise pas à escamoter les progrès essentiels, sur le plan des principes et dans la vie quotidienne, qui ont été accomplis en matière de libertés publiques, d'expression et d'association notamment, mais aussi de libre circulation. Qui se souvient aujourd'hui du « visa de sortie », l'autorisation délivrée par la police – et par le ministre de l'Intérieur en personne pour tout militaire gradé – sans laquelle, avant 1990, dans la plupart des États francophones, nul ne pouvait quitter le pays ? Qui se souvient des chuchotements inquiets, alors de mise pour parler de « Lui », le sacro-saint chef de l'État, parfois le même qui est à présent vilipendé chaque jour sur la place publique ? Malgré tous les abus, les libertés conquises ont été les conditions nécessaires à la démocratisation. Cependant, s'agit-il de conditions suffisantes pour la démocratie ? Il n'est pas difficile d'apporter la preuve du contraire.

L'ennemi de la démocratie en Afrique est le « Z 59.5 ». L'Organisation mondiale pour la santé (OMS) a inventé cette appellation pour désigner, avec une pudeur kafkaïenne, la pire des maladies : la pauvreté extrême. Le gouvernement du plus grand nombre peut-il éclore, et exister, au sein d'une population dont une majorité mène une lutte de tous les instants pour survivre ? Dont une moitié (46 %, en 2002) n'a pas accès à l'eau potable, dont un tiers des enfants (31 %) – hors zones de famine – souffre de malnutrition, dont les femmes enceintes sont deux fois plus nombreuses à mourir que les mères dans l'Asie du Sud, pourtant tout aussi démunies ? « La démocratie de la faim est une démocratie sans lendemains », tranche Jean-Paul Ngoupandé. On lui opposera, justement, l'exemple de l'Inde, pauvre et néanmoins « la plus grande démocratie du monde ». Mais il ne s'agit pas seulement du dénuement matériel. L'Afrique est affligée par une « pauvreté de potentialités ou de capacités » que le PNUD nomme depuis 1997 « pauvreté humaine ». Au sud du Sahara, contrairement à la misère, cette pauvreté-là ne crève pas les yeux. Comme le dit, avec son inimitable acidité, Yambo Ouologuem : « Quant au Noir, lorsqu'il devient un individu, c'est un type brillant. » Mais en tant que membre d'une collectivité, que sait-il faire d'utile ? Le niveau d'instruction formelle dans l'Afrique subsaharienne est notoirement modeste. En 1960, il n'existait que dix universités et seulement sept mille Africains étudiaient à l'étranger, principalement en France, en Grande-Bretagne et aux États-Unis. Pendant les deux décennies suivantes, le nombre des enfants scolarisés en Afrique noire a été multiplié par quatre dans les écoles primaires, par six dans les écoles secondaires et par vingt pour les étudiants des universités. Néanmoins, aujourd'hui, parmi les Africains âgés de plus de quinze ans, 40 % sont analphabètes ; le taux de scolarisation dans le primaire plafonne à 57 % et seulement un enfant sur trois va jusqu'au bout de ce cycle élémentaire d'enseignement. Qui plus est, les rares cadres formés – médecins, ingénieurs, agronomes, administrateurs – fuient leurs pays pour un tiers d'entre eux, sans doute les meilleurs. Qui pourrait leur en vouloir, au regard de la situation en Afrique ou, simplement, d'une vie unique que chacun d'entre nous voudrait réussir plutôt que sacrifier ? En même temps, que serait le Cameroun si des « têtes » bien faites comme celle de Célestin Monga – banquier, journaliste, économiste, universitaire – y travaillaient ? Que serait la République démocratique du Congo si des encyclopédies vivantes telles que l'historien Elikia M'Bokolo y exerçaient leur magistère ? La « fuite des cerveaux » prive l'Afrique de sa sève, seul reste le bois mort. Car il n'y a pas que les diplômés qui partent. Les habitants les plus dynamiques – les plus entreprenants au sens large – usent de tous les moyens, légaux ou illégaux, pour émigrer dans un pays occidental. Là encore, c'est un choix rationnel, les chances de mieux gagner sa vie y étant infiniment plus grandes. Toutefois, on aurait tort de penser que le pays d'origine en profite, par exemple

à travers les mandats envoyés aux parents : dans bien des cas,
ces fonds rapatriés – « gratuits » comme l'aide étrangère –
subventionnent, et perpétuent, des pratiques économiques
condamnées, sans avenir (comme l'agriculture traditionnelle
dans la vallée du fleuve Sénégal ou des investissements
improductifs à Kayes, au Mali). De même, au retour au pays
(s'il a lieu), les compétences acquises par les émigrés ne sont
pas toujours mises en valeur, en raison des différences dans
la technicité et, plus souvent encore, dans l'organisation
sociale du travail. De toute façon, « l'exode des bras et des
cerveaux » (Philippe Bernard) n'est pas une solution, d'autant
moins que le libre-échange, asymétrique, n'est garanti qu'aux
biens occidentaux pour envahir l'Afrique, cependant que la
liberté de circulation des personnes est entravée en sens
inverse. D'où les drames quotidiens de l'immigration clan-
destine, auxquels s'ajoute l'énorme gâchis – invisible – de
tant de vies africaines « en attente » d'un départ hypothétique.
Parmi ceux qui restent et ne croisent pas les bras, peu ont la
chance de se faire embaucher par une entreprise ou une ONG
étrangère. Une « chance » qui équivaut à une disgrâce pour
leur pays : au Kenya, au début des années quatre-vingt-dix,
la Banque mondiale, à la recherche de fonctionnaires locaux
pour la gestion de ses projets d'aide, offrait des salaires entre
3 000 et 6 000 dollars par mois, alors qu'un économiste de
grade supérieur dans la fonction publique kenyane ne gagnait
que 250 dollars. Dans ces conditions d'inégalités, où l'État
africain va-t-il trouver les ressources humaines nécessaires à
sa progression ? Comment va-t-il se démocratiser, quand les
meilleurs vivent dans un autre monde, quand la majorité des
citoyens se rêve ailleurs ?

En 1961, à l'aube des indépendances, Frantz Fanon a écrit
ce passage prémonitoire : « La bourgeoisie nationale, qui
prend le pouvoir à la fin du régime colonial, est une bourgeoisie sous-développée, de puissance économique presque
nulle... pas orientée vers la production, l'invention, la construction, le travail... elle s'enfonce, l'âme en paix, dans la
voie horrible, antinationale d'une bourgeoisie platement,

bêtement, cyniquement bourgeoise. Nationalisation, pour elle, signifie transfert aux autochtones des passe-droits hérités de la période coloniale... Ses énormes bénéfices ne sont pas réinvestis, elle les confie à des banques étrangères. Des sommes importantes sont utilisées en dépenses d'apparat, en voitures, en villas. » Quarante ans plus tard, il n'y a rien à en retrancher. Mais on pourrait y ajouter que les privatisations – aujourd'hui à la mode comme le furent hier les nationalisations – ne sont qu'un autre moyen d'enrichissement pour les *happy few*, qui prennent le mot au pied de la lettre. Et pourquoi se borner à la critique de la « bourgeoisie » africaine ? Les cadres, les paysans et, là où elle existe, la « classe ouvrière » sont aussi sous-développés, « humainement pauvres », en retard sur le reste du monde. Quant aux intellectuels africains, si Bismarck avait raison de dire que « tout homme a sa valeur propre diminuée de son amour-propre », nombre d'entre eux sont plus lourdement endettés que leur continent.

« La démocratie suppose une population qui sache lire et écrire, une classe moyenne qui paie les impôts, une administration capable de fonctionner – et la pacification de la guerre civile. Si ces conditions préalables ne sont pas remplies, les élections générales minent bien souvent la cohésion sociale, accentuent les oppositions et procurent [...] des partisans et des fidèles aux agitateurs qui répandent la haine de l'étranger. » Ces phrases sont sans appel, au regard de l'actualité africaine. Elles ont été écrites par un sociologue allemand, Wolfgang Sofsky, et figurent – ce n'est pas un hasard – dans un ouvrage intitulé *L'Ère de l'épouvante : folie meurtrière, terreur, guerre.* Qu'un minimum de prospérité *facilite* la démocratie est une lapalissade ; que la démocratie *favorise* le développement une pétition de principe qui ne devient pas plus vrai à force d'être répété. La « politique du ventre » (Jean-François Bayart) est le régime ordinaire de la pauvreté privée de son exutoire séditieux par la coexistence avec une richesse hors de sa portée, ailleurs, oppressive à distance. Dans un tel monde, à moins de lutter pour le changer, le meilleur moyen de s'enrichir consiste à se compromettre, à se faire corrompre pour pouvoir corrompre à son tour. Encore faut-il s'organiser en conséquence pour distinguer les rares hôtes conviés de la masse des exclus, pour éviter que les premiers ne se dévorent entre eux ou que les seconds ne s'entre-tuent par désespoir. À cette problématique complexe, l'ancien système de parti unique avait apporté, du temps de la guerre froide, une – mauvaise – réponse, liberticide. Mais en a-t-on trouvé une meilleure depuis, dans tous ces pays du continent où la démocratie a été vidée de son sens, où les opposants n'ont le choix qu'entre une collaboration « alimentaire » et la lutte armée ? Les élections y sont truquées, les Constitutions violées, les institutions servent d'arbres à cacher le « bois secret » où tout se décide en catimini, entre « parents ». Or, à rebours d'une idée reçue, il ne s'agit pas du « retour des vieux démons de l'Afrique », mais de la dynamique intrinsèque de la mondialisation : plus les flux globaux homogénéisent la planète, davantage l'hétérogénéité identitaire s'exacerbe. Autrement dit : pour le continent noir, le pire n'appartient pas au passé, mais à l'avenir.

Faut-il en conclure que la démocratie est *impossible* en Afrique ? La question ne se pose même pas. Elle n'a aucun sens. Car il en va de la démocratie, aujourd'hui, comme de l'indépendance, il y a deux générations : ni le continent ni le monde n'ont le choix. Pour la simple raison qu'ils doivent cohabiter sur la base d'une compatibilité minimale que leur impose la « concomitance des époques différentes » (Ernst Bloch) qui est le propre du temps universel. Aussi sous-développée qu'elle soit, l'Afrique vit à la même heure que le reste du monde. Son indépendance a été, incontestablement, un *désastre*, mais un désastre nécessaire, *sans alternative*. On n'apprend pas à être indépendant. On peut seulement *l'être* à sa manière, plus ou moins mal. Il en sera de même pour la démocratie. Le continent ne l'apprendra pas sous tutelle. Il la trouvera, ou la manquera, à partir de ses propres erreurs. Comme l'a bien résumé le président ivoirien Laurent Gbagbo : « L'Afrique devra faire sa révolution de 1789 en présence d'*Amnesty International*. » Ce ne sera pas facile.

# 10

## LE CAP DES TEMPÊTES

En mars 1856, dans l'est de la colonie du Cap qu'achèvent alors de « pacifier » les Britanniques, une jeune fille de la tribu Xhosa, Nongqawuse, a une vision : tous les Blancs quitteront le pays au mois d'août, au plus fort de l'hiver austral, si son peuple tue son bétail et détruit ses réserves de grain. Désemparés devant la puissance de feu des Européens, les Xhosas veulent croire à ce message divin. Ils vident leurs greniers et égorgent quelque deux cent mille têtes de bétail. Résultat : ils subissent une terrible famine et meurent en grand nombre. Néanmoins, les combats se poursuivent pendant plus de vingt ans, jusqu'en 1879, date de la huitième et dernière « guerre des Cafres ».

Peut-être le plus original des écrivains sud-africains de l'après-apartheid, Zakes Mda s'inspire de cette geste tragique pour son roman *The Heart of Redness* [Le cœur de la rougeur], publié en 2000. Il raconte l'histoire d'un village Xhosa en Transkei, malicieusement appelé Qolorha, dont les habitants se disputent depuis un siècle et demi, à la suite de la prophétie ayant scellé la défaite de leurs aïeux face aux « gens dont les oreilles reflètent la lumière du soleil ». Le rouge étant devenu la couleur de la tradition, à la suite de l'holocauste du bétail, les uns se peinturlurent le corps en rouge, pour marquer leur irrévocable adhésion aux valeurs traditionnelles ; d'autres s'offusquent de cette « sauvagerie » et redoutent qu'elle ne fasse fuir les touristes et, avec eux, tout espoir de prospérité. Tel est notamment l'avis du vieux Bhonco, favorable à la construction d'un casino. Sa fille, directrice d'école et également acquise à la modernité, tente de séduire le protagoniste du roman, Camagu, longtemps exilé aux États-Unis et qui était sur le point d'y repartir quand, dans un night-club de Johannesburg, la voix d'une femme invisible l'a irrésistiblement attiré jusqu'à Qolorha. Là-bas, une avenante sirène a également des visées sur ce compatriote-étranger, né en terre sud-africaine mais venant d'ailleurs. Il s'agit de la fille d'un autre vieux du village, Zim « le Croyant », qui est persuadé que les Blancs veulent seulement venir à Qolorha pour piller le patrimoine et « manger l'âme » des Africains. Qui des deux femmes, et des deux causes, Camagu épousera-t-il ? Indiquer qu'il restera au cœur de cette Afrique rouge sang, à vif, entre un présent à conquérir et un passé sacrifié, ce n'est trahir ni l'avenir ni le suspense...

Comme aucun autre pays au monde, l'Afrique du Sud a su transformer une adversité historique en un triomphe du Bien sur le Mal : en quatre ans, de la libération de Nelson Mandela et de ses codétenus dans le pénitencier de Robben Island, en février 1990, jusqu'aux premières élections libres, en avril 1994, l'ex-pays de l'apartheid a vécu une révolution au quotidien. « Nous avons triomphé dans notre effort de faire naître l'espoir dans le cœur de millions de personnes », a pu déclarer, sans risque d'être contredit, Nelson Mandela, le jour de son investiture comme premier président démocratiquement élu de l'Afrique du Sud. « Nous nous sommes engagés à construire la société dans laquelle tous les Sud-Africains, qu'ils soient blancs ou noirs, pourront marcher la tête haute, sans peur dans leur cœur, sûrs de leur droit inaliénable à la dignité humaine – une nation arc-en-ciel en paix avec elle-même et avec le monde. » Il reprenait ainsi à son compte l'idée d'une nouvelle alliance avec Dieu qu'avait avancée, dès 1989, devant une foule de manifestants rassemblés au Cap, Mgr Desmond Tutu, l'archevêque anglican. « Nous sommes un peuple nouveau, le peuple arc-en-ciel. On ne pourra pas nous arrêter », avait-il dit. Et comment ne pas croire à l'aide divine, après le passage négocié de la discrimination institutionnalisée à la démocratie multiraciale, après un vécu de ségrégation et un passé d'humiliation qui, sans vengeance, débouche miraculeusement sur une histoire commune et un avenir à partager ? D'autant plus qu'une myriade de petits « miracles » a illuminé l'aube de cette ère nouvelle qui a chassé le « grand soir » tant redouté auparavant : le prix Nobel de la paix pour Nelson Mandela et Frederik De Klerk, les victoires des *Springboks* en coupe du monde de rugby et, en football, des *bafana-bafana* en coupe d'Afrique des nations, le prix Nobel de littérature pour Nadime Gordimer, le mandat – unique – de Nelson Mandela, l'icône mondiale du « juste » pétri d'humanité, qui a su renoncer au pouvoir alors que tous le pressaient de s'y maintenir... L'énumération serait fastidieuse. Symboliquement, elle se résume à une nation polychrome, laboratoire anthropologique de l'universel, qui s'est choisi comme fête le 27 avril, date de son premier exercice du suffrage universel, en lieu et place du 16 décembre commémoré auparavant par les Afrikaners. Cette tribu obsidionale, enfermée dans son cercle de chariots à bœufs, le « *laager* », célébrait ce jour-là d'avoir pu vaincre, le 16 décembre 1838, quelque dix mille Zulu en tuant un tiers d'entre eux, sans subir d'autres pertes que deux blessés, au cours de la « bataille de la rivière sanglante », le « *blood river* » servant de fonts baptismaux à l'alliance d'Andries Pretorius et de ses quatre cent soixante-huit compagnons d'armes avec le Dieu de la suprématie raciale...

Dans son livre *Beyond the Miracle* [Au-delà du miracle], publié en 2003, l'un des journalistes les plus respectés d'Afrique du Sud, Allister Sparks, analyse trois « révolutions » qui s'emboîtent telles des poupées russes : la première, politique, est le compromis historique qu'ont su trouver, et respecter, les Afrikaners au pouvoir depuis l'instauration de l'apartheid en 1948, et le Congrès national africain (ANC) incarné par Nelson Mandela. Allister Sparks parle sobrement de « la fin

de la revendication afrikaner sur la souveraineté nationale »
dont l'exercice par la majorité fonde désormais la « nouvelle
Afrique du Sud ». La deuxième révolution est, à ses yeux, la
sortie de l'ex-pays de l'apartheid de son isolement international, la levée des sanctions qui le frappaient depuis une décennie et, plus encore, l'ouverture d'esprit qu'accompagne la fin
du statut insulaire antérieur : l'Afrique du Sud réintègre le
monde et, en premier lieu, le continent auquel elle appartient.
Ses habitants se mettent, ou se remettent, à voyager, les uns
désormais sans contrainte, les autres sans honte ; des visiteurs
– 6 millions en 2002 – viennent sillonner un pays auparavant
au ban des nations ; des investissements étrangers ancrent
l'interdépendance avec le reste de la planète, cependant que
l'industrie sud-africaine se projette à l'extérieur avec succès.
C'est la troisième révolution : l'économie sud-africaine ne
repose plus seulement sur l'agriculture (3,4 % du PNB en
2002, contre 6 % en 1980) et les mines (8 % du PNB et, tout
de même, la moitié des exportations), mais aussi sur le secteur manufacturier (25 %) et les services (64 %). Quoi qu'il
arrive, l'histoire de l'Afrique du Sud ne se résumera pas à
l'installation des premiers Blancs au Cap, en 1652, leur
« grand trek » et la ruée sur l'or, découvert en 1886 à Johannesburg, puis la fin de règne des Européens et leur repli sur
Le Cap, sinon leur exode, une fois les mines d'or épuisées...
Certes, de nombreux puits ont été fermés, l'exploitation de
l'or à de très grandes profondeurs n'étant plus rentable. Mais,
non seulement l'Afrique du Sud abrite toujours 40 % des
réserves mondiales de ce métal précieux, mais, surtout, d'autres richesses du sous-sol ont pris le relais d'une expansion
continue. Ainsi des ventes record de diamants ont-elles été
réalisées en 2000 et 2002, et Amplats (Anglo-American Platinum) et Implats (Impala Platinum), respectivement numéro 1
et numéro 2 mondial, ont construit des empires grâce à l'irrésistible ascension des cours du platine. Le sous-sol sud-africain en regorge (90 % des réserves mondiales), comme d'autres minerais importants, tels que le chrome (68 % des
réserves mondiales) et le manganèse (81 %). Le pays, qui

dépend à 90 % du charbon pour produire son électricité, pourra compter sur cette ressource encore pendant vingt ans. Ensuite, il lui restera à exploiter ses gisements de gaz naturel, ainsi que ceux du Mozambique voisin. Ce qui lui laisse le temps de transformer sur place ses trésors miniers, pour gagner sur la valeur ajoutée. Les minerais et l'ingénierie serviront de locomotive au secteur manufacturier, même si l'Afrique du Sud produit déjà de tout : de la confection à l'emballage en passant par les médicaments, de l'énergie et des produits agroalimentaires. Quant aux infrastructures, 21 000 kilomètres de voies ferrées, soit 26 % du total au sud du Sahara, 58 000 kilomètres de routes goudronnées, soit 17 % de l'Afrique subsaharienne, et un réseau téléphonique de 130 connections pour 1 000 habitants, contre 19 pour 1 000 en Afrique noire, permettront à l'Afrique du Sud de servir de tête de pont logistique au « raccordement » à l'économie mondiale du continent tout entier.

À l'approche du dixième anniversaire de la passation du pouvoir d'une minorité à une majorité élue, ces atouts ne sont pas – comme dans tant d'autres pays africains bénis des dieux et maudits des hommes – de simples « potentialités ». Ayant tourné le dos à son passé marxiste, au point où il est souvent déjà oublié, l'ANC gère l'Afrique du Sud avec une orthodoxie libérale, saluée à l'unisson par le FMI, les grandes places boursières et les agences du *rating* qui évaluent le « risque pays ». Le déficit budgétaire a été de 2,2 % en 2002, la dette extérieure plafonne au même niveau et l'inflation est contrôlée, à moins de 10 %. L'Afrique du Sud, qui aurait pourtant un « héritage » lourd à monnayer, ne vit pas aux crochets de la communauté internationale : l'aide extérieure représente seulement 2 % du budget de l'État, soucieux de son indépendance et convaincu des ressorts d'une société civile mobilisée à travers les Églises, des groupes d'entraide *(self-help)* ou les tontines traditionnelles *(stokvels)*. Décentralisé, découpé en neuf provinces qui ont absorbé les anciennes réserves d'indigènes *(bantoustans)*, l'État s'affirme sans gonfler ses rangs : le nombre des fonctionnaires a même diminué de 200 000 depuis 1994, passant de 1,3 à 1,1 million. L'armée nationale a également fondu de 20 % de ses effectifs (80 000 hommes plutôt que 100 000), tout en intégrant les anciens « combattants de la liberté » des différents mouvements de libération, pas seulement ceux de la branche armée de l'ANC, et les soldats des *bantoustans* dissous. Pour l'année budgétaire 2001-2002, les dépenses militaires n'ont pas dépassé 2 % du PNB, la limite prescrite par la Banque mondiale. Cependant, au jour le jour, le plus grand miracle reste cette société du mélange où chacun tient dorénavant sa chance, voire bénéficie d'un coup de pouce pour ce qui est des groupes « historiquement désavantagés » : non seulement la majorité noire (79 % en 2001), mais aussi les métis (2,6 %), les Indiens (1,1 %), les femmes, les handicapés... La discrimination est devenue positive sous forme d'« *affirmative action* », telle qu'elle existe également aux États-Unis. La formation d'une classe moyenne noire s'est spectaculairement accélérée. En 2001, les revenus totaux des Sud-Africains noirs ont dépassé pour la première fois ceux de leurs compatriotes blancs qui, en 1960, gagnaient trois fois plus qu'eux. 23 % des revenus les plus élevés – supérieurs à 35 300 euros par an – ont été touchés par des Sud-Africains noirs, contre 2 % en 1960. L'élite noire a doublé ses revenus entre 1997 et 2001.

Dès lors, comment ne pas croire, sinon au « miracle », du moins à un modèle sud-africain, une voie d'avenir qui s'ouvre à l'ensemble du continent ? Si la « renaissance africaine », dont le successeur de Nelson Mandela à la tête de l'État, Thabo Mbeki, se fait le héraut, est possible dans l'ex-pays de l'apartheid, pourquoi ne le serait-elle pas aussi au nord du fleuve Limpopo qui constituait, jusqu'au revirement de 1990, l'indépassable frontière de « l'Afrique blanche » ? Qui aurait imaginé que, en moins de quinze ans (« *in our lifetime* », comme le répètent, eux-mêmes souvent incrédules, des Sud-Africains de toutes les couleurs), un nouveau sentiment national pût naître de la répression, de la lutte armée, d'une dictature raciste, des ghettos ? Qui aurait cru que, le 20 juillet

2003, des milliers de gens ordinaires, des hommes noirs aux pieds nus et des femmes blanches en Nike dernier cri, des familles entières d'Indiens et de métis, des jeunes comme des vieux, courraient dans les rues de Johannesburg pour rendre hommage à un *ancien* chef d'État de la « nouvelle » Afrique du Sud, lors d'un « marathon arc-en-ciel » ? L'hymne adopté par l'ANC en 1925, et qui est devenu en 1994 celui d'un pays miraculé, ne pourrait-il pas réveiller toute l'Afrique, servir de leitmotiv à sa résurrection ? *« Nkosi sikeleli Afrika »*, « que Dieu bénisse l'Afrique, qu'il bénisse son peuple, qu'il sauve notre Nation, qu'il mette fin à la guerre et aux conflits armés »...

Ces questions tracent l'horizon de la résurrection de l'Afrique *« in our lifetime »*, l'espace d'une vie humaine. Il serait présomptueux de vouloir apporter ici des réponses définitives, à travers un bilan – au sens comptable – prétendument valable pour tout le continent. Comme il eût été prétentieux de tirer un trait sur l'Afrique, sans laisser une porte ouverte à l'espoir, à l'inattendu, à la ruse de l'Histoire – au « miracle », si l'on veut. En revanche, comme une somme des chapitres précédents et, en même temps, comme une mise à l'épreuve des arguments qui y ont été développés, il paraît indiqué de tester la « négrologie » – le supplément d'auto-damnation que l'Afrique mêle à ses handicaps historiques, aux fléaux naturels et aux injustices de l'ordre international – à l'exemple de l'Afrique du Sud multiraciale. Fidèle à la démarche suivie jusqu'à présent, on examinera donc la démographie, l'économie, l'État, les relations extérieures, l'armée. l'ethnicité et, pour finir, la démocratie du pays qui vient de s'affranchir de l'apartheid, l'irréductibilité identitaire érigée en institutions. Dans tous ces domaines, la « négrologie » obère-t-elle l'avenir de la nation arc-en-ciel, en s'ajoutant à l'héritage de la ségrégation, au sida et à l'iniquité de l'ordre mondial ?

En Afrique du Sud, un pays développé où la majorité de la population a longtemps été maintenue dans la pauvreté et l'ignorance, l'équation de base est celle-ci : comment assurer le progrès de ses 44 millions d'habitants en organisant le rattrapage historique de la moitié d'entre eux – dont 21 millions de Sud-Africains noirs – qui vit dans l'indigence, sans faire fuir les 5 millions de riches dont 80 % sont des Blancs, privilégiés sous l'ancien régime ? Formulée autrement, la gageure consiste à remplir une immense sébile vide à partir d'une mince assiette fiscale qu'il ne faut surtout pas casser. L'indispensable préalable à la résolution de ce casse-tête a été la décision de l'ANC de ne pas régler les comptes du passé, d'effacer les crimes de l'apartheid comme sur une ardoise magique. Ce choix est beaucoup moins évident que la jubilation universelle sur la « réconciliation nationale » en Afrique du Sud ne le fait accroire. Car pour qu'il puisse y avoir réconciliation, encore eût-il fallu que la vérité sur le passé fût établie et reconnue de tous, que les crimes de l'apartheid fussent punis et leurs victimes indemnisées. Du moins si l'on s'en tient à l'esprit et à la lettre de la justice internationale, qui condamne l'impunité et professe que rien de durable ne pourra être bâti, si le « devoir de mémoire » n'a pas été accompli. Sans engager le débat sur le fond, on peut noter que l'opinion occidentale – qui s'indigne, par exemple, de l'impunité accordée à Charles Taylor en échange de son abandon du pouvoir à Monrovia, ou de l'amnistie toute circonstanciée que se sont octroyée les parties au conflit en Côte d'Ivoire – fait preuve d'une remarquable flexibilité morale quand il s'agit du respect de ces principes dans un pays doté d'infrastructures et de richesses minérales importantes, où les bourreaux étaient... blancs. En Afrique du Sud, le travail d'une Commission vérité et réconciliation est apparu comme la bonne solution. Présidée par Mgr Desmond Tutu, celle-ci a rendu son rapport final, le 21 mars 2003, neuf ans après la fin officielle de l'apartheid. Elle avait été instaurée le 16 décembre 1995, jour anniversaire de la « bataille de la rivière sanglante »... Elle a entendu plus de 21 000 personnes, victimes et bourreaux confondus, pour accomplir un travail à la fois historique, juridique et éthique : énoncer la vérité sur ce que fut l'apartheid ; statuer sur les demandes d'amnistie

de ceux ayant commis des crimes au nom de l'ancien régime ;
réconcilier entre elles toutes les composantes de la « nouvelle » Afrique du Sud. Mais, au fond, l'État a engagé un pari
religieux, en accordant son absolution à qui était prêt à lui
confesser ses péchés. Elle est même allée plus loin en éten-
dant son pardon à ceux qui lui refusaient le droit de faire la
lumière sur le passé ou qui lui ont livré des aveux tronqués.
Ainsi, l'ancien président Pieter Botha n'a-t-il jamais déféré à
sa convocation comme simple témoin et son successeur, Frederik De Klerk, a reconnu seulement en 2003, juste avant la
rédaction du rapport final, qu'il avait été au courant d'un
attentat à la bombe contre le siège du Conseil des Églises, à
Johannesburg. Auditionné à deux reprises par la Commission
en 1996 et 1997, il avait soutenu le contraire. Enfin, hormis
deux exceptions (l'ex-ministre de la Loi et de l'Ordre,
Adriaan Vlok, et l'ancien membre de cabinet Piet Koornhof),
aucun haut responsable du régime de l'apartheid ni dirigeant
de l'ex-Parti National au pouvoir n'a sollicité l'amnistie. Il y
a eu absolution sans confession ni contrition.

« On pourrait plaider que le nouveau gouvernement a une
obligation, en termes de loi internationale, de s'occuper de
ceux qui furent responsables de crimes sous l'apartheid »,
admet la Commission dans son rapport final, avant de rappeler que « la poursuite en justice, à grande échelle, des criminels de l'apartheid n'est pas la route choisie par le pays ». Ce
qui va d'autant moins de soi que, dès 1968, les Nations unies
ont qualifié la ségrégation raciale en Afrique du Sud de
« crime contre l'humanité » et que l'Assemblée générale de
l'ONU a adopté en 1973 la Convention internationale sur la
suppression et la punition du crime d'apartheid... S'il n'est
pas question ici de contester aux Sud-Africains le droit de
décider de leur propre sort, il importe en revanche de comprendre ce qui a fondé leur choix. Dans la loi sud-africaine
« pour la promotion de l'unité nationale et de la réconciliation » a été mis en exergue « le besoin de compréhension et
non pas de vengeance, le besoin de réparation et non pas de
représailles, le besoin d'*ubuntu* et non pas de victimisation ».

Traduisible comme « humanité », l'*ubuntu* renvoie à un dicton en langue Xhosa : « *umuntu ngumuntu ngabanye bantu* »,
[l'homme n'est l'homme qu'à travers d'autres hommes].
C'est donc au nom d'un concept africain que le cercle vicieux
de l'homme noir, victime d'une histoire à laquelle il prendrait
seulement part comme objet de la cruauté d'autrui, entend
être brisé. Il s'agit là d'un autre pari religieux, cette fois sur
le désir oblatif des Sud-Africains noirs de racheter un avenir
à partager avec leurs compatriotes blancs. On est aux antipodes de la « négrologie ». Pourtant, comme pour la traite
négrière et la colonisation, il y a eu crime, et celui-ci est
récent. Ses responsables, pour nombre d'entre eux encore en
vie, sont identifiables, justiciables à titre individuel. Néanmoins, l'Afrique du Sud de Nelson Mandela a renoncé à son
droit d'engager contre eux des poursuites pénales ou civiles.
Dans la continuité, l'État présidé par Thabo Mbeki ne s'est
pas non plus associé à la plainte déposée par un collectif sud-
africain devant la justice américaine, le 19 mai 2003, contre
trente-quatre grands noms de la finance et de l'industrie internationales accusés d'avoir profité de l'apartheid et à qui sont
réclamés 100 milliards de dollars de dommages et intérêts.
Pour gagner, l'État-ANC mise non pas sur son passé de souffrances, mais sur un avenir prometteur. Seulement, si celui-
ci devait se révéler décevant pour la majorité de ses citoyens,
ce pacte ne manquera pas d'être rompu, au risque d'un retour
d'autant plus vindicatif sur un pardon resté sans contrepartie
que « les Blancs » n'ont guère fait preuve de remords. Chacun pour soi, sans lever le regard, leur attitude se comprend.
Qui aimerait qu'un crime collectif lui colle à la peau ?

Pour le moins, sa position géographique comme goulot
d'étranglement d'un continent entonnoir de misère n'aide pas
l'Afrique du Sud. Nul n'est capable d'indiquer, même dans
un simple ordre de grandeur, combien d'immigrés clandestins
sont venus s'y installer : 500 000, le chiffre figurant dans
les statistiques officielles ? Entre 2,5 et 4 millions, comme
l'avance un organisme de recherche indépendant, le *Human
Sciences Research Council* ? Ou 8 millions, comme l'a pré-

tendu en 1995 la police sud-africaine ? En vérité, l'Afrique
du Sud ne compte pas, mais expulse. Chaque année, plus de
100 000 illégaux – 180 000 en 1998, 157 000 en 2001 – sont
rapatriés de force. En train, par wagons entiers, des Mozambi-
cains et des Zimbabwéens sont ramenés à leurs frontières.
Une barre électrifiée de 200 kilomètres, que l'ANC avait
envisagé en 1995 de mettre sur le mode « mortel », avant
d'abandonner l'idée et de le laisser sur le mode « alarme »,
vise à les empêcher de revenir. Depuis la fin de l'apartheid
et l'implosion sanglante de l'Afrique centrale, le nombre de
Congolais, mais aussi de Nigérians, de Sénégalais ou de
Camerounais, a fortement augmenté. Le problème est d'autant plus aigu que, en sens inverse, la fuite des cerveaux prive
l'Afrique du Sud de ce qui lui manque le plus : la main-
d'œuvre qualifiée, des cadres formés. Là encore, il n'y a pas
de chiffres fiables entre l'émigration légale et camouflée, le
départ de personnes actives ou de retraités qui s'en vont passer le soir de leur vie ailleurs. Selon une étude, en mai 2002,
de l'Université d'Afrique du Sud (Unisa), près de 100 000
personnes ont quitté le pays entre 1998 et 2001, pour la plupart d'entre elles à destination des pays – les États-Unis, la
Grande-Bretagne, le Canada, l'Australie, la Nouvelle-
Zélande... – qui, ironie de l'histoire, avaient été le fer de lance
de la lutte anti-apartheid. En Australie, depuis 1994, la ville
de Perth a été littéralement colonisée par des Sud-Africains.
Toujours selon l'Unisa, la grande majorité des partants
(60 %) expliquent leur décision par la peur de l'insécurité,
puis, en ordre décroissant, par les ravages du sida, la discrimination positive en faveur des Noirs, la dégradation des services publics ainsi que de meilleurs salaires et perspectives de
carrière dans les pays d'accueil. L'émigration se révèle haute-
ment réactive à l'actualité politique : en 1999, l'année du
départ du pouvoir de Nelson Mandela, au moins 39 000 personnes ont quitté l'Afrique du Sud ; de même, pendant le
premier semestre 2002, à la suite de la dépréciation vertigineuse – de 39 % – de la monnaie nationale dans la panique
de l'après-11 septembre, le nombre des personnes qualifiées

en partance a augmenté de 18 %. Tous les émigrants ne sont pas blancs. Selon l'Unisa, Noirs, Blancs, métis ou Indiens, 14 % des diplômés de l'enseignement supérieur partent s'installer à l'étranger.

S'il est un secteur où l'on peut parler d'exode, c'est le système de santé publique. En moyenne, 300 infirmières quittent le pays chaque mois ; un quart des médecins formés entre 1990 et 1999 est déjà parti ; dans la province de Gauteng, la zone la plus industrialisée autour de Johannesburg et Pretoria, 5 700 professionnels de la santé ont émigré entre 2000 et 2001, soit un huitième des effectifs totaux... Dans un pays qui ne compte pas plus de 18 000 médecins, il s'agit là d'une hémorragie. Certains hôpitaux, dans des zones rurales où personne ne veut être affecté, sont désormais condamnés à fonctionner sans infirmières. Au cœur de la province du Cap oriental (l'ex-Transkei), l'hôpital de Mount Fletcher ne compte que deux médecins pour un district de 250 000 habitants. L'été 2003, 65 postes d'infirmières vacants n'y étaient pas pourvus. Dès octobre 2001, la ministre de la Santé, Manto Tshabalala-Msimang, avait perçu la « menace ». Toutefois, elle n'est pas parvenue à enrayer le mouvement. Pour finir, elle s'est résignée à faire venir, par vagues successives, des médecins cubains : en juillet 2003, 30 nouveaux arrivants se sont ajoutés aux 400 exerçant déjà en Afrique du Sud Pendant ce temps, selon le *Journal de l'Association médicale canadienne*, plus de 1 500 médecins sud-africains pratiquent leur métier au Canada. Dans la province du Saskatchewan, un docteur sur cinq vient de l'ex-pays de l'apartheid libéré. La ministre sud-africaine de la Santé s'insurge contre ce « braconnage », mais devrait s'en prendre à elle-même : dans son zèle d'emboîter le pas au président Thabo Mbeki, qui s'est obstiné à défendre l'existence d'un « sida africain », elle a été le plus grand obstacle à la lutte contre la pandémie, désespérant les meilleurs professionnels, désarmés face au cataclysme. En janvier 2003, rien n'était encore plus urgent à ses yeux que de convier à une réunion des ministres de la Santé de l'Afrique australe un expert pour le moins controversé, Robert Giraldo, qui y a soutenu que la transmission du sida par le VIH était un « mythe ». Au printemps 2003, Manto Tshabalala-Msimang se bornait encore à conseiller aux malades une recette combinant huile d'olive, ail et pommes de terre... Lorsque, en août, le dos au mur, le gouvernement sud-africain a enfin promis de se mobiliser et de mettre à la disposition des malades du sida des médicaments antirétroviraux, les hôpitaux sud-africains s'étaient transformés en mouroirs, et la Banque mondiale n'excluait pas qu'il fût « déjà trop tard ».

Tenue à Durban du 3 au 6 août 2003, la première Conférence nationale sur le sida s'est soldée par la victoire de la société civile, de la Campagne d'action pour les traitements (TAC) du très militant Zackie Achmat, d'autres associations, de nombreuses Églises, de personnalités telles que le juge de la Cour suprême Edwin Cameron ou, encore, de... Nelson Mandela. Cependant, c'est une victoire à la Pyrrhus qu'ils ont remportée : dix ans après avoir permis aux pays occidentaux de réduire la transmission du VIH de la mère à l'enfant de 25 % à moins de 2 %, des traitements antirétroviraux devront être administrés dans les hôpitaux sud-africains qui auront besoin de un million de lits supplémentaires ; chaque jour, un millier de Sud-Africains meurt du sida et 5 millions vont succomber dans la décennie, avant 2013 ; 11 % de la population nationale, 20 % des adultes et, dans la province la plus affectée, celle du Kwazulu Natal, 33,5 % des habitants sont contaminés ; le taux de prévalence est de 18 % parmi les 70 000 enseignants du pays ; 3 % de la population active, soit un demi-million de personnes, risquent d'être en phase terminale du sida avant 2010 ; au-delà de l'acquisition de 1 000 hectares supplémentaires pour enterrer ses morts, la municipalité de Johannesburg mène des pourparlers avec la Chambre des mines en vue de transformer des galeries souterraines désaffectées en catacombes ; l'espérance de vie doit chuter de cinq ans d'ici à 2005 ; à l'horizon de 2050, la population sud-africaine, déjà fragilisée par le plus faible taux de croissance démographique (0,9 %) du continent, à l'exception du

Botswana (0,3 %), devra diminuer de plus d'un quart, passant de 44 millions à 32,5 millions... Dès lors, quoiqu'il advienne par ailleurs, du seul fait de la paranoïa du complot racial qu'ont cultivée Thabo Mbeki et d'autres dirigeants de l'ANC, l'Afrique du Sud aura payé un lourd tribut à la « négrologie ». Le 23 juillet 2003, dans un rapport intitulé *Les Coûts économiques du sida à long terme : théorie et pratique en Afrique du Sud*, la Banque mondiale avait assimilé la réticence du pouvoir sud-africain à résolument engager le combat contre le sida à un suicide national. « Ne rien faire aura des conséquences désastreuses », prévenait-elle en invoquant un « bond en arrière » avec un revenu familial qui ne serait plus en 2050 que l'équivalent des deux tiers de ce qu'il fut en 1960. La raison : seulement 30 % de la génération qui naîtra après 2010 atteindra l'âge adulte sans avoir perdu l'un de ses deux parents.

*A posteriori*, la thèse de Thabo Mbeki gagnera en consistance. L'impact du sida sera quasi eschatologique, parce que l'immense majorité des Sud-Africains est aujourd'hui plus pauvre que du temps de l'apartheid et menacée de paupérisation accrue. Premières victimes du sida, pour des raisons socio-économiques et d'éducation, les Sud-Africains noirs se voient repousser toujours plus bas dans la hiérarchie des revenus qui reste chromatique : entre 1995 et 2000, selon un rapport publié le 12 mai 2003 par l'université du Cap, le revenu moyen des ménages noirs a chuté de 19 %, alors que celui des ménages blancs a augmenté de 15 %. En termes réels, les foyers noirs gagnaient 23 000 rands annuels (2 700 euros) en 2000 contre 32 000 rands (3 765 euros) en 1995 ; les foyers blancs 158 000 rands (18 590 euros) en 2000 contre 137 000 rands (16 120 euros) en 1995. En même temps, pour un pays dit « émergent », l'Afrique du Sud n'affiche pas les taux de croissance et d'investissements requis pour résorber la pauvreté structurelle de la plus grande partie de sa population. La croissance se situe – en moyenne depuis 1994 – à 2,8 %, alors qu'il faudrait le double (qui fut atteint, entre 1948 et 1973, par le « miracle » économique de l'apartheid, fondé sur l'asservissement d'une masse peu qualifiée de travailleurs noirs). Entre 1994 et 2000, un demi-million d'emplois ont été supprimés dans le secteur formel de l'économie, ce qui a fortement aggravé le chômage qui, même à s'en tenir à l'estimation officielle d'un taux de 29 % au sein de la population active, peut se comparer à celui des États-Unis pendant la Grande Dépression. Le niveau d'investissement, entre 15 et 18 % du PIB, en regard du double dans d'autres pays émergents, ne permet pas d'espérer une amélioration de cette situation. D'autant moins que l'on assiste depuis 1998 à une fuite dissimulée des capitaux nationaux : après les Brasseries sud-africaines (SAB), le numéro 2 mondial de sa branche, les assurances Old Mutual et l'empire Anglo-American en 1999, puis le géant informatique Didata en 2000 et la banque d'affaires Investec en 2002 ont procédé à des déménagements financiers en transférant leur siège social à l'étranger. C'est le « *sell-out* », la « braderie » des fleurons de l'économie sud-africaine. Comment croire que des investisseurs étrangers feront confiance à un pays dont se détournent ses propres patrons ? Ni les uns ni les autres ne voudront payer le prix de la mise à niveau des communautés « historiquement désavantagées », la désignation politiquement correcte des victimes de l'apartheid.

Ce n'est pas grâce à l'éducation que la majorité noire effacera de sitôt ses handicaps. La ségrégation a cessé dans l'enseignement, mais l'école – même publique – reste payante, et 16 % des enfants âgés de six à quatorze ans ne sont pas scolarisés. L'alphabétisation des adultes a fait des progrès notables, mais le nombre des bacheliers diminue d'année en année. À l'université du Witwatersrand, à Johannesburg, les étudiants sont à 85 % noirs en première année. Cependant, ils ne sont plus qu'une petite minorité en troisième cycle : pour chaque diplômé noir dans les filières commerce, mathématiques et ingénierie, il y a deux Blancs ; dans l'informatique, pour un Noir, trois diplômés sont blancs ; dans les arts et les technologies, pour un Noir, il y a huit Blancs. À ce déséquilibre, la discrimination positive – *affirmative action* – censée promouvoir les laissés-pour-compte de l'apartheid ajoute ses propres distorsions. D'une part, en raison d'un grand effort de rééquilibrage réalisé par l'État dans la fonction publique, elle oriente l'élite noire vers des emplois sûrs, sans prise de risque ; d'autre part, ceux qui sont recrutés dans le privé pour des postes à responsabilité doutent de leur valeur intrinsèque, se demandant s'ils ne sont pas là que pour « remplir le quota noir ». Ce qui explique le vague à l'âme, entre vaniteuse jactance et susceptibilité à fleur de peau, de nombreux *« buppies » (black urban professionnals)*. La proportion des cadres supérieurs « non blancs » augmente en effet par des à-coups que seules les injonctions du gouvernement peuvent expliquer (de 6 % en 1994, elle est passée à 13 % en 2001, avant de doubler en un an). Cependant, la vraie percée sociale, l'ascension fulgurante parmi les *happy few*, reste l'apanage d'une minorité aussi ténue qu'inextricablement liée aux hautes sphères de l'ANC, le cœur du pouvoir post-apartheid. C'est aux membres de ce nouvel establishment que profite la promotion du *« black economic empowerment »*, le programme pour la « montée en puissance économique des Noirs » qui a pris le relais de l'*affirmative action*. Toutefois, avant même que des « chartes » ne fussent négociées, secteur par secteur, pour une modification progressive des « schémas de propriété » *(« patterns of ownership »)*, la prise des commandes de l'économie a été organisée par le parti-État. Un organe de l'ANC, spécialement chargé du « redéploiement » des cadres de l'ex-mouvement de libération, veille à placer des « camarades » ayant mérité de la cause aux leviers stratégiques de l'État et du privé. Dans la presse sud-africaine, ce comité a été comparé au *Broederbund*, le très secret « cercle des frères » qui, du temps de l'apartheid, décidait du sort du peuple afrikaner. Digne d'un jeu de go, le noyautage auquel procède l'ANC a inspiré, dès 1997, un livre – *Comrades in business* – à Heribert Adam, Frederik Van Zyl Slabbert et Kogila Moodley. Jusqu'aux alliances matrimoniales nouées dans ce monde fermé, l'organigramme des dignitaires de la « nouvelle » Afrique du Sud ne manque pas de parallèles, l'ancienneté en moins, avec le *who's who* de la classe dirigeante au Gabon... Vice-président de l'Institut sud-africain pour les Affaires internationales (SAIIA) à Johannesburg, le propre frère du chef de l'État, Moeletsi Mbeki, dénonce la dérive de l'*« empowerment »* au profit d'une nomenklatura issue de l'ANC. « Nous prenons des dirigeants politiques et des gens politiquement connectés et nous leur donnons des biens que, pour commencer, ils ne savent pas gérer », s'indigne-t-il, ajoutant que les « chartes » pour le transfert de la propriété – dans le secteur minier, bancaire, etc. – « ne vont pas créer des entrepreneurs », mais plutôt une « culture de l'accaparement ».

Instance indépendante, dotée du même statut juridique que la Commission vérité et réconciliation, la Commission pour les Droits de l'homme (HRC) a dressé, pour l'année 1999-2000, un bilan très critique de l'État sud-africain. Son rapport conclut à une « crise générale de gouvernance ». D'abord, parce que l'administration n'atteint pas la population dans le besoin. Ainsi, le ministère du Développement social touche-t-il 3 millions de pauvres, alors qu'ils sont 22 millions ; sur les 2,4 millions de personnes titulaires d'une retraite, 1,8 million la perçoivent effectivement ; près de 4 millions de jeunes ont droit aux allocations de soutien à l'enfance, mais moins de 400 000 en bénéficient. L'emprise sur le monde rural est plus faible encore. Cependant que 300 000 travailleurs agricoles – sur 1,2 million en 1994 – ont été licenciés, souvent abusivement, l'État manque de réorganiser l'agriculture et la tenure foncière, une question pourtant aussi explosive qu'au Zimbabwe voisin. Quelque 50 000 fermiers blancs détiennent encore 80 % des terres arables, et continuent d'employer plus de 250 000 Noirs assujettis au système du fermage *(labour tenants)* dans des conditions révoltantes. Une réforme agraire n'a pas même été engagée, et le processus de restitution des terres spoliées sous l'apartheid est enrayé. Tout confondu, seulement 2 % des superficies appartenant à des Blancs ont été légalement transférées à des propriétaires noirs depuis la fin de l'apartheid. En juillet 2002, un mouvement des « sans-terre » est né et, la même année, des invasions sporadiques de fermes, vite réprimées, se sont produites dans deux provinces.

Le HRC pousse ensuite sa critique plus loin. « Le plus souvent, ce n'est pas l'argent qui pose problème, mais la capacité à bien le dépenser », note-t-il. Son rapport cite l'exemple de la province du Cap oriental, pourtant la plus pauvre du pays, qui n'a pas su dépenser le huitième de son budget en 2002. Le quart de son fonds d'urgence pour la nutrition, la moitié de son budget logement et les deux tiers de son enveloppe sida sont restés dans les tiroirs-caisses. Ce n'est pas un cas isolé. Cinq des neuf provinces ont dépensé moins de la moitié de leur budget pour un poste clé tel que la construction de nouvelles écoles, leur réfection et l'acquisition de livres scolaires. En attendant, l'enseignement continue d'être dispensé dehors, sous un arbre, sans moyens ni personnel qualifié, dans des régions réputées démunies et délaissées – et qui sont, en fait, simplement mal gérées, sinon gérées de façon malhonnête. En effet, selon la Commission du service public, autre instance indépendante, la pyramide de la corruption est renversée, la vénalité s'avérant la plus forte au niveau local. Sans surprise, les passations des marchés publics sont les principales sources de cette corruption décentralisée. Au niveau local comme national, les services de police, des douanes et d'immigration sont gangrenés par le mal. Mais la tête de l'État n'est pas non plus épargnée, comme l'a révélé l'affaire des contrats d'armements, le premier grand scandale financier post-apartheid. De hauts responsables de l'ANC auraient touché des pots-de-vin pour peser sur l'attribution de contrats de fourniture de matériels de guerre d'une valeur de 4,8 milliards de dollars destinés à moderniser l'équipement de l'armée sud-africaine. Ce qui a inquiété dans ce contexte n'est pas la tentation ou la compromission des nouveaux dirigeants, somme toute banales, mais la façon dont l'affaire a été étouffée par l'ANC et le chef de l'État en personne. Thabo Mbeki a entériné l'éviction du président d'une commission d'enquête indépendante, le juge Willem Heath, naguère appointé par Nelson Mandela en raison de sa probité. C'est le chef du groupe parlementaire de l'ANC, Tony Yengeni, qui a obtenu ce limogeage. Or, ce jeune loup du parti a finalement été condamné, en mars 2003, à quatre ans de prison ferme pour avoir caché au parlement le cadeau, un 4 × 4 Mercedes, qu'il avait reçu d'un constructeur européen, EADS, en pleine négociation des contrats d'armements. En juillet 2003, après une réunion du comité disciplinaire de l'ANC, il a été décidé que Tony Yengeni resterait membre à part entière du Comité exécutif national, l'instance dirigeante du parti. Le fait que le juge Willem Heath est un Blanc parachève le tableau d'un « pouvoir qui s'africanise » aux yeux des détracteurs du « miracle » sud-africain.

Dans les circonstances solennelles de l'adoption par le parlement, le 8 mai 1996, de la Constitution définitive de la « nouvelle » Afrique du Sud, Thabo Mbeki, alors vice-président, a prononcé un discours débutant par ce cri du cœur : « Je suis un Africain. » Ce fut là sa profession de foi politique, dont allaient découler sa vision d'une « renaissance africaine » et son « Programme pour le millénaire africain », qui a débouché sur le Nouveau partenariat économique pour le développement de l'Afrique (Nepad). Encore ne faut-il pas se tromper sur « l'africanité » alors professée. D'une part, elle faisait résonance à la revendication de la « tribu blanche » des Afrikaners, dont une jeune tête brûlée, sur le point d'être arrêtée par la police dans la colonie du Cap en 1707, s'était écriée : « *Ik ben een Afrikaander* », pour affirmer son appartenance à la terre natale plutôt qu'à une lointaine métropole coloniale. D'autre part, et surtout, Thabo Mbeki s'est glissé dans la peau de tous les membres de la nation arc-en-ciel, dans celle des Afrikaners également : « Je suis le petit-fils qui pose des fleurs fraîches sur les tombes boers de Sainte-Hélène et des Bahamas, qui souffre la souffrance d'un simple peuple paysan – mort, camps de concentration, familles détruites, un rêve en ruines. » Mais comment se fait-il alors que son discours généreux soit aujourd'hui perçu avec tant de suspicion comme « anti-blanc » ? Au-delà du racisme, bien réel, de ceux qui refusent par principe d'intégrer une nation « africaine », fût-elle multicolore, le soupçon naît de l'écart entre les actes et la parole qui s'est dangereusement creusé depuis que Thabo Mbeki préside l'Afrique du Sud. L'attitude de Pretoria face à la crise zimbabwéenne en est une illustration éloquente. Voilà donc un dirigeant africain issu de la lutte de libération, le président Robert Mugabe, qui, menacé de perdre le pouvoir après vingt ans de règne sans partage, ruine son pays, le terrorise et l'affame. Depuis que le « camarade Bob » a décrété une réforme agraire « accélérée » en réponse à sa défaite, en février 2000, dans un référendum constitutionnel visant à cimenter son régime, le Zimbabwe, naguère le grenier de l'Afrique australe, manque de tout, à commencer par le maïs et d'autres aliments de consommation courante. Les fermes de quelque 4 100 Zimbabwéens blancs, chassés de leurs terres par les nervis du parti-État, ont été confisquées par les hiérarques du pouvoir en place. Cependant, au risque de désespérer les démocrates au Zimbabwe et de s'aliéner l'opinion publique occidentale, Thabo Mbeki refuse de désavouer la caste des prébendiers à Harare, qui est prête à sacrifier le pays plutôt que de renoncer à ses privilèges. Au nom d'une « diplomatie silencieuse » qui, en trois ans, n'a en rien enrayé le naufrage du Zimbabwe, le président sud-africain protège le régime de Robert Mugabe. Deux exemples : en mars 2002, la mission d'observateurs de l'ANC a été la seule à juger les élections zimbabwéennes, entachées de fraudes et de violences, « libres et justes » ; en avril 2003, devant la Commission des Droits de l'homme des Nations unies à Genève, Pretoria a débouté d'une « motion de non-action » une résolution présentée par l'Union européenne pour faire condamner « la poursuite des violations des Droits de l'homme au Zimbabwe ». Parmi les violeurs patentés des libertés publiques, qui tendaient alors une main secourable à l'un des leurs en difficulté, figuraient, outre la Russie, Cuba, la Chine, l'Inde, le Pakistan, la Libye, la Syrie et le Vietnam, *toutes* les délégations africaines. Pour les avoir entraînées dans son sillage, l'Afrique du Sud ne doit pas s'étonner que la vertu au pouvoir promise par les Africains en échange de davantage de fonds d'aide – le pacte qui est à la base du Nepad – inspire de moins en moins confiance. Si, comme cela s'est produit lors du sommet de la Terre à Johannesburg, en 2002, le « frère » Robert Mugabe doit être applaudi du seul fait qu'il est critiqué par le très pâle Tony Blair, chef de l'exécutif de l'ancienne puissance coloniale de l'ex-Rhodésie, la « démocratie africaine » réécrit, comme un palindrome, *L'Essai sur l'inégalité des races humaines* du comte de Gobineau...

La nation arc-en-ciel n'est-elle pas déchirée par une guerre civile qui ne dit pas son nom ? L'Afrique du Sud est le pays le plus violent du globe. Depuis 1994, 20 000 personnes y sont assassinées en moyenne par année, près de 15 000 braquages de voitures à main armée s'y produisent, dont 60 % des cas dans les deux seules provinces autour de Johannesburg et de Durban. Tout est cadenassé et chacun barricadé, dans les townships pauvres comme dans les faubourgs cossus. Sauf que les riches se regroupent dans des « *townhouses* » ou « *clusters* », les noms des lotissements ou complexes d'appartements qui sont protégés d'un mur d'enceinte et d'un système de sécurité et de gardiennage communs. C'est le « *laager* » moderne, avec le même effet obsidional sur les mentalités et une ségrégation sociale mieux respectée que ne le fut jamais le *Group Areas Act* de l'apartheid. Une armée privée – plus de 200 000 employés de quelque 4 000 sociétés de sécurité, dont 2 900 de gardiennage, 700 de « réponse armée » à des systèmes d'alarme électronique et environ 500 pour des transferts de fonds – veille sur la tranquillité de ceux qui ont les moyens de se l'offrir. Le chiffre d'affaires de cette industrie, plus de 1,5 milliard d'euros en 2001, équivaut au marché du téléphone portable ou des dépenses publicitaires en Afrique du Sud. L'équipement de l'industrie sécuritaire est souvent supérieur à celui de la police, dont plus de 1 400 agents ont été tués entre 1994 et 1999, un record mondial hors catégorie, sans commune mesure avec aucun autre pays de la planète. Incapable d'endiguer le crime, la police sud-africaine se fait supplanter, aussi, par des comités d'autodéfense *(« self defense units »)* de divers partis ou mouvements politiques, dont l'ANC, ou par des milices privées telles que le Pagad *(People against drug and gangsterism)* ou Mapogo a Mathamaga. Le Pagad est né au milieu des années quatre-vingt-dix dans les townships du Cap où sa branche armée, le « G-Force », a fait la guerre aux deux principaux gangs, les *Hard Livings* et les *Americans*. La mort de dizaines de truands n'a guère ému mais, lorsque dix-huit bombes ont explosé, entre 1998 et 2000, dans le centre-ville du Cap, les autorités se sont mobilisées. Infiltrée, cette milice a pu être démantelée depuis. En revanche, Mapogo a Mathamaga – un nom dérivé d'un dicton en langue sotho, « si tu es un léopard, alors je suis un tigre » – continue de sévir. Créée en 1996, disposant désormais de 72 antennes à travers toute l'Afrique du Sud, cette milice protégeait en 2002 plus de 70 000 parti-culiers ou institutions, presque le double de sa clientèle quatre ans plus tôt. Mais elle ne se cantonne pas dans une sécurité défensive en apposant son emblème, l'effigie de deux félins, à des fins dissuasives. Elle traque et punit les criminels en les frappant d'un martinet local – le *sjambok* – trempé dans des décoctions pour aviver les plaies du voleur ainsi « guéri » de son vice. « Le crime est hors de contrôle et le gouverne-ment ne peut pas faire face. Nous savons comment faire avec les criminels », explique le président de Mapogo, Monhle Magolego. « Nous croyons au châtiment corporel et ça mar-che vraiment. » Tellement bien d'ailleurs que lui-même et une vingtaine d'autres miliciens ont été inculpés dans 230 affaires pour tentatives de meurtre, enlèvements, coups et blessures. Cependant, dans un État où le maintien de l'ordre s'est ainsi « privatisé », il n'est pas facile de trouver, et de protéger, des témoins prêts à aller jusqu'au bout d'une procé-dure judiciaire...

Dans les villes sud-africaines, la lutte des classes et des races se fond au sein d'une criminalité qui frappe – quoique de façon très inégale – toutes les composantes de la société. « Les jeunes des townships ont eu, au fil des décennies, un ennemi visible, l'État. Maintenant, cet ennemi a cessé d'être visible, en raison des transformations en cours », a expliqué dès 1992 Nelson Mandela. « Leur ennemi, désormais, c'est vous et moi, les gens qui conduisent une voiture et possèdent une maison. C'est l'ordre, c'est tout ce qui est lié à l'ordre, et c'est là une situation grave. » D'autant plus grave qu'en zone rurale, où l'ancien et le nouvel ordre se confondent parce que la terre fertile appartient toujours aux mêmes fermiers blancs, la guerre civile dissimulée comme criminalité est une « revanche raciale ». Le constat, là encore, est de Nelson Mandela, conscient du fait que les quelque 4 000 attaques à main armée de fermiers blancs entre 1997 et 2001, au cours desquelles 660 personnes ont trouvé la mort, s'expliquent par l'injustice sociale persistante dans les campagnes sud-africaines, par le « paternalisme carabiné » des uns et la « soif de terre » des autres. D'année en année, le nombre d'attaques ne cesse de s'accroître : de 433 agressions en 1997, ayant fait 84 victimes, on est ainsi passé à 1 011 attaques et 147 morts en 2001. Ce sont là les derniers chiffres publiés par la presse, les statistiques de la police au sujet de l'insécurité étant désormais des secrets d'État. Le gouvernement sud-africain a en effet décrété un « moratoire » sur leur publication, comme l'a expliqué, en prenant ses fonctions en mai 2002, le ministre de la Sûreté et de la Sécurité, Charles Nqakula, pour ne pas « démoraliser » l'opinion publique.

Dans une société soumise à de telles tensions, faut-il être surpris que chacun se réfère à « son peuple » (« my people »), à un « nous » bien distingué des « autres », s'il ne parle pas carrément de « Boers », de « coolies » ou de « kaffirs » ? Fini le temps de l'hypercorrection politique chez les Blancs qui désignaient, au milieu des années quatre-vingt-dix, les Noirs comme « non swimmers » [non nageurs], sans la moindre référence à l'épiderme... Vingt ans après la levée de l'interdiction des mariages « interraciaux », et dix ans après la fin officielle de l'apartheid, les couples mixtes restent archiminoritaires. Si, globalement, 4 % des unions matrimoniales franchissent la barrière raciale, le pourcentage entre Noirs et Blancs est de 0,1 % seulement. Des gens de toutes les cou-

leurs qui, festifs et détendus, boivent des bières ensemble
dans un pub avenant, on n'en voit que sur des panneaux
publicitaires. Dans la réalité, l'autoségrégation est la règle.
On se côtoie, mais on ne se mélange pas, sauf dans les rares
enclaves du cosmopolitisme, notamment à Johannesburg. Au
point où l'on finit par ses demander si la nation arc-en-ciel
existe ailleurs que dans le discours politique. Dans son livre,
*An Ordinary Country*, publié en 2002, le sociologue métis
Neville Alexander ne la voit incarnée qu'en Nelson Mandela
et la « génération des prisonniers » de l'ANC, la vieille garde
qui en a rêvé pendant des décennies derrière les barreaux de
l'apartheid. Ailleurs, ce serait la « thèse des quatre nations »
– celle des Noirs et des trois « minorités nationales » que
constituent les Blancs, les métis et les Indiens – qui l'emporte. Si ce n'est pas la « thèse des deux nations » – les victimes de l'apartheid d'un côté, et les bourreaux blancs de l'autre – qui s'impose en puisant aux sources les plus venimeuses
du mouvement de la Conscience noire, né dans les années
soixante-dix. « Ce que Mbeki fait réellement en "jouant la
carte raciale", comme le prétendent ses opposants dotés de
faible discernement, consiste à avertir du danger d'une confrontation de classe en démontrant à la strate puissante combien il serait facile de mobiliser les pauvres, urbains et ruraux,
pour une conflagration raciale », souligne Neville Alexander,
en vieux trotskiste plus éclairé que les « opposants de faible
discernement ». Il n'en reste pas moins vrai que le principal
slogan de la Conscience noire – *« one settler, one bullet »*
[un colon, une balle] – trouve déjà un début de réalisation en
milieu rural. Ce qui ne vise pas à insinuer que l'Organisation
du peuple azanien (Azapo), le porte-drapeau institutionnel de
la mouvance, soit impliquée dans ces violences. N'ayant
récolté que 27 200 voix aux élections de 1999, soit 0,2 % des
suffrages, l'Azapo est marginale. Elle l'est d'autant plus que
la *« black consciousness »* est victime de son succès, ayant
infusé les cœurs et les esprits de *toute* la communauté noire,
et, donc, de ses mouvements politiques, dont l'ANC. Ses
adeptes sont bien représentés, en particulier au sein du cabinet

présidentiel, parmi les 300 (!) conseillers de Thabo Mbeki, à
commencer par le « directeur général et coordinateur du
Bureau de la présidence », Frank Chikane, un ancien ouvrier
devenu pasteur de la Mission de la foi apostolique. En dehors
des sphères du pouvoir, les jeunes générations noires sont
en train de « réenchanter le passé », comme dirait Achille
Mbembé, en s'inventant une nouvelle « africanité », inspirée
par leur héros mort en détention en 1977, Steve Biko, et cal-
quée sur le modèle culturel des... Afro-Américains. À la
recherche de ce quelque chose d'indicible dont l'apartheid
aurait dépouillé leurs parents, *« it's not african enough ! »* est
devenu leur cri de ralliement. Rien n'est « assez africain » à
leurs yeux, ni en musique, ni en vêtements, ni en coiffure,
nourriture ou littérature. Certes, cette « négritude » se met en
scène sur le registre des apparences, de la mode, et ne risque
pas avant longtemps de provoquer des déferlements de justiciers noirs sur les faubourgs blancs. Cependant, l'étincelle
identitaire partie des quartiers « branchés » de Johannesburg
pourrait un jour embraser Soweto.

S'interroger sur l'ethnicité – l'usage politique du fait ethnique – dans la « nouvelle » Afrique du Sud revient à parler de
corde dans la maison d'un pendu. Entre le fantasme occidental des « vieux démons de l'Afrique » et la provocation que
peuvent légitimement ressentir les Sud-Africains à se trouver
renvoyés au thème favori de l'apartheid, la voie est étroite.
Néanmoins, la question se pose et, de toute évidence, l'ANC
se l'est posée. Nelson Mandela l'a fait ouvertement en révé-
lant, en juin 1999, qu'il aurait préféré comme successeur, à
la place de Thabo Mbeki, Xhosa comme lui et comme Oliver
Thambo, son prédécesseur à la tête de l'ANC, Cyril Rama-
phosa, ancien secrétaire général du syndicat des mineurs
noirs, grande figure de la résistance intérieure, principal négo-
ciateur de la transition pacifique et un Venda, une ethnie du
nord du pays. De là à alimenter l'idée d'une *« Xhosa Nostra »*
au sein de l'ANC, il y a un pas qu'il serait prématuré de
franchir. En revanche, sous couvert de négation systématique
de tout ce qui relève, de près ou de loin, de la structure tradi-

tionnelle des communautés africaines, l'ANC mène, en catimini, une *Realpolitik* tribale. Ainsi, depuis 1994, les chefs
traditionnels – souvent les mêmes qui furent « achetés » par
le régime d'apartheid – sont rémunérés par l'État, retraite et
assurance-maladie comprises. En 2000, il leur a été fixé une
sorte de Smig qu'ils perçoivent désormais tous, 72 000 rands
par an, soit 8 500 euros, une somme non négligeable dans
l'Afrique du Sud rurale. Parallèlement, l'ANC nie la persistance de la « question zulu », présentée comme une simple
manipulation de l'apartheid qui, après l'effondrement du
régime raciste, aurait disparu sans laisser de traces. En réalité,
la tension persiste dans le Kwazulu Natal et le nationalisme
zulu, aussi « bricolées » soient ses références historiques,
n'est pas mort. C'est d'ailleurs la raison pour laquelle l'ANC
maintient à son poste de ministre de l'Intérieur l'imprévisible
Mangosuthu Buthelezi, président fondateur au sang royal de
l'Inkatha, le mouvement zulu de libération nationale qu'il a
créé en 1975 et qui a livré, sur « ses » terres, une véritable
guerre à l'ANC jusqu'au partage du pouvoir en 1994. Mais
ce partage est précaire et risque d'être remis en question, souligne le politologue sud-africain Rupert Taylor. Cet expert
dénonce « la politique du déni » de l'ANC face à la « dynamique systémique de vendetta résiduelle » héritée du très haut
degré de militarisation du conflit dans les années quatre-vingt
et quatre-vingt-dix. Les faits semblent lui donner raison :
entre juin et décembre 2002, les violences politiques dans le
Kwazulu Natal ont fait une cinquantaine de morts, sur fond
de rivalité à peine jugulée entre l'Inkatha et l'ANC. Pour les
Zulu, le groupe ethnique le plus important de l'Afrique du
Sud, il vaut ce que suggère, de manière générale, la « théorie
de l'ornière » : le passé reste présent dans l'avenir.

La démocratie sud-africaine est digne d'éloge. Proche de
la perfection sur le papier, elle a fonctionné jusqu'à présent
dans la normalité de l'incessant combat démocratique qui doit
être mené partout pour défendre les libertés publiques, avec
des avancées et des reculs. Toutefois, au sein d'une nation
arc-en-ciel, se posent des problèmes que ni les gardiens de la

Constitution ni les observateurs du fonctionnement institutionnel ne soulèvent habituellement. Un exemple : le multilinguisme. Déjà, dans des pays aussi riches que la Suisse, la Belgique ou le Canada, la garantie de l'équité entre plusieurs langues officielles est un exercice difficile et coûteux. Que dire alors de l'Afrique du Sud qui, poussant loin le respect de sa diversité, se reconnaît onze langues officielles : l'anglais, l'afrikaans et neuf idiomes africains ? D'autant que l'anglais est auréolé du double prestige de « la langue de la libération », celle de l'ANC, et de sésame ouvre-toi de la sphère internationale, à la fois de la culture britannique et du rêve américain mondialisé, ce qui n'est pas peu dire en Afrique du Sud. Or, qui se doute que, dans ce pays où le discours politique et la vie administrative se servent de l'anglais et, de moins en moins, de l'afrikaans, seuls 3,4 millions de personnes – à peine 8 % de la population – parlent à la maison la langue de Shakespeare et de Michael Jackson (contre 5,8 millions, soit 13 %, pour l'afrikaans ; 9,2 millions, soit 21 %, pour l'isiZulu ; 7,1 millions, soit 16 %, pour l'isiXhosa, etc.). Sûrement, un pourcentage sensible de personnes maîtrise l'anglais comme langue étrangère, du moins dans les grandes villes. Cependant, sous l'angle d'une démocratie participative, ailleurs qu'au Cap, à Durban, à Johannesburg ou à Pretoria, comment ne pas reconnaître que la tour de Babel officielle entrave ce qu'elle devrait favoriser, le libre accès de tous à la *res publica* ? Car, dans un pays qui lutte contre l'analphabétisme, le plurilinguisme n'existe en réalité ni dans l'enseignement ni dans l'administration. C'est donc un leurre, et l'on peut se demander s'il ne sert pas à même imposer l'anglais comme langue officielle d'usage, au détriment de l'afrikaans, ravalé au rang des multiples langues officielles fantoches. Derrière des apparences libérales, la lutte pour l'hégémonie est féroce...

Avec les 66,4 % des suffrages qu'il a obtenus lors des élections de 1999, l'ANC est un parti unique de fait. On ne saurait le lui reprocher, s'il se cantonnait dans son rôle de parti de gouvernement, en respectant l'indépendance des formations d'opposition, des syndicats, des médias, de la société civile. Or, il ne le fait qu'à son corps défendant et tente de phagocyter, ou de réduire au silence, toute contestation. « On est coopté ou éjecté du système », résume un ennemi juré de Thabo Mbeki au sein de la direction de l'ANC, qui qualifie le contrôle que l'actuel président exerce sur le parti et l'État de « subtilement stalinien ». Nul n'est obligé de partager cet avis. Cependant, pour prendre un exemple, la liberté de la presse en Afrique du Sud, supposée intacte, est mise en péril par ce que ce dissident appelle « la stratégie du contrôle total ». Dans les rangs de l'ANC, d'où provient pour le moment le plus grand danger, elle prend la forme de « cabales » incessantes. Dans les médias d'État de l'audiovisuel, elle se traduit par un noyautage systématique. Les trois chaînes publiques de télévision qui atteignent en moyenne 11,8 des 12,8 millions de téléspectateurs adultes (le restant constitue le public des chaînes privées payantes), le contrôle de l'ANC est désormais établi. Il en va de même pour les radios publiques dont la hiérarchisation de l'information témoigne d'un parti pris certain : ainsi, le jour où l'ex-épouse du dernier chef de l'État blanc, Marike de Klerk, a été retrouvée morte, assassinée, le bulletin de la SAFM s'ouvrait-il sur l'indemnisation des victimes – noires – de l'amiante... À la Radio-Télévision sud-africaine (SABC), les gêneurs talentueux, tels que Jim Modise ou Max du Preez, ont été poussés vers la porte. On comprend pourquoi, quand le directeur de l'information de la SABC, Thami Mazwai, déclare au parlement : « Nous ne pouvons pas être guidés par de vieux clichés, tels que l'objectivité, les droits du rédacteur en chef, etc. Ce sont de vieux clichés qui ne peuvent plus relever les défis d'aujourd'hui. » Interpellé par la centrale syndicale Cosatu, qui demandait sa démission, il s'en est expliqué plus en détail : « J'ai dit que l'objectivité et d'autres clichés en cours dans les médias doivent être placés dans un contexte africain. Cela veut simplement dire que les événements doivent être interprétés dans un contexte africain, et qu'un cadre de référence africain doit être appliqué. Qu'est-ce qu'il y a de mal à utiliser des normes et des valeurs africaines pour interpréter les événements ? Ne sommes-nous pas fiers d'être africains ? » Peut-être, si l'histoire indépendante du reste du continent n'avait pas puissamment vacciné contre de telles prétentions à « l'authenticité », lirait-on ces propos avec moins d'affolement.

Et la presse écrite, privée, ce bastion inexpugnable pendant l'apartheid ? Elle résiste à nouveau, cette fois à une « stratégie de l'enlacement assortie de remontrances de plus en plus pressantes », comme le formule un rédacteur en chef qui, signe des temps, ne tient pas à être cité. Nelson Mandela avait décidé en 1994 de ne pas lancer un quotidien de l'ANC. Sans revenir sur ce choix, Thabo Mbeki se console en publiant, chaque vendredi sur Internet, *ANC Today*, dont il rédige lui-même l'éditorial. Un exercice qui doit lui permettre de résorber bien des aigreurs que lui procure la lecture des journaux échappant à son contrôle. Habitué à faire la leçon à la presse, le chef de l'État sud-africain a clarifié sa vue de l'éthique journalistique, le 13 avril 2003, dans un communiqué officiel : « Le président Thabo Mbeki a appelé les médias africains à suivre les développements continentaux de façon à être capables de raconter une vraie histoire africaine, au lieu de critiquer de manière ignorante les politiques du gouvernement. » Partant de là, tout commentaire devient, forcément, malveillant. Celui du patron de presse zimbabwéen, Trevor Ncube, qui a racheté en 2002 le porte-étendard de la presse indépendante sud-africaine, *The Mail & Guardian*, traduit des craintes fondées sur la compulsion de répétition dans l'échec du continent, depuis quarante ans : « Les similitudes entre l'Afrique du Sud et le Zimbabwe m'inquiètent », disait-il le 16 avril 2003, trois jours après l'exhortation présidentielle à « raconter une vraie histoire africaine », en ajoutant : « Grand Dieu, j'espère que je me trompe. J'ai vu ces choses au Zimbabwe. J'espère que je me trompe, que l'Afrique du Sud ne se conforme pas au stéréotype *"indépendant aujourd'hui, ruiné demain"*. »

Se trompe-t-il ou, à l'instar du Zimbabwe qui, indépendant

en 1980, n'a rien appris de cette Afrique « mal partie » deux décennies avant lui et jamais arrivée à bon port, l'Afrique du Sud échouera-t-elle sur les hauts fonds d'une « africanité » prétendument infrangible, mais qui s'est toujours brisée sur les écueils du réel, insensible à la « négritude » ? Au regard de ce qui précède, chacun est fondé en raisons pour faire son choix. Mais il paraît pour le moins difficile de ne pas répondre par l'affirmative à la question initiale : oui, assurément, la « négrologie » obère l'avenir de l'Afrique du Sud, et bien plus lourdement qu'on ne l'aurait soupçonné au départ. Sans elle, l'impact du sida serait nettement moindre, la confiance en l'avenir de l'ex-pays de l'apartheid sensiblement plus grande sur tous les plans : politique, économique, diplomatique, sécuritaire et institutionnel. Faut-il en conclure, d'ores et déjà, que l'autisme identitaire de « l'homme noir » condamne l'expérience sud-africaine à l'échec que le continent répète, de façon tragiquement compulsive, depuis quarante ans ? Il faudrait un autre « miracle » pour que ce malheur n'advienne pas.

Dans son livre *Exploration de l'Afrique noire*, paru en 2002, le journaliste-écrivain Jean de la Guérivière relate le prélude à l'histoire moderne de l'Afrique du Sud : admirateur de son grand-oncle Henri Le Navigateur, Jean II dit « le Parfait », roi du Portugal de 1481 à 1495, s'intéressa à l'Afrique et à ses richesses. Avec l'accord du pape, il s'intitula « seigneur de Guinée » et fit construire sur le littoral du futur Ghana, réputé être une « Côte d'or », le fort Saint-Georges-de-la-Mine, dont le nom – vite abrégé en *El Mina* – traduisit bien les intentions poursuivies. Dans le même but commercial, Jean II chargea Bartolomeu Dias d'atteindre les Indes par la voie maritime en contournant l'Afrique. À bord de deux caravelles, Dias emmena avec lui six Africains vêtus à l'européenne qu'il déposa en divers points du rivage munis d'échantillons d'or, d'épices, d'ivoire et d'autres produits destinés à apprendre aux indigènes quelles étaient les marchandises prisées par les Portugais. Cependant, le dernier Africain à peine débarqué, les caravelles furent emportées par une violente tempête. Leurs équipages perdirent la côte de vue pendant treize jours. En fait, ils vinrent – sans s'en apercevoir – franchir la limite sud de l'Afrique. Le 3 février 1488, Dias jeta l'ancre à quelque 400 kilomètres de la future ville du Cap et dressa un *padrao*, l'une de ces hautes bornes surmontées d'une croix par lesquelles les Portugais prenaient symboliquement possession de leurs découvertes. Au bout de quelques jours de navigation sur la côte orientale de l'Afrique, en *mare incognita*, les hommes de Dias cédèrent à la panique, et celui-ci, pour éviter une mutinerie, dut se résigner à rebrousser chemin. Dias rentra au Portugal en décembre 1488, après avoir franchi en sens inverse le cap fatidique, qu'il nomma « cap des Tempêtes », mais que Jean II, pour ne pas en compromettre l'attrait, préféra baptiser « cap de Bonne-Espérance ». L'histoire tranchera qui, du navigateur ou du roi, aura eu raison..

# ÉPILOGUE

Le présent n'a pas d'avenir en Afrique. Tel était notre point de départ. À l'arrivée, la démonstration a été faite. Elle est écrasante, déprimante, irrécusable. Le continent se meurt. Il lui faut changer, sous peine de sceller le sort d'un grand nombre de ses habitants. L'Afrique est éternelle, certes, mais comment accepter que le berceau de l'humanité devienne un tombeau pour tant d'hommes, de femmes et d'enfants ?

Autour du Programme des Nations unies pour le développement, des experts internationaux – dans le cadre d'une initiative appelée « Afrique 2025 » – se sont livrés à un exercice prospectif, à l'échéance des vingt années à venir. En juin 2003, ils ont publié leur rapport intitulé *Quels futurs possibles pour l'Afrique au sud du Sahara ?* qui contient quatre scénarios dont deux sont catastrophistes. Dans sa préface à l'ouvrage, le président sud-africain Thabo Mbeki, héraut de la « renaissance africaine », prend courageusement acte de ces sombres perspectives. « La prévision d'un avenir désastreux ne doit pas être rejetée parce que celui-ci est désastreux », écrit-il. « Un tel avenir ne doit pas non plus être considéré comme déjà écrit. [...] Ce qui adviendra au cours des vingt et quelques prochaines années dépendra de ce que nous, Africains, ferons. » On ne peut qu'être d'accord avec lui.

Les experts du PNUD ne parlent pas de « négrologie ». Mais ils relèvent la tentation de repli sur une « culture native » chez des Africains de plus en plus nombreux, qui tirent de leur échec collectif cette conclusion : « Il faut sortir de l'Occident et de l'Orient, s'en purger, pour trouver des voies originales vers un développement authentique. Il faut réinventer la différence et non se complaire à trouver une place sur "la natte des autres". » Tel était déjà le propos de la poignée d'étudiants noirs qui, dans le Paris des années trente, loin de chez eux et en butte aux pires préjugés, ont inventé la « négritude ». Ils se sont affirmés, par opposition. Ils ont valorisé ce qui leur était reproché. Mis dans le même sac en raison de la couleur de leur peau, ils se sont persuadé qu'ils avaient quelque chose d'irréductible en commun, un lien communautaire fort, la « fraternité des Nègres » dont parlait Senghor. C'était un rêve généreux. « Mais à trop rêver nos identités, n'avons-nous pas engendré des cauchemars, réels et tangibles ? » se demande, rétrospectivement, l'écrivain congolais Henri Lopes, dans sa préface au livre de Stanislas Spero Adoveti, *Négritude et Négrologues*, une mise à sac implacable du « graal noir ». Au pied des fosses communes de l'illusion identitaire tribale (et qui, demain, sera peut-être religieuse), Henri Lopes estime qu'il n'y a pas « d'autre issue à ces géhennes que de penser le monde non plus en termes de races mais d'individus, de droits et de valeurs universels ». C'est le défi que l'Afrique doit relever, si elle veut pousser « les volets clos du particularisme noir » (Paul Gilroy). Il ne s'agit plus d'apaiser les brûlures d'âme de quelques « évolués » seulement, tiraillés entre *leurs* traditions et *la* modernité, entre deux mondes aux antipodes, l'un tout en chaleur, l'autre froid de lumières. Aujourd'hui, *tous* les Africains sont concassés par une mondialisation subie comme une – énième – aliénation. En guise de résistance, l'« africanité » est réinventée tous les jours par tout le monde sur l'ensemble du continent. Chimère démocratiquement pourchassée, « l'homme noir » y est devenu le principal obstacle au développement.

Pourquoi ? Parce que le signe de reconnaissance de l'Afrique n'est pas la noirceur de l'épiderme. S'ajoutant à sa cohérence géographique et à son histoire – souvent douloureuse –

dont font partie la traite esclavagiste et le colonialisme, la vraie particularité de l'Afrique est la « concomitance d'époques différentes », dont parle le philosophe allemand Ernst Bloch (1885-1977) dans sa trilogie sur *Le Principe espérance*. Nulle part ailleurs au monde, à la même échelle qu'en Afrique, des temporalités aussi différentes coexistent au présent au point que l'on songe à « l'éternité dans l'instant » des surréalistes. D'où, aussi, le sans-gêne avec lequel, dans les pages qui précèdent, des parallèles historiques ont été établis, par exemple, entre la « guerre des écorcheurs » en Europe et le conflit au Congo-Kinshasa, entre la « sociogenèse » de l'État occidental et la « greffe » étatique coloniale. Rien n'est identique ni forcément successif, mais tout est en résonance. À titre d'illustration, on aurait aussi pu comparer la *Small Boys' Unit* de Charles Taylor au Liberia avec les janissaires – du turc *géni ceri*, la « nouvelle milice » – dans l'empire ottoman du XIVᵉ au XVIᵉ siècle, mais aussi avec les « bataillons de l'Espérance » de l'époque révolutionnaire en France, avec les « Pupilles de la Garde » sous l'Empire, ou encore avec les quelque trois cent mille enfants-soldats qui participèrent, des deux côtés, à la guerre de Sécession, la première guerre « moderne » de l'Occident...

L'Afrique, c'est à la fois le tam-tam et le téléphone satellite, la paillote et le gratte-ciel, le « roi nègre » authentique et le vrai démocrate chef de l'État. C'est « 1789 en présence d'*Amnesty International* », pour reprendre la saisissante formule du président Laurent Gbagbo. Inutile de multiplier les variations sur ce thème. En ramenant l'idée à l'homme, elle se résume simplement : les Africains sont nos aïeux contemporains, *en même temps* nos aïeux et nos contemporains.

Ce télescopage d'époques ailleurs successives – qui n'est donc pas un « retard » mais une surimpression de temps différents – contribue largement à la « négrologie ». En réfléchissant au refus du développement sur le continent noir, Axelle Kabou écrivait en 1991 que les Africains attendaient « Brazza et Stanley au détour d'un sentier de brousse pour leur faire la peau ». C'était bien vu. Pourquoi ? Parce que les explorateurs, et tous les étrangers qui les ont suivis depuis, ont basculé les Africains dans un monde que ceux-ci ne reconnaissent pas comme le leur. N'est-ce pas la raison profonde pour laquelle l'Afrique, au lieu d'avancer, recule ? Ou, plus précisément, n'avance que sous la contrainte extérieure, hier coloniale, aujourd'hui tutélaire (FMI, Banque mondiale, États donateurs, etc.) ? Le développement, l'État, le rang du continent dans le monde, même la santé publique ou l'éducation nationale ne sont pas, en Afrique, le souci du plus grand nombre. C'est « une affaire de Blancs », comme on dit couramment en Afrique francophone. En somme, ce serait seulement la suite logique d'une erreur historique d'aiguillage ayant mis le continent sur une voie de garage. Au lieu de s'épuiser à vouloir rattraper les « maîtres de la terre », hier les colons, aujourd'hui les « mondialisateurs », les Africains se sont enfermés dans un passé réinventé et idéalisé, une « conscience noire » hermétiquement scellée. Aussi longtemps que persistera ce refus d'entrer dans la modernité, autrement qu'en passager clandestin ou en consommateur vivant aux crochets du reste du monde, il faudra aviver la blessure, plonger la plume dans les plaies ouvertes de l'Afrique.

C'est ce que nous avons essayé de faire dans ce livre – qui n'est donc pas « gentil ». Nous ne prétendons pas le contraire. Seulement, notre propos le plus dur ne s'adresse pas aux Africains, qui se débattent dans l'adversité, mais à leurs « amis » occidentaux, qui perçoivent le continent noir comme un parc naturel et leurs habitants – immuables « depuis la nuit des temps », primitifs hantés de « vieux démons »... – comme les prisonniers d'une garenne humaine. Que ces gardes-faune de l'Afrique fassent de l'exotisme leur monnaie de singe ne porterait pas à conséquence si leur culte de « l'homme noir », célébré pour des raisons frivoles ou intéressées, ne les rendait pas complices du meurtre de masse qui défigure la face du continent. Mais ils entretiennent un rêve fou qui tue. Car, tant que les Africains ne comprendront pas qu'ils ne peuvent pas baigner dans le liquide amniotique de leur « authenticité » tout en se lamentant de l'absence d'eau chaude et d'électri-

cité, ils seront obligés de « détourner » leur destin : en volant
des deniers publics, en tuant le « temps des Blancs » et ceux
de leurs « frères » qui s'y inscrivent pour bâtir une existence,
laborieuse mais honnête.

Les « négrologues » sont pires que la « négrologie » :
l'Afrique se meurt d'un suicide assisté.

# BIBLIOGRAPHIE

ADAM, Heribert, VAN ZYL SLABBERT Frederik et MOODLEY, Kogila, *Comrades in Business*, Le Cap, Tafelberg Publishers, 1998.

AGIER, Michel, *Aux bords du monde, les réfugiés*, Paris, Flammarion, 2002.

ALEXANDER, Neville, *An Ordinary Country. Issues in the Transition from Apartheid to Democracy in South Africa*, première édition Pietermaritzburg, 2002, New York, Berghahn Books, 2003.

AMSELLE, Jean-Loup, « L'Afrique : un parc à thèmes », dans *Les Temps modernes*, n° 620-621 (août-novembre 2002), p. 46-60.

– *Branchements. Anthropologie de l'universalité des cultures*, Paris, Flammarion, 2001.

– et M'BOKOLO, Elikia, *Au cœur de l'ethnie : Ethnie, tribalisme et État en Afrique*, Paris, La Découverte, 1999 (première édition 1985).

AUDOIN-ROUZEAU, Stéphane, « Enfants-combattants : histoire immédiate, histoire comparée », dans *Les Enfants dans la Grande Guerre. Historial de la Grande Guerre*, Péronne, 2003, p. 89-98.

AUSTEN Ralph, *African Economic History* Londres, James Currey, 1987.

BAILLY, Michèle et DUFOUR, Patrice, *L'Aide au développement à l'heure de la mondialisation*, Toulouse, Milan, 2002.

BALANDIER, Georges, *Sociologie des Brazzavilles noires*, Paris, Armand Colin, 1955.

BALIBAR, Étienne et WALLERSTEIN, Immanuel, *Race, nation, classe, les identités ambiguës*, Paris, La Découverte, 1997.

BANCEL Nicolas, BLANCHARD Pascal et VERGÈS Françoise, *La République coloniale*, Paris, Albin Michel, 2003.

BANEGAS, Richard, « Le nouveau business mercenaire », dans *Critique internationale*, n° 1, 1998.

– *La Démocratie à pas de caméléon. Transitions et imaginaires politiques au Bénin*, Paris, Karthala, 2003.

BANQUE MONDIALE, *L'État dans un monde en mutation. Rapport sur le développement dans le monde*, Washington, 1997.

BARBIER, Jean-Claude et DORIER-APPRILL, Elisabeth et MAYRARQUE, C., *Formes contemporaines du christianisme en Afrique noire. Une étude bibliographique (Introduction)*, Pessac (Gironde), CEAN, 1998.

BASSET, Thomas J., « "Nord musulman et Sud chrétien" : les moules médiatiques de la crise ivoirienne », dans *Afrique contemporaine*, n° 206 (été 2003), p. 13-27.

BAUER, Jürgen, « La production de la paix », dans Jacques FONTANEL, *Civilisations, globalisation, guerre*, Grenoble, PUG, 2003, p. 89-105.

BAUER, Peter Thomas, *West African Trade*, Londres, 1954.

– *Economic Analysis and Policy in Under-developed Countries*, première édition 1957, Londres, Greenwood Publishing Group, 1982.

– *Dissent on Development*, Londres, Harvard University Press, 1971.

– *Reality and Rhetoric : Studies in the Economics of Development*, Londres, Harvard University Press, 1984.

– *The Development Frontier : Essays in Applied Economics*, Londres, Harvard University Press, 1991.

BAYART, Jean-François, *L'Illusion identitaire*, Paris, Fayard, 1996.

– (sous la direction de), *Les Trajectoires du politique*, volume II, *La Greffe de l'État*, Paris, Karthala, 1996.

– *Religion et modernité politique en Afrique noire*, Paris, Karthala, 1993.

– *L'État en Afrique. La Politique du ventre*, Paris, Fayard, 1989.

– et HIBOU, Béatrice, ELLIS, Stephen, *La Criminalisation de l'État en Afrique*, Bruxelles, Complexe, 1997.

BERNARD, Philippe, *Immigration : le défi mondial*, Paris, Gallimard, 2002.

BERNAULT, Florence (sous la direction de), *Enfermement, prison et* *châtiments en Afrique, du XIX<sup>e</sup> siècle à nos jours*, Paris, Karthala, 1999.

BIDIMA, Jean-Godefroy, « Le corps, la cour et l'espace public », dans *Politique africaine*, n° 77 (mars 2000), p. 90-106.

BLEIN, Roger, « Commerce international : le nouvel ordre des plus forts », dans *Politique africaine*, n° 71 (octobre 1998).

BLOCH, Ernst, *Le Principe espérance*, vol. I, II et III, Paris, Gallimard, 1976, 1982, 1999.

BLUNDO, Giorgio et OLIVIER DE SARDAN, Jean-Pierre, « La corruption quotidienne en Afrique de l'Ouest », dans *Politique africaine*, n° 83 (octobre 2001), p. 8-37.

BOUILLON, Antoine, DAYAN-HERZBRUN, Sonia, GOLDRING, Maurice, *Désirs de paix, relents de guerre, Afrique du Sud, Proche-Orient, Irlande du Nord*, première édition 1996, Paris, Desclée de Brouwer, 2003.

BRAUMAN, Rony et PETIT, Philippe, *Humanitaire : le Dilemme. Entretien avec Philippe Petit*, première édition 1996, Paris, Textuel, 2002.

BRUCKNER, Pascal, *Le Sanglot de l'homme blanc. Tiers-Monde, culpabilité, haine de soi*, première édition 1983, Paris, Seuil, 2002.

CAHEN, Michel, *Ethnicité politique : Pour une lecture réaliste de l'identité*, Paris, L'Harmattan, 1994.

CHABAL, Patrick et DALOZ, Jean-Pascal, *L'Afrique est partie ! : du désordre comme instrument politique*, Paris, Economica, 1999.

CHARBIT, Yves (sous la direction de), *Le Monde en développement : Démographie et enjeux socio-économiques*, Notes et études documentaires de la Documentation française, n° 5143 (février 2002), Paris, La Documentation française.

CHEUZEVILLE Hervé, *Kadogo. Enfants des guerres d'Afrique centrale. Soudan, Ouganda, Rwanda, R-D Congo*, Paris, L'Harmattan, 2003.

CHRÉTIEN, Jean-Pierre et PRUNIER, Gérard (dirigé par), *Les ethnies ont une histoire*, Paris, Karthala, 2003.

CLARK, Kenneth, *Civilisation. A Personnal View*, Londres, British Broadcasting Corporation, 1991.

CLÉMENT, Catherine, *Afrique esclave*, Paris, Noesis, 1999.

COMELIAU, Christian, « La coopération au développement : nostalgie du passé ou rêve pour l'avenir ? », dans *Afrique contemporaine* (numéro spécial, octobre-décembre 1998), p. 199-210.

COMPAGNON, Daniel, « La prétendue "réforme agraire" au Zimbabwe. À qui profite le crime ? », dans *Études. Revue de culture contemporaine*, n° 3983 (mars 2003).

– « Carton jaune pour Mugabe », dans : *Politique africaine*, n° 77 (mars 2000), p. 107-116.

COPANS, Jean, *La Longue Marche de la modernité africaine : savoirs, intellectuels, démocratie*, première édition 1990, Paris, Karthala, 1998.

COQUEREL, Paul, *Afrique du Sud. L'Histoire séparée*, Paris, Gallimard, 1992.

COQUERY-VIDROVITCH, Catherine, « De "l'africanisme" vu de France. Le point de vue d'une historienne », dans *Le Débat*, n° 118 (janvier-février 2002).

COULON, Christian, « Introduction : Les nouvelles voies de l'*umma* africaine », dans *L'Afrique politique*, 2002 (CEAN), « Islams d'Afrique : entre le local et le global », Bordeaux/Paris 2003, p. 19-29.

CROUZEL, Ivan, « Les municipalités en Afrique du Sud : une autonomisation à polarisation variable », *Les Études du CERI*, n° 93, (avril 2003).

– « La "Renaissance africaine" : un discours sud-africain ? », dans *Politique africaine*, n° 77 (mars 2000).

DARBON, Dominique (sous la direction de), *L'Après-Mandela : enjeux sud-africains et régionaux*, Paris, Karthala, 2000.

DEBRAY, Régis, *Le Feu sacré : fonctions du religieux*, Paris, Fayard, 2003.

DECRAENE, Philippe, « La République du Congo reste une terre d'élection pour les Églises africaines », dans *Afrique contemporaine*, n° 200 (octobre-décembre 2001), p. 82-89.

DELAFOSSE, Maurice, *L'Âme nègre*, Paris, Payot, 1922.

DEWITTE, Philippe, *Les Mouvements nègres en France, 1919-1939*, Paris, L'Harmattan, 1985.

DI MURO, Edoardo, *Afrique capitales*, Saint-Maur (Val-de-Marne), Sépia, 1995.

DORIER-APPRILL, Elisabeth et KOUVOUAMA, Abel, « Pluralisme religieux et société urbaine à Brazzaville », dans *Afrique contemporaine*, n° 186 (avril-juin 1998), p. 58-8⁹.

« Dossier Nepad », dans *Afrique contemporaine*, n° 204 (octobre-décembre 2002).

DOZON, Jean-Pierre, *Frères et sujets. La France et l'Afrique en perspective*, Paris, Flammarion, 2003.

DUFOUR, Jean-Louis, *Les Vraies Guerres : Afrique, Asie, Moyen-Orient, Amérique latine. Le Monde en guerre depuis 1945*, Paris, La Manufacture, 1991.

DUMONT, René, *L'Afrique noire est mal partie*, Paris, © Éditions du Seuil, 1962, coll. « Points Politique », 1966. (Épuisé.)

– et MOTTIN, Marie-France, *L'Afrique étranglée*, Paris, Seuil, 1980.

DUMONT, Gérard-François, *Les Populations du monde*, Paris, Armand Colin, 2001.

DUMORTIER, Brigitte, *Atlas des religions : croyances, pratiques et territoires*, Paris, Autrement, 2002.

DUVAL Philippe (avec la collaboration de Flora KOUAKOU), *Fantômes d'Ivoire*, Paris, Éditions de Rocher, 2003.

ELA, Jean-Marc, *Repenser la théologie africaine : le Dieu qui libère*, Paris, Karthala, 2003.

ELIAS, Norbert, *La Dynamique de l'Occident*, Paris, Calmann-Lévy, 1991.

ELLIS, Stephen, *The Mask of Anarchy. The Destruction of Liberia and the Religious Dimension of an African Civil War*, New York, New York University Press, 1999.

« Esclavage. Un tabou français enfin levé », dans *Historia thématique*, n° 80 (novembre-décembre 2002).

ÉTIENNE, Gilbert, *Le Développement à contre-courant*, Paris, Presses de Science Po, 2003.

ETOUNGA-MANGUELLE, Daniel, *L'Afrique a-t-elle besoin d'un programme d'ajustement culturel ?*, Paris, Nouvelles du Sud, 1993.

FANON, Frantz, *Les Damnés de la terre*, première édition 1961, Paris, La Découverte, 2002.

FAURE, Véronique, *De Laager à Masakhane, visite guidée du lexique sud-africain*, Bordeaux, CEAN, 1997.

FASSIN, Didier, « Le sida comme cause politique », dans *Les Temps modernes*, n° 620-621 (août-novembre 2002), p. 312-331.

FAVENNE, Jean-Pierre et COPINSCHI, Philippe, « Les nouveaux enjeux pétroliers en Afrique », dans *Politique africaine*, n° 89 (mars 2003), p. 127-148.

FERME, Mariane C., *The Underneath of Things. Violence, History and the Everyday in Sierra Leone*, Berkeley, Los Angeles, University of California Press, 2001.

FERRO, Marc (sous la direction de), *Le Livre noir du colonialisme :
XVIᵉ au XXIᵉ siècle : de l'extermination à la repentance*, Paris,
Robert Laffont, 2003.

– *Histoire des colonisations : des conquêtes aux indépendances,
XIIᵉ-XXᵉ siècle*, Paris, Seuil, 1994.

FICQUET, Éloi, « La mise en jazz de l'Afrique », dans *Les Temps
modernes*, nº 620-621 (août-novembre 2002), p. 441-462.

FONTANEL, Jacques (sous la direction de), *Civilisations, globalisation, guerre : discours d'économistes*, Grenoble, Presses universitaires de Grenoble, 2003.

« Futurs africains », *Afrique 2025. Quels futurs possibles pour
l'Afrique au sud du Sahara ?* (préface de Thabo Mbeki), Paris,
2003

GADJI DAGBO Joseph, *L'Affaire Kragbé Gnagbé. Un autre regard,
32 ans après*, t. I, Abidjan, Nouvelles Éditions ivoiriennes, 2002.

GAULME, François, *Intervenir en Afrique ? : le dilemme franco-
britannique*, Paris, IFRI, 2001.

GBAGBO Laurent, *Côte d'Ivoire : économie et société à la veille de
l'indépendance (1940-1960)*, Paris, L'Harmattan, 1982.

– *Sur les traces des Bete*, Abidjan, Nouvelles Éditions ivoiriennes,
2002.

GANTET, Claire, *La Paix en Westphalie (1648). Une histoire
sociale*, Paris, Belin, 2001.

GESCHIRE, Peter et MEYER, Birgit, *Globalization and Identity. Dia-
lectics of Flow and Closure*, Oxford, Blackwell Publishers,
1999.

GILROY, Paul, *L'Atlantique noir : modernité et double conscience*,
Paris, Éclat, 2003.

GIRARD, Patrick, « L'Afrique à la dérive », dans *Marianne*, nº 326
(du 21 au 27 juillet 2003), p. 36-45.

GRIMMELSHAUSEN von, Hans Jakob Christoffel, *Les Aventures de
Simplicissimus*, Paris, Fayard, 1990.

GUÉRIVIÈRE, Jean de la, *Exploration de l'Afrique noire*, Paris,
Chêne, 2002.

HADLAND, Adrian et RANTAO, Jovial, *The Life and Times of Thabo
Mbeki*, Le Cap, Struik New Holland Publishers, 1999.

HASSNER, Pierre et MARCHAL, Roland (dirigé par), *Guerres et sociétés : États et violence après la guerre froide*, Paris, Karthala,
2003.

HASKI, Pierre, *L'Afrique blanche : histoire et enjeux de l'apartheid*, Paris, Seuil, 1987.

HATZFELD, Jean, *Une saison de machettes*, Paris, © Éditions du Seuil, 2003.

– *Dans le nu de la vie récits des marais rwandais*, Paris Seuil, 2000.

HOBSBAWM, Eric J., *Bandits*, première édition 1972, New York, The New Press, édition révisée, 2000.

HOCHSCHILD, Adam, *Les Fantômes du roi Léopold : un holocauste oublié*, Paris, Belfond, 1998.

HUBAND, Mark, *The Liberian Civil War*, Ilford (Essex), Frank Cass & Co, 1998.

– *The Skull Beneath the Skin. Africa after the Cold War*, Oxford, Westview Press, 2001.

HUGON, Philippe, *Économie de l'Afrique*, Paris, La Découverte, 2001.

ILIFFE, John, *Les Africains : histoire d'un continent*, Paris, Flammarion, 2002.

JEFFERY, Anthea, *The Natal Story . Sixteen Years of Conflict*, Johannesburg, South African Institute of Race Relations, 1997.

JOHNSON, Shaun, *Strange Days Indeed. Tales from the Old, and the Nearly New South Africa* (préface de Frederik Van Zyl Slabbert), première édition Johannesburg, 1993, Londres, Transworld Publishers Ltd, 1994.

KABOU, Axelle, *Et si l'Afrique refusait le développement ?*, Paris, L'Harmattan, 1991.

KANE, Cheikh Hamidou, *L'Aventure ambiguë*, Paris, 10-18, 2003.

KAPLAN, Robert, « The coming anarchy : how scarcity, crime, overpopulation and disease are rapidly destroying the social fabric of our planet », in *Antlantic Monthly*, février 1994.

– *The Ends of The Earth : A Journey at the Dawn of the 21st Century*, New York, Random House, 1996.

KI-ZERBO, Joseph, *Un jour, l'Afrique : entretien avec René Holenstein*, La Tour d'Aigues, Éd. de l'Aube, 2003.

KONATE, Yaouba, « Les enfants de la balle. De la Fesci aux mouvements de patriotes », dans *Politique africaine*, n° 89 (mars 2003), p. 49-71.

KOUROUMA, Ahmadou, *Les Soleils des indépendances*, Paris, Seuil, 1970.

– *En attendant le vote des bêtes sauvages*, Paris, Seuil, 1998.

– *Allah n'est pas obligé*, Paris, Seuil, 2000.

KROG, Antjie, *Country of my Skull*, première édition Johannesburg 1998, New York, Times Books, 1999.

LANOTTE Olivier, *République démocratique du Congo. Guerres sans frontières. De Joseph-Désiré Mobutu à Joseph Kabila*, Bruxelles, GRIP-Éditions Complexe, 2003.

LAURENT, Pierre-Joseph, *Les Pentecôtistes du Burkina Faso : mariage, pouvoir et guérison*, Paris, Karthala et IRD, 2003.

LECLERCQ, Emmanuel, « Afrique 1990-2002 : état des lieux du cinéma militant », dans *Les Temps modernes*, n° 620-621 (août-novembre 2002), p. 526-544.

LE PAPE, Marc, « Les politiques d'affrontement en Côte d'Ivoire, 1999-2003 », dans *Afrique contemporaine*, n° 206 (été 2003), p. 29-40.

LUGAN, Bernard, *God bless Africa : contre la mort programmée du Continent noir*, Paris, Carnot, 2003.

LUNEAU, René, *Comprendre l'Afrique : évangile, modernité, mangeurs d'âmes*, Paris, Karthala, 2002.

MALAN, Rian, *My Traitor's Heart, Blood and Bad Dreams : A South African Explores the Madness in his Country, his Tribe and Himself*, Londres, Atlantic Monthly Press, 1990.

MARSHALL-FRATANI, Ruth et PECLARD, Didier, « La religion du sujet en Afrique », dans *Politique africaine*, n° 87 (octobre 2002), p. 5-20.

MARY, André, « Prophètes pasteurs. La politique de la délivrance en Côte d'Ivoire », dans *Politique africaine*, n° 87 (octobre 2002), p. 69-95.

MBEKI, Thabo, *Africa, The Time Has Come (selected speeches)*, Le Cap, Tafelberg, 1998.

MBEMBE, Achille, *De la postcolonie : essai sur l'imagination politique dans l'Afrique contemporaine*, Paris, Karthala, 2000.

– « À propos des écritures africaines de soi », dans *Politique africaine*, n° 77 (mars 2000), p. 16-44.

– « Notes sur le pouvoir du faux », dans *Le Débat*, n° 118 (janvier-février 2002), p. 49-59.

MDA, Zakes, *The Heart of Redness*, Oxford University Press Southern Africa, 2000.

MEREDITH, Martin, *Mugabe, Power and Plunder in Zimbabwe*, Oxford, The Perseus Press, 2002.

MONTEIL, Vincent-Mansour, *L'Islam noir : une religion à la conquête de l'Afrique*, première édition 1964, Paris, Seuil, 1980.

MONTENAY, Yves, *Le Mythe du fossé Nord-Sud : ou comment on cultive le sous-développement*, Paris, Les Belles Lettres, 2003.

MORRIS, Alan et BOUILLON, Antoine, *African Immigration to South Africa : Francophone Migration of the 1990s*, Pretoria, Protea Publishers and Institut français d'Afrique, 2001.

MOTTIN, Marie-France, *L'Afrique est un songe : chronique de la néocolonie*, Paris, Exils, 1998.

MOUTOUT, Corinne, *Aurores sud-africaines*, Paris, Payot, 1997.

NAHAVANDI, Firouzeh (sous la direction de), *Repenser le développement et la coopération internationale : état des savoirs universitaires*, Paris, Karthala, 2003.

NAVARRO, Roger, *Côte d'Ivoire, le culte du Blanc : les territoires culturels et leurs frontières*, Paris, L'Harmattan, 2003.

NEGRONI, François de, *Les Colonies de vacances : portrait du coopérant français dans le tiers-monde*, Paris, Hallier, 1977.

NGANANG Patrice, *Temps de chien*, Paris, Le Serpent à Plumes, 2001.

NGOUPANDE, Jean-Paul, *L'Afrique sans la France : histoire d'un divorce consommé*, Paris, Albin Michel, 2002.

– *L'Afrique face à l'islam : les enjeux africains de la lutte contre le terrorisme*, Paris, Albin Michel, 2003.

OUOLOGUEM, Yambo, *Le Devoir de violence*, Paris, Seuil, 1968 (réédité en 2002, Le Serpent à Plumes).

– *Lettre à la France nègre : essai*, Paris, Serpent à Plumes, 2003 (première édition 1969).

PÉAN, Pierre, *L'Homme de l'ombre*, Paris, Fayard, 1990.

PÉROUSE DE MONTCLOS, Marc-Antoine, *Diaspora et terrorisme*, Paris, Presses de Sciences Po, 2003.

PERRAULT, Marie-Dominique (sous la direction de), *Dérives humanitaires : états d'urgence et droit d'urgence*, Genève, 1994.

PNUD (Programme des Nations unies pour le développement), *Rapport mondial sur le développement humain 2003 : les objectifs du millénaire pour le développement*, Paris, Economica, 2003.

RICHARDS, Paul, *Fighting for the Rain Forest : War, Youth and Resources in Sierra Leone*, London/Portsmouth, Heinemann, 1996.

RICHBURG, Keith B., *Out of Africa. A Black Man Confronts Africa*, New York, Harvest Books, 1998.

ROCHE, Pierre-Alain, « L'eau, enjeu vital pour l'Afrique », dans *Afrique contemporaine*, n° 205 (printemps 2003), p. 39-76.

ROUBAUD, François, « La crise vue d'en bas à Abidjan : ethnicité, gouvernance et démocratie », dans *Afrique contemporaine*, n° 206 (été 2003), p. 57-86.

RUFIN, Jean-Christophe, *L'Empire et les nouveaux Barbares : rupture Nord-Sud*, Paris, Hachette Littératures, 1992.

– « Les économies de guerre dans les conflits internes », dans FRANÇOIS, Jean et RUFIN, Jean-Christophe (sous la direction de), *Les Économies des guerres civiles*, Paris, Hachette Littératures, 1996, p. 19-60.

SACHS, Wolfgang et ESTAVA, Gustavo, *Des ruines du développement*, Paris, Le Serpent à Plumes, 2003.

SAMB Djibril, *Gorée et l'esclavage*, *Actes du séminaire sur « Gorée dans la traite atlantique : mythes et réalités »*, corrigés, révisés et édités, Dakar, université Cheikh Anta Diop, 1997.

SAMSON, Fabienne, « Une nouvelle conception des rapports entre religion et politique au Sénégal », dans : *L'Afrique politique 2002* (CEAN), « Islams d'Afrique : entre le local et le global », Bordeaux/Paris 2003, p. 161-172.

SARTRE, Jean-Paul, « L'Orphée noir », préface de Léopold Sédar Senghor, *Anthologie de la nouvelle poésie nègre et malgache*, Paris, PUF, 1977.

SHAW, Martin, *Theory of the Global State*, Le Cap, Cambridge University Press, 2000.

SINDZINGRE, Alice, « État et intégration internationale des États d'Afrique subsaharienne : l'exemple de la fiscalité », dans *Afrique contemporaine*, n° 199 (juillet-septembre 2001), p. 63-75.

SMITH, Dan, *Atlas des guerres et des conflits dans le monde. Peuples, puissances militaires, espoirs de paix*, Paris, Autrement, 2003.

SOFSKY, Wolfgang, *L'Ère de l'épouvante : folie meurtrière, terreur, guerre*, Paris, Gallimard, 2002.

SPARKS, Allister, *The Mind of South Africa. The Story of the Rise and Fall of Apartheid*, New York, Knopf, 1997.

– *Demain est un autre pays : histoire secrète de la révolution sud-africaine*, Paris, Ifrane, 1996.

– *Beyond the Miracle*, Johannesburg, Jonathan Ball Publishers, 2003.

SPERO ADVETI, Stanislas, *Négritude et Négrologues*, préface de Henri Lopes, Le Castor Astral, Paris 1998.

STIGLITZ, Joseph Eugène, *La Grande Désillusion*, Paris, Fayard, 2002.

TÉNIER Jacques, *Intégrations régionales et mondialisation. Complémentarité ou contradiction*, Paris, La Documentation française, 2003.

THEROUX, Paul, *Dark Star Safari. Overland from Cairo to Cape Town*, Boston, Houghton Mifflin, 2003.

TILLY, Charles, « War making and State-making as organized crime », dans EVANS, Peter, RUESCHEMEYER, Dietrich et SKOCPOL, Theda, *Bringing the State back in*, Le Cap, Cambridge University Press, 1985.

TRAORE, Aminata, *L'Étau : l'Afrique dans un monde sans frontières*, Arles, Actes Sud, 2001.

VALLET, Odon, *L'Héritage des religions premières*, Paris, Gallimard, 2003.

VAN DE WALLE, Nicolas, « Les bailleurs et l'État en Afrique », dans *Afrique contemporaine*, n° 199 (juillet-septembre 2001), p. 25-35.

– « La vérité sur l'esclavage », dans *L'Histoire*, n° 280 (numéro spécial, octobre 2003).

VERGÈS, Françoise, *Abolir l'esclavage : une utopie coloniale*, Paris, Albin Michel, 2001.

VERSCHAVE, François-Xavier, *La Françafrique . le plus long scandale de la République*, Paris, Stock, 1998.

– *Noir silence : qui arrêtera la Françafrique ?*, Paris, Éd. des Arènes, 2001.

– Entretien dans la revue *Drôle d'époque*, n° 12 (printemps 2003), p 37-57.

WALDMEIR, Patti, *Anatomy of a Miracle. The End of Apartheid and the Birth of the New South Africa*, Londres, W.W. Norton & Company, 1997.

WRONG, Michela, *In the Footsteps of Mr. Kurtz*, Londres, Harper & Collins, 2001.

ZARTMAN, William (sous la direction de), *Collapsed States. The Desintegration and Restauration of Legitimate Authority*, Boulder (USA), Lynne Rienner Publishers, 1995.

ZERBINI, Laurick, *L'ABCdaire des Arts africains*, Paris, Flammarion, 2002.

# TABLE DES MATIÈRES

tée, 52. – La rente minière épuisée, 54. – L'autre
« golfe pétrolier », 55. – Le triomphe du négoce sur
l'industrie, 57. – Une productivité sans essor, 57.
– L'échec du panafricanisme économique, 58. – Le
fossé Nord-Sud, 60. – *Free trade, fair trade* : le
coton, 61. – « Mondialisés » contre « mondialisateurs », 63. – L'émergence d'une autorité globale,
65.

La Journée de l'enfant africain, 67. – Les prisons,
69. – La fonction publique, 70. – La « politique du
ventre », 73. – L'État (néo-)patrimonial, 74. – Les
pavillons de complaisance, 76. – L'État effondré,
77. – La « greffe » et les frontières « artificielles »,
78. – Norbert Elias : monopole militaire, monopole
fiscal, 79. – « Nation élective » et « État nations »,
81.

Le passé comme traumatologie, 83. – Quatre traites
négrières : la traite interne, la Transsaharienne,
l'arabe, la triangulaire, 84. – La « pacification »
coloniale, 88. – De la négritude au panafricanisme,
90. – Le sous-développement et le « loyer » de la
guerre froide, 92. – « L'indépendance du drapeau »,
94. – L'âge d'or de l'humanitaire, 95. – Le nouvel
ordre « antiterroriste », 99.

M. Bergeret et Clopinel, 101. – L'impôt international : 0,7 % du PNB, 101. – L'Afrique assistée, 103.
– Un plan Marshall pour le continent noir, 104. – La
« conditionnalité politique » de l'aide, 106. – La
grande époque de la Coopération, 107. – L'échec
de l'aide, 108. – Peter Bauer, 109. – « L'argent qui

*Photocomposition Nord Compo*
*(Villeneuve-d'Ascq)*
*Achevé d'imprimer en janvier 2004*
*par la Société Nouvelle Firmin-Didot*
*(Mesnil-sur-l'Estrée)*
*pour le compte des Éditions Calmann-Lévy*

*Imprimé en France*
Dépôt légal : janvier 2004
N° d'édition : 13666/05 - N° d'impression : 66809